SHARON GRIFFITHS

Ouderwets Verliefd

POEMA
POCKET

Eerste druk mei 2009
Tweede druk april 2011

© 2008 Sharon Griffiths
All Rights Reserved
© 2009, 2011 Nederlandse vertaling
Uitgeverij Luitingh ~ Sijthoff B.V., Amsterdam
Alle rechten voorbehouden
Oorspronkelijke titel: *The Accidental Time Traveller*
Vertaling: Ineke van Bronswijk
Omslagontwerp: T.B. Bone
Omslagfotografie: Corbis / HillCreek

ISBN 978 90 210 7936 3
NUR 343

www.boekenwereld.com
www.poemapocket.com
www.watleesjij.nu

Voor de Amos mannen – Mike, Adam en Owen
– met liefs.

I

'Alles in orde, moppie?'
De taxichauffeur keek me een beetje raar aan terwijl ik in mijn handtas grabbelde. Mobieltje... iPod... blocnote... dictafoon... alles behalve mijn portemonnee. Ha, hebbes, helemaal onderop uiteraard. Ik trok er een tientje uit – ik geloof dat het een tientje was – en stak het door het schuifraampje naar hem toe. Ik voelde pijn in mijn nek toen ik me vooroverboog.
'Hier, bedankt. Hou het wisselgeld maar.'
'Weet u zéker dat alles in orde is?' vroeg hij, terwijl hij het biljet snel in zijn portefeuille schoof. Misschien was het een briefje van twintig geweest.
'Ja, hoor. Prima.'
Maar het was niet in orde. En het werd alleen maar erger.
De taxi reed ronkend weg – niemand wil langer dan nodig is in The Meadows rondhangen – en ik stond tollend op mijn benen op de stoep. Mijn hoofd bonsde, mijn ogen deden pijn en ik bibberde als een idioot. Het was zo'n maandag dat ik me voornam om nóóit meer te drinken. Of ruzie te maken met Will.
Oké. Dit was niet het moment voor dat soort overpeinzingen. Ik probeerde me te beheersen. Ik was gekomen om een interview te doen voor *The News*. Mrs. Margaret Turnbull was een van de eerste bewoners van The Meadows geweest toen de wijk vijftig jaar geleden uit de grond werd gestampt, in de tijd dat dit nog het Beloofde Land was. Nu niet meer. Je hebt mazzel als je auto niet wordt gestolen. En je mag je handen dichtknijpen als hij nog wielen heeft.
The News bracht een speciale bijlage uit ter ere van het vijftigjarig bestaan van de wijk. Een van de grote tv-stations had plannen voor een realitysoap, met mensen die moesten doen alsof ze in het verleden leefden, in de jaren vijftig om precies te zijn, en volgens de geruchten zou het programma zich in The Meadows afspelen. Vandaar dat ik de hele ochtend in de stoffige biblio-

theek van *The News* had gezeten om de gebonden edities van
vergeelde kranten uit de jaren vijftig te lezen – verhalen over
nieuwe wegen, nieuwe huizen, bloemencorso's, prijsuitreikingen,
raadselachtige sterfgevallen, en advertenties voor sigaretten en
wasmachines, en massa's huisvrouwen in jasschorten. Een andere wereld.
Intussen leunde ik, terug in het heden, tegen het tuinhek omdat
ik duizelig was. Keurig tuinhek. Keurig tuinpad en een goed onderhouden tuintje met tulpen, sleutelbloemen en viooltjes. Dit
was een van de nettere straten van de wijk, en aan de deftige
voordeur te oordelen had Mrs. Turnbull haar gemeentewoning
gekocht. Door het raam kon ik een dame met grijs haar zien zitten, gekleed in een broek en sweater. Kennelijk wachtte ze op
me, want ze keek op van een breiwerkje.
Maar toen ik over dat pad liep, besefte ik dat er iets mis was,
helemaal mis. Ik kon niet goed meer zien. De tegels leken heel
ver weg. Het kostte me moeite om mijn voeten neer te zetten.
Alles stond schots en scheef. Mijn hoofd tolde. Mijn hoofd
schudden lukte niet, want mijn nek werkte niet mee. Mijn ogen
deden pijn. Dit was geen kater, dit was iets anders. Ik was ziek,
heel erg ziek. Ik begon in paniek te raken. Ik had het gevoel dat
ik om zou vallen. Met mijn armen voor me uit strompelde ik
naar de voordeur. Op de een of andere manier lukte het om aan
te bellen.
Opeens wilde ik – o, zo graag – dat Will en ik geen ruzie hadden gemaakt, dat we die ochtend met een kus dag hadden gezegd, in plaats van met een gespannen en nurks zwijgen. Ik wilde...
Toen werd alles zwart...

Op zondag was het misgegaan. Will en ik woonden niet alleen
samen, we werkten ook samen – hij is de adjunct-hoofdredacteur – en een weekend dat we allebei niet hoeven te werken is
een soort feestje. Na een gezellige zaterdagavond met Caz en Jamie konden we zondag heerlijk uitslapen – hartelijk bedankt –
en daarna was Will gaan voetballen en had ik lekker getut in
huis, mezelf een beetje verwend en de was gedaan. Alleen mijn
eigen was, want Will doet de zijne zelf. En hij doet zijn eigen

strijkwerk. Mij niet gezien. Het is al erg genoeg dat ik mijn eigen was moet doen, dus lang leve de droger.

Caz en ik kwamen tegelijkertijd de pub binnen. Ze droeg een jasje dat ik nooit eerder had gezien, zwart en getailleerd, met elegante brandebourgs. Heel romantisch. 'Beeldschoon!' riep ik terwijl we ons een weg baanden naar de bar. 'Nieuw?'

'Doe niet zo mal,' zei ze lachend, en ze maakte een pirouette zodat ik het jasje van alle kanten kon bewonderen. 'Een weggevertje van de tweedehandswinkel omdat er een vlek op de onderkant zat. Die heb ik er afgeknipt, en de knopen zijn van eBay.' Slimme meid, Caz. Feilloos oog voor wat er goed uitziet.

Op dat moment stopte Jamies auto voor de pub. Door het kleine raam ving ik een glimp op van Will, en dat was genoeg voor een glimlach. Na al die tijd samen voel ik nog steeds vlinders in mijn buik als ik hem zie. Hij en Jamie kwamen binnen. Ze roken naar frisse lucht en waren nog in de roes van hun overwinning. We spraken een veto uit over een potje tafelvoetbal, bestelden iets te eten en gingen met onze drankjes aan het laatste vrije tafeltje zitten.

Alles was koek en ei totdat Leo en Jake langskwamen.

Maar het was niet hun schuld. Helemaal niet.

'Doe geen moeite. We blijven niet lang. We willen ons alleen even moed indrinken,' zei Jake. 'We gaan lunchen bij Leo's ouders. We hebben groot nieuws.'

'Groot nieuws?' Caz en ik waren meteen één en al oor.

'We gaan trouwen!' zei Jake. 'Een samenlevingscontract, in elk geval. Op 21 juni. Old Shire Hall. Feesttent in de rozentuin. Champagne, heel veel champagne. Een band. En leuke mensen, als jullie tenminste komen.'

Caz en ik sprongen overeind en we kusten hen allebei. Will en Jamie gingen staan en ze gaven hen een hand, sloegen hen als echte mannen op de schouder, en zeiden: 'Goed gedaan,' 'Te gek,' en dat soort dingen.

'Kan ik jullie iets te drinken aanbieden om het te vieren?' vroeg Will.

Maar nee, Leo's ouders zaten te wachten. Ze wilden niet te laat komen, en ze wilden niet al te dronken zijn. Het was een belangrijke dag.

'Veel succes!' riepen we toen ze weggingen, stralend en opgewonden.

'Zeg,' zei Jamie toen ze weg waren, 'wat draag je naar een nichtenbruiloft? Moeten we in het roze?'

'Doe niet zo raar,' zei Caz. 'En zo neerbuigend. Het wordt vast een knalfeest. En het is goed dat ze het kunnen doen. Het is verstandig van ze, met de belastingen en geld en zo.'

'Ze doen het niet alleen daarom,' zei ik. 'Ze verklaren elkaar de liefde waar iedereen bij is. Ik vind het echt super.'

'Vind je dat echt?' vroeg Will, en de scherpte van zijn toon verbaasde me.

'Eh, ja,' zei ik. 'Ze zijn duidelijk stapelgek op elkaar, en het is fantastisch dat ze er nu openlijk voor uit kunnen komen.'

'Misschien,' zei Will, maar aan zijn gezicht te zien was hij het er niet mee eens.

Toen kwam ons eten en stortten we ons daarop. Met de nodige glazen. Na het eten liepen we met Caz en Jamie mee naar huis.

'Wow!' riep Will zodra we binnen waren. 'Wat een beauty!'

Jamie lachte. 'Niet slecht, hè?'

Ik was nog bij de deur, waar ik mijn schoenen uitdeed, dus ik kon niet meteen zien waardoor de heisa werd veroorzaakt. Toen liep ik naar de zitkamer en zag ik dat het een tv was, zo'n enorm plasmageval. Het hing als een schilderij aan de muur. Caz trok haar wenkbrauwen op en keek me aan met een uitdrukking van: Niet mijn ding, het is zijn speeltje.

'Jezus, wat een gaaf ding!' Will stond voor het scherm, en zijn tong hing nog net niet uit zijn mond.

Jamie stemde af op een of andere formule 1-wedstrijd. Het leek alsof de auto's van de ene kant van de kamer naar de andere raceten. Indrukwekkend, maar te veel. Veel te veel. Ik ging naar de keuken om Caz te helpen. We schepten ijs van de boerenmarkt in bakjes en maakten nog een fles wijn open.

'Het is zijn nieuwste speeltje,' zei ze.

'Heb je er geen last van?'

Caz haalde haar schouders op. 'Het is zijn geld.'

'Kom op!' Will schreeuwde naar de tv als een kind, zo opgewonden was hij.

We namen de wijn en het ijs mee naar de zitkamer, en ik nes-

telde me op de bank. Ik had last van mijn keel, dus ik kon mezelf wijsmaken dat het ijs een medicinale behandeling was.
Toen zei Will: 'Wij moeten ook zo'n tv kopen, Rosie.'
'Dat had je gedroomd. Dat kunnen we helemaal niet betalen. Als
we meer geld hadden, zouden we in een grotere flat wonen.'
Dat was een pijnlijk punt. Onze flat was van mij, en piepklein,
de enige reden dat ik hem had kunnen kopen. Toen Will een
paar maanden geleden met al zijn spullen bij me introk, waren
we van plan geweest geld te sparen, zodat we samen een groter
huis zouden kunnen kopen. Maar je weet hoe het gaat. De prijzen blijven maar stijgen. Geld komt binnen, en je geeft het weer
uit. Ik weet niet precies waaraan. Maar we hadden meer ruimte nodig, geen televisie van een paar duizend pond.
'Zet het maar uit je hoofd,' zei ik kribbig.
Opeens hing er ruzie in de lucht. Wills gezicht kreeg de norse
uitdrukking van iemand die zijn zin niet krijgt. Maar toen kwam
Caz weer beneden, giechelend en met een foto in haar hand.
'Ik was laatst bij mijn moeder om spullen uit te zoeken, Will,'
vertelde ze, 'en toen vond ik deze.'
'O nee!' zei Will. 'Het schoolreisje in de vierde!'
O ja. Will en Caz hebben samen op school gezeten. Ze hebben
zelfs ooit iets met elkaar gehad. Ongeveer in de tijd dat die foto werd genomen, lang voordat ik hen allebei kende.
Het was, moet ik toegeven, een grappige foto. Ze moeten zestien zijn geweest, en op schoolreisje in de Yorkshire Dales – klauteren, kanoën, lange tochten door ravijnen. Caz droeg een tutti-
ge anorak die haar veel te groot was. Maar ze was wel zwaar
opgemaakt: drie verschillende kleuren oogschaduw, blusher en
lipgloss. Die Caz. Altijd om door een ringetje te halen, zelfs bij
het survivallen.
Op de foto keek ze smachtend omhoog naar Will. Jamie griste
de foto uit zijn handen. 'Ik durf te wedden dat jullie een ramp
waren voor de docenten,' zei hij, en hij kan het weten, want hij
geeft les op de plaatselijke scholengemeenschap. 'Even wegdui-
ken achter de kano's om stiekem te zoenen. Zo zijn ze allemaal.'
Caz en Will keken elkaar vlug even aan en ze bloosden bijna.
Caz grijnsde. 'Godzijdank hoef je niet op je zestiende je levenspartner te kiezen,' zei ze. 'Het is al erg genoeg om met je samen

te werken, Will, maar ik moet er niet aan denken om ook nog eens met je samen te wonen. Ik snap niet hoe Rosie het uithoudt.'
'Soms met moeite,' zei ik lachend. Maar ik voelde een scheut door me heen gaan. Ik was als een blok gevallen voor Will op de dag dat ik bij *The News* was komen werken, waar hij toen al een ervaren verslaggever was. Hij moest me die eerste dag wegwijs maken, en ik wist gewoon dat hij de ware was, ik wist het meteen. We hadden in die tijd allebei iets met iemand anders, en zodra we weer vrij waren, páts. Het was dik aan. Het was alsof we altijd samen waren geweest.
Maar dat was niet zo. En Caz kende hem al sinds ze elf waren. Ze hadden een verleden, herinneringen, malle grappen die ik niet snapte. En af en toe, heel af en toe, voelde ik een steek van... jaloezie, neem ik aan. Stom. Hij was nu met mij.
Jamie en Will begonnen een spel op Jamies PlayStation.
'Ik ben echt zo blij voor Leo en Jake,' zei Caz terwijl ze me nog een glas wijn inschonk. 'Ik durf te wedden dat het een knalfeest wordt.'
Ik lachte en wilde iets tegen Will zeggen, maar hij staarde nog steeds naar die stomme tv, dus zei ik iets heel anders. 'Je hebt net een nieuwe auto, Will. Dat speeltje is voorlopig toch genoeg.'
'Hé, jij moest zo nodig naar New York.'
'En jij moest zo nodig een kapitaal uitgeven bij Neiman Marcus,' bitste ik terug. 'Hoeveel kasjmier truien heeft een mens nou nodig?' Dat was niet zo netjes van me, ik weet het, want ik ben zelf dol op kasjmier truien.
De spanning steeg.
'Kinderen, kinderen,' suste Jamie. Je kunt hem gewoon horen zoals hij voor de klas staat, hoewel hij op school waarschijnlijk geen bierblikje in zijn hand heeft. 'Hebben jullie nooit bedacht dat als jullie geen nieuwe auto's kopen en niet naar de andere kant van de wereld vliegen om een weekendje te shoppen, dat jullie dan misschien een grotere flat kunnen kopen, of zelfs een leuk klein huisje? Tenzij jullie dat niet echt willen natuurlijk. En jullie onderbewustzijn zegt dat jullie je geld moeten uitgeven aan reisjes en speeltjes, in plaats van volwassen en verstandig te worden en het op de bank te zetten voor de toekomst.
Wonderlijk, vinden jullie niet,' ging hij verder, 'dat Leo en Jake

de enige mensen in onze hele groep zijn die gaan trouwen. Twee nichten geven het goede voorbeeld, en wij zondaars leven er maar zo'n beetje op los.'

'Ik zie er de zin niet van in om te trouwen,' merkte Caz op. 'Het gaat toch prima zo, lieverd?' Ze klopte op Jamies knie. 'We hebben geen dure jurk en een papiertje nodig. Het zou natuurlijk anders zijn als we kinderen wilden. Maar Jamie ziet door zijn werk al meer dan genoeg kinderen. Hij hoeft er thuis niet nog meer.'

'En jij dan?' vroeg ik.

'Ik heb echt geen greintje moederinstinct,' zei ze lachend. 'Bovendien zou ik een rampzalige moeder zijn. Waarschijnlijk zou ik de kinderwagen met het arme kind voor de pub laten staan. Nee, mijn ongeboren baby mag me dankbaar zijn dat ik het zo wil houden.'

Jamie stond paf. 'Ik dacht altijd dat alle meisjes wilden trouwen. Je weet wel, de sprookjesprins op het witte paard die ze uit de klauwen van de vuurspuwende draak redt, en dan leven ze nog lang en gelukkig.'

'We kunnen onze eigen draken verslaan, dank je,' zei ik.

'Zie je nou wel?' zei Jamie grinnikend tegen Will. 'Door die meiden van nu zijn wij onze baan kwijt. Werkloze drakendoders. Zet die knol maar op stal en hang je gepluimde helm aan de wilgen.'

'Ja, nou,' zei Will, inmiddels behoorlijk dronken, dus begon hij recalcitrant te worden, 'misschien moeten Leo en Jake gewoon iets bewijzen. Ze willen trouwen en huisje-boompje-beestje spelen.'

En toen, zomaar, alsof het eigenlijk helemaal niet belangrijk was, kwam hij met een mededeling die bij mij insloeg als een bom.

'Voor mij,' zei Will, 'heeft het geen zin om me aan een huis te binden als ik er toch niet lang zal blijven.'

Ik schrok zo dat ik een kreet slaakte, alsof hij me had geslagen. 'Wat bedoel je? Waar ga je dan naartoe?'

'Voorlopig nog nergens. Maar ik heb wel plannen.' Van opzij keek hij me aan. 'Ik ga misschien in Dubai werken of zoiets. Een vriend van me zit er, en hij zegt dat ze altijd Engelse journalisten kunnen gebruiken. Bakken met geld, en een lekker rustig leventje.'

Dubai? Het was de eerste keer dat hij het ter sprake bracht. 'En dat wil je? Bakken met geld en een lekker rustig leventje?' snauwde ik.

'Dat willen we toch allemaal?' Hij nam een slok bier en liet zich achterover vallen in de stoel.

Ik was woedend. Ik was ook dronken, wat niet echt hielp. En ik was stomverbaasd. Ik had gedacht dat Will en ik een vaste relatie hadden. Misschien wel voor altijd. Mis!

'Hoor eens, Rosie,' zei hij terwijl hij zijn blikje neerzette, 'ik bedoel alleen...'

Hij probeerde het waarschijnlijk bij te leggen. Ik niet.

'Laat maar,' zei ik snibbig.

'Koffie?' zei Caz, héél erg opgewekt. Helemaal de volmaakte gastvrouw, alleen wankelde ze een beetje en viel ze bij Jamie op schoot, waarmee ze het hele effect bedierf.

'Nee, nee, ik hoef geen koffie,' zei ik, boos en in de war en op het verkeerde been gezet. 'Ik wil naar huis.' Ik marcheerde naar de hal, schoof mijn voeten in mijn laarzen en vertrok.

Will kwam achter me aan, en ik wist niet of ik er blij mee was of niet. Ik hoorde zijn voetstappen maar hij zei niets. Met zijn lange benen had hij me al snel ingehaald. Hij kwam naast me lopen, paste zijn tempo aan het mijne aan, keek strak voor zich uit. En zo liepen we, naast elkaar en zonder een woord te zeggen, het hele eind naar huis. Míjn huis.

Zodra we binnen waren stak ik van wal. 'Ga je echt naar Dubai?'

'Wie weet?' Hij haalde zijn schouders op. 'Het is gewoon een idee, een mogelijkheid.'

'En ik dan?'

'Je kunt meegaan, als je wilt.' Hij stak zijn handen diep in zijn zakken.

'Als ik wil? Je zegt het alsof ik een accessoire ben! Ik dacht dat we samen een toekomst hadden.'

'O ja? Echt waar?' Zijn grote bruine ogen vonkten en niet op een prettige manier. 'En als jij denkt dat we een toekomst hebben, hoe komt het dan dat ik altijd alleen maar hoor wat jíj wilt? Jíj wilt in Londen werken. Jíj wilt een grotere flat. Jíj hebt een grotere bank gekocht, zonder zelfs maar naar mijn mening te vragen. Jíj betaalt de rekeningen en vertelt me dan alleen hoeveel ik moet ophoesten. Best, het is per slot van rekening jouw flat, zoals je te pas en te onpas blijft herhalen.'

Ik was sprakeloos. 'Zo voelt het helemaal niet voor mij. Ik dacht...'

'Wat dacht je? Kom op, vertel het me, ik wil het weten.'

'Ik was bang,' zei ik. 'Ik wilde niet van je afhankelijk zijn.'

'Waarom niet? Vertrouw je me soms niet?'

'Dat is het niet. Nee. Het heeft niets met vertrouwen te maken. Ik dacht alleen... Ik weet het niet. We hebben nooit over de toekomst gepraat, niet echt.'

En dat was waar. We maakten plannen voor vakanties en weekendjes weg maar niet meer dan dat, niet voor een echte, volwassen, tot-de-dood-ons-scheidt-toekomst. Misschien was het te eng om erover na te denken.

'Laten we het er dan nu over hebben. Kom op, Rosie, wat wil je? Wat wil je van mij? Van ons?'

'Ik weet het niet.' En dat was de waarheid. Ik had er soms van gedagdroomd om met Will te trouwen. Niet van een grote witte bruiloft, gewoon van getrouwd zijn, voor altijd samen zijn. Hij was de enige man over wie ik ooit op die manier had gedagdroomd. De enige.

Maar dat had ik hem nooit verteld. Want er waren ook momenten dat ik het Spaans benauwd kreeg van dezelfde droom. De gedachte dat je je hele leven lang met één persoon samen bent. Zeg nou eerlijk, dat is toch doodeng?

En Will... hij behoort nou niet bepaald tot de trouwlustige soort. Ik bedoel, hij was bijna dertig en hij gedroeg zich nog steeds als een groot kind. Als hij en Jamie niet werkten, bestond er niets anders dan voetbal en drinken en computerspelletjes en die stompzinnige grand prix en dure tv's.

'Je weet het niet?' herhaalde hij, nog steeds wachtend op mijn antwoord.

Ik keek hem aan. 'Will, ik hou van mijn werk en ik begin net iets te bereiken. Ik wil zien hoe ver ik kan komen.'

'Je zult het ver schoppen, Rosie, dat weten we allebei.' Hij liep heen en weer door de piepkleine zitkamer, vol boze energie. 'Maar ik weet niet of ik wel in je plannen voorkom. Eerlijk gezegd heb ik geen idee welke rol ik in je leven speel. Alles moet altijd op jouw manier.'

'Dat is niet waar.' Ik was verbluft, probeerde een manier te vinden om te zeggen wat ik dacht. En toen vloerde hij me bijna met zijn volgende vraag.

'Vertel me eens, denk je dat je kinderen wilt?'

'Hé!' Ik probeerde er een grapje van te maken. 'Dat soort vragen mag je niet stellen tijdens een sollicitatiegesprek. Niet toegestaan.'

Will kon er niet om lachen. 'Ik wil het weten.'

'Nou, het is dat je het vraagt, waarschijnlijk wel, ooit,' zei ik. Daar had ik ook over gedagdroomd. Een jongen en een meisje, met Wills blonde haar en grote bruine ogen. Maar nog niet. Misschien op een vaag moment in de toekomst.

Het werd tijd dat ik weer in de aanval ging. 'En jij? Wil jij kinderen?'

'Op een dag misschien wel. Het hangt ervan af.'

'Waar hangt het van af?' vroeg ik. En toen raakte ik van de duivel bezeten, want ik beet hem toe: 'Of je er tijd voor hebt tussen het PlayStation en de plasma-tv? Of de zoveelste nieuwe auto? Je moet volwassen zijn om vader te worden, Will, niet zelf een groot kind.'

Uiteraard ging het daarna bergafwaarts. We hadden allebei te veel gedronken en te veel dingen gezegd die we niet hadden moeten zeggen en die we misschien niet eens meenden.

Ik noemde hem verwend, onvolwassen en kinderachtig, om maar een paar dingen te noemen. Hij noemde mij een egoïstische, onnadenkende controlfreak, om maar een paar dingen te noemen. We kwamen er niet uit. Uiteindelijk ging ik naar bed, en ik kon Will horen rondscharrelen in de zitkamer, ongeduldig zappend, totdat hij na een hele tijd op de bank in slaap viel. Op mijn nieuwe bank.

En ik? Ik lag in bed en probeerde onze ruzie te analyseren. Wilde ik echt trouwen? Ja, natuurlijk. Misschien. Maar nu? Ik vond het eerlijk gezegd een doodeng idee. Stel nou dat Will naar Dubai ging? Stel nou dat ik naar Londen ging?

Stel nou dat...

Mijn hoofd bonsde. Ik deed nauwelijks een oog dicht, en de volgende ochtend had ik barstende koppijn. Vandaar dat ik hoopte dat ik, nadat we maandagochtend in Wills auto – zwijgend – naar de krant waren gereden, stilletjes achter mijn bureau zou kunnen kruipen om de hele dag een beetje aan te modderen, maar de hoofdredactrice, Jan Fox, beter bekend als de Feeks, kreeg me in het oog.

'Rosie! Ik wil je spreken.'

De Feeks stond in de deuropening van haar kantoor, met glinsterende ogen en glanzende koperkleurige highlights. In haar ene hand hield ze een groot vel papier, waar de bloedrode nagels van haar andere hand op trommelden. Het was geen vrolijk trommelen.

Het papier waar ze zich duidelijk hevig over opwond, besefte ik, was een drukproef van het achtergrondartikel voor de volgende dag. Een stuk over kinderen, door mij geschreven. De moed zonk me in de schoenen. Ik háát maandagen.

'Heb je enig idee,' begon ze met de felle blik waar ze berucht om is, 'hoe ongelofelijk jong en dom je in dit stuk naar voren komt? Het is geschreven alsof iedereen op de wereld een verantwoordelijkheid heeft om voor kinderen te zorgen, behálve – de énige uitzondering – hun ouders.'

'Ik heb gewoon de rapporten gebruikt en de woordvoerder van de regering geciteerd...'

'Ja, dat weet ik wel,' zei ze met een zucht. 'Alleen verbaas ik me soms over jouw generatie. Jullie moeten het makkelijker hebben gehad dan elke andere generatie in de geschiedenis van de mensheid, en toch is het niet genoeg, toch willen jullie meer.'

Ik stond daar maar te staan en verlangde naar de ibuprofen in mijn bureaula.

'Oké, ik heb een paar ideeën op een rijtje gezet. Ga daarmee aan de slag. En ik heb nog iets voor je.'

Wat dat was hoorde ik tijdens de redactievergadering.

De nieuwsredacteur, de fotoredacteur, de fotograaf en anderen wurmden zich in het kantoor van de Feeks, met bekers koffie en stapels aantekeningen op hun knieën. Will was er ook, minder goed verzorgd dan anders. Ik weet niet of hij oogcontact met me probeerde te maken. Daar gaf ik hem de kans niet voor. Ik bleef naar de foto's van ex-hoofdredacteuren aan de muur boven zijn hoofd staren. George Henfield, dik en kaal, Richard Henfield met zijn pijp.

In sneltreinvaart namen we de plannen voor de krant van de volgende dag en de ideeën voor de rest van de week door, maar de Feeks bleef praten. 'Oké,' zei ze, 'wat doen we met The Meadows? Het is vijftig jaar geleden dat de eerste gezinnen er kwamen wonen, en ik vind dat we er aandacht aan moeten besteden. Destijds was het een revolutionaire ontwikkeling, de huizen van de toekomst, de ideale woonwijk.'

'Jezus, ze moeten wanhopig zijn geweest,' mompelde Will.

Uiteraard ving de Feeks het op. 'Neem me niet kwalijk, Will, maar je lult uit je nek,' zei ze op vernietigende toon. Ik kikkerde er helemaal van op.

Will veranderde op slag in het braafste jongetje van de klas. 'We hebben diverse keren aandacht besteed aan de verbeteringen op de school,' zei hij. 'We hebben interviews gedaan met de nieuwe directrice, Rosemary Picton, en we plaatsen er altijd foto's bij.'

'Ja,' zei de Feeks kortaf, 'en we zullen haar zeker nog een keer interviewen. Een geweldige vrouw. Zoals jullie weten gebruiken ze een huis in The Meadows voor een nieuwe realitysoap, *Het jarenvijftighuis*, dus we moeten goed uitzoeken waarom mensen er zo graag wilden wonen. Hoe het er was in het begin. Waarom het in bepaalde delen misging. Waarom het in andere delen zo goed gaat.'

Inmiddels had ik alle ex-hoofdredacteuren gehad en begon ik aan de ontelbare prijzen die *The News* onder de Feeks in de wacht had gesleept. Opeens hoorde ik haar mijn naam noemen. Ik ging rechtop zitten en probeerde wakker te kijken.

'Rosie? Ben je er nog? Ik zei net dat ik denk dat dit iets voor jou is. Als je even blijft wachten geef ik je zo een paar contacten.'

Ze had altijd contacten. Ik zweer dat ze iedereen in de stad kende, misschien wel iedereen in het hele land. Toen de anderen hun aantekeningen verzamelden en teruggingen naar hun bureaus krabbelde zij een naam op een papiertje.

'Margaret Turnbull was een van de eerste bewoonsters van The Meadows, en ze woont er nog steeds. Aardige vrouw, heeft veel te vertellen. En ze is de moeder van Rosemary Picton. Als je haar eenmaal hebt gesproken, kom je er misschien achter waarom haar dochter het zo belangrijk vindt de kinderen in The Meadows te helpen. Enfin, hier is het nummer. Een goed begin is het halve werk.'

Ze keek me een beetje raar aan, maar de onberispelijk opgemaakte ogen maakten me geen snars wijzer. 'Ik denk dat je het heel boeiend zult vinden,' voegde ze eraan toe.

Braaf belde ik Mrs. Turnbull en ik sprak later die middag met haar af. Toen ging ik met een blocnote naar het stoffige kamertje op de bovenste verdieping waar alle oude edities van *The News* worden bewaard, ingebonden tot een soort enorme boeken. Ik zette een kop kamillethee – iets anders verdroeg ik niet – en ging aan de slag. Ik wilde met niemand praten. Zelfs niet met Caz, en zeker niet met Will.

Zou hij echt naar Dubai gaan? Vond ik dat erg? Ja, heel erg. Kon ik wel zonder hem? Natuurlijk kon ik zonder hem. Ja toch? Het was waarschijnlijk makkelijker om me op mijn werk te storten. Maar wat voelde ik me beroerd. Mijn schouders en nek deden pijn van het zeulen met die dikke boeken en het voorovergebogen zitten. En mijn handen en voeten waren net ijsklompjes. Shit! Mijn auto stond nog op de parkeerplaats van de pub. Vandaar dat ik met een taxi naar Mrs. Turnbull ging. Ik dacht althans dat ze Mrs. Turnbull was...

2

Ondanks de hoofdpijn lukte het me om mijn ogen open te doen. De vrouw die opendeed was niet dezelfde vrouw die ik door het raam had gezien. Sterker nog, het raam was niet hetzelfde. En de deur ook niet. O jezus, wat was er aan de hand?

Ik zakte opzij tegen de deurpost, suizebollend. Het liefst zou ik me omlaag laten zakken en gaan liggen, maar de vrouw vroeg me iets. Haar stem leek van heel ver weg te komen.

'Ben jij het meisje van *The News*?'

'Eh ja, dat klopt,' zei ik. Het was zo ongeveer het enige waar ik nog zeker van was.

'Dan kun je beter binnenkomen.'

Ik wist niet of ik kon lopen, maar ik raapte al mijn krachten bijeen en volgde haar door een lange, donkere gang. Er was iets raars mee. Ik wist zeker dat een huis als dit niet zo'n lange, donkere gang had, noch het soort keuken waar we in uitkwamen. Er stond een gietijzeren kachelfornuis, een beetje zoals een Aga, alleen kleiner. De warmte was weldadig. Ik had het zo koud. Er hing een raar luchtje. Het duurde even voordat ik besefte dat het de geur van kolen en roet was.

'Kom,' zei de vrouw, 'ga lekker zitten voordat je van je stokje gaat.'

Op de schommelstoel naast het fornuis lag een kat. 'Ksst Sambo,' zei ze, en ze duwde hem eraf.

'Ga maar lekker zitten,' herhaalde ze, 'dan zet ik thee. Je ziet zo wit als een doek.'

Het voelde alsof alles in mijn hoofd omlaag was gezakt naar mijn achterhoofd en loodzwaar was. Nadenken over de situatie waarin ik verzeild was geraakt was uitgesloten. Maar ik begon het tenminste weer een beetje warm te krijgen. De kat, Sambo – Sambo! – sprong op mijn schoot en nestelde zich tegen me aan. Ik schommelde zachtjes heen en weer, genietend van de warmte van het fornuis en de kat. De kamer draaide niet langer. Ik was niet meer zo misselijk. Het lukte zelfs om mijn omgeving een beetje in me op te nemen.

De vrouw was niet zo oud als ik eerst had gedacht, maar ik vond het moeilijk haar leeftijd te schatten. Waarschijnlijk was ze ergens in de vijftig, maar op een oma-achtige manier. Ze droeg een dikke wollen rok met een vest erop, een geruit schort en het soort pantoffels dat zelfs mijn grootmoeder niet meer heeft. De keuken was onvoorstelbaar ouderwets. In het midden stond een grote tafel met een donkergroen kleed van dat fluwelige spul. Tegen een van de muren stond een dressoir met borden en kannen erop. Boven het fornuis hing zo'n houten droogrek dat je in trendy woontijdschriften tegenkomt, maar in plaats van landelijke bossen gedroogde kruiden hingen er lakens en kussenslopen aan, en ouderwetse hemden en dikke witte onderbroeken.

De vrouw liep heen en weer tussen het dressoir, de tafel en het fornuis, en het was alsof ik naar een film keek. Ze zette een dienblad klaar met kopjes en schoteltjes en bordjes, wikkelde een theedoek om haar hand en tilde een enorme zwarte ketel van het fornuis. Ze schonk een beetje water in een kleine bruine theepot, liep even weg naar de bijkeuken, en toen ze terugkwam schepte ze losse thee in de pot en goot ze er kokend water op. Van een haakje naast het fornuis pakte ze een geruite theemuts en die zette ze over de theepot. Opnieuw ging ze naar de bijkeuken, en ze kwam terug met een fruitcake. Ze sneed een dikke plak af, legde die op een bordje en zette het voor me neer. Toen gaf ze me een kop thee aan. De thee was sterk en zoet, wat ik normaal gesproken vies vind, maar ik dronk het kopje leeg en voelde de warmte door me heen gaan. Ik knapte er zowaar van op.

'Het spijt me, Mrs. Turnbull,' zei ik.

'O, ik ben Mrs. Turnbull niet,' zei ze.

'O hemel,' zei ik, en ik probeerde op te staan. 'Dan ben ik in het verkeerde huis. Ik dácht al dat er iets niet klopte. Het spijt me echt heel erg. Ik zal u verder niet lastigvallen. Woont Mrs. Turnbull in het huis hiernaast? Ik denk dat ik het verkeerde pad heb genomen. Ik dacht...'

'Ga zitten, meisje,' zei ze, niet onvriendelijk. 'Ik ben Doreen Brown. Als jij Rosie Harford bent van *The News* ben je op het juiste adres. Ik wist dat je zou komen.'

'Echt waar?'
'Ja. En je koffer staat trouwens boven.'
'Mijn koffer? Wat voor koffer?'
'Met de spullen die je nodig hebt voor je verblijf natuurlijk.'
Verblijf? Wat voor verblijf? Wat gebeurde er in hemelsnaam? Ik snapte er geen jota van. Had ik iets geslikt? Misschien had ze iets in mijn thee gedaan. Dat moest het zijn. Ik moest hier weg. Mijn moeder heeft altijd gezegd dat ik niet bij vreemde mensen naar binnen moest gaan. En vreemder dan dit kon bijna niet.
'Hij is vanochtend gebracht door iemand van de krant. Alle spullen die je voor de komende weken nodig hebt.'
Ik staarde naar Mrs. Turnbull die nu Mrs. Brown was en probeerde te begrijpen waar ze het over had. Ik was compleet de kluts kwijt. Er kon nu elk moment zo'n venster met een waarschuwing verschijnen: 'U heeft een illegale handeling verricht. Het programma wordt nu afgesloten.' En dan zou het scherm zwart worden.
Ik voelde me zo beroerd. Ik nam mezelf voor nooit meer te drinken. Te veel wijn, een knetterende ruzie en slecht slapen vormden een dodelijke combinatie. Nooit meer.
'Blijf maar lekker even zitten,' zei Mrs. Brown.
Dat deed ik, en ik koesterde me aan de warmte van het fornuis en de kat. Zonder de chaos in mijn hoofd zou ik heel tevreden zijn geweest.
Waar was ik? Waarom moest ik 'de komende weken' blijven? Wat wás dit, in godsnaam? Ik haalde diep adem en deed mijn best om niet in paniek te raken.
Maar ik had inmiddels twee koppen thee op, en opeens besefte ik dat ik nodig moest plassen. Ik kon dit niet aan met een volle blaas.
'Boven, aan het eind van de gang, het trapje af en dan aan je rechterhand.'
Ik wankelde weg. Het voelde een beetje alsof ik dronken was, want ik moest me zo ongeveer aan de muren staande houden. Maar het lukte me.
Het was ijskoud in de badkamer. Er lag linoleum op de vloer in een zwart met wit geblokt patroon. Niet onaardig. Maar het bad was afschuwelijk, een enorm geval op pootjes, met een kleine

koperen kraan en een grote verchroomde. Behoorlijk Spartaans. Het rook er koud en schoon, en naar de rozenzeep die een tante van mijn moeder altijd gebruikte.

Ik viste mijn mobieltje uit mijn tas en probeerde Will te bellen. Ja, we hadden ruzie gehad, maar ik was echt goed in de war. Geen bereik. Dat niet alleen, de telefoon was dood, alsof de batterij leeg was. Ik ging op de wc zitten en voelde me ellendig. Eerlijk is eerlijk, ik was bang. Alles was zo raar. Zelfs het pleepapier was vreselijk. Keihard schuurpapier. En er was zo'n grote ijzeren stortbak met een ketting. Er klopte iets niet, er klopte van alles niet.

Dit huis hoorde in een ander tijdperk. Het was zo ouderwets. Het interieur was minstens vijftig jaar oud. Wat deed ik hier? Er moest sprake zijn van een vergissing. Ik wilde hier weg. Ik ging staan. Te snel. Mijn hoofd tolde weer, en ik leunde tegen de deur. Niet in paniek raken, hield ik mezelf voor. Blijf rustig. Blijf kalm. Na een tijdje waste ik mijn handen, ik spatte koud water in mijn gezicht, en ik liep behoedzaam de trap weer af, mijn hand op de leuning. Ik zou teruggaan naar de keuken, de vrouw uitleggen dat ik, het spijt me heel erg, weg moest, en er zo snel mogelijk vandoor gaan. Ja, dat was het beste. En zodra ik buiten was, zou ik Will bellen en vragen of hij me kon komen halen. En als mijn telefoon het nog steeds niet deed?

Blijf rustig. Geen paniek. Als mijn telefoon het niet deed, zou ik gewoon teruglopen naar het centrum. Zo ver was het niet. Zelfs in The Meadows was het veilig op klaarlichte dag. Misschien was er zelfs wel een telefooncel. En eenmaal in de buitenlucht zou ik vanzelf bijkomen...

Ik liep terug door de lange gang, een hand tegen de muur om mijn evenwicht niet te verliezen. Eenmaal in de keuken plofte ik weer neer op de schommelstoel. Ik zou een tijdje blijven zitten om op krachten te komen, zodat ik in geval van nood terug kon lopen naar de stad.

Mijn blik viel op een kalender aan de muur, met een foto van de koningin. Ze zag er erg jong uit. De kalender was zo te zien niet oud, geen vergeeld exemplaar uit een of andere rommelwinkel. Nee, het papier was nieuw en glanzend. Op een jarenvijftigmanier.

Ik ging staan. Het duizelde me niet. Ik liep naar de bijkeuken, op zoek naar Mrs. Turnbull of Mrs. Brown of hoe ze dan ook mocht heten. Ze stond bij een grote stenen gootsteen met een houten afdruiprek en was aardappelen aan het schillen.

'Eh... Mrs.... eh Brown, ik ga maar weer eens,' kondigde ik aan. 'Er is kennelijk iets misgegaan. Ik had een afspraak met Mrs. Turnbull, dus ik ga terug naar kantoor om te vragen hoe het precies zit. Heel erg bedankt voor de thee en de cake. U bent heel aardig voor me geweest, maar...'

'O, je kunt nog niet weggaan,' zei Mrs. Brown. 'Je zou een tijdje blijven. Frank en Peggy komen zo thuis, en ik ben bezig met het eten.'

Ik zou een tijdje blijven? Hoezo? En wie waren Frank en Peggy?

'Ik ga alleen even een frisse neus halen, als u het niet erg vindt.'

'Ga gerust je gang, meisje.'

Ik pakte mijn tas en liep terug door de gang. Mijn hoofd voelde nu een beetje beter. Ik had mijn best gedaan om beleefd te zijn, maar ik had er niets mee bereikt. Dan moest ik maar gewoon weggaan. Ik hoopte dat de voordeur niet op slot zat. Raar. Ik wist zeker dat ik een moderne witte deur had gezien toen ik over het tuinpad liep, maar nu was er een zwaar houten geval met een glas-in-loodraampje. Ik legde mijn hand op de deurknop en de deur ging open.

Het was anders. Alles was anders.

In plaats van de brede straat met rijen half vrijstaande huizen en voortuintjes, met geparkeerde auto's en oude bestelbusjes, zag ik nu een smalle keienstraat, waar de deur rechtstreeks op uitkwam. Tegenover het huis was een hoge muur, zo te zien van een fabriek of pakhuis. Geen auto's. Geen mensen. Ik ging weer naar binnen en deed zo snel mogelijk de deur dicht.

Diep ademhalen. Kalm blijven.

Langzaam, heel langzaam, deed ik de deur weer open. Nog steeds dezelfde keienstraat. Nog steeds een oude fabriek. Er glinsterde iets wat de namiddagzon weerspiegelde.

Peinzend liep ik terug naar de keuken. Die kalender. De koningin die er zo jong uitzag...

'Mrs. Brown?'

'Zeg het eens, meisje.' Ze verschoof pannen op het fornuis.

'U zei toch dat mijn kantoor dit bezoek met u had afgesproken?'
'Inderdaad. En vanochtend is een jongeman je koffer komen brengen. Vandaar dat ik wist dat je zou komen. Alles is afgesproken met de hoofdredacteur.'

De hoofdredacteur. Ik dacht terug aan de redactievergadering. Het leek een eeuwigheid geleden. Wat had de Feeks precies gezegd? Ik kon het me niet herinneren. Ik had me zo beroerd gevoeld en alleen maar aan Will gedacht, dus niet echt geluisterd. Denk na, mens, denk na. Er was iets met The Meadows uiteraard, daarom was ik in dit huis. En een tv-programma. Een realityshow. *Het jarenvijftighuis.*

Het jarenvijftighuis... Dat kon toch niet waar zijn? Toen ze het had gehad over mensen die voor een tv-programma in een huis uit de jaren vijftig zouden gaan wonen had ze het toch zeker niet over mij gehad? Ze wilde dat ik research zou doen. Daarom had ik de hele ochtend in het archief gezeten. Ze had niets over een verblijf gezegd.

Of misschien wel? Ik had niet geluisterd. Had niets gehoord. Ik zou het me niet herinneren als ze het had gezegd. Ik was tijdens de hele vergadering in dromenland geweest.

Maar ze had wél veelbetekenend gezegd dat ik mijn bezoek aan Mrs. Turnbull 'boeiend' zou vinden. Dit dus. Zat ik in zo'n realityshow? Ik keek om me heen om te zien of ik ergens een camera zag. Ik herinnerde me het glinsterende licht op de fabrieksmuur. Ik dacht dat het een raam was dat het zonlicht weerkaatste, maar het had best een camera kunnen zijn.

Een camera! Werd ik op dit moment gefilmd? Ik besefte dat ik onwillekeurig mijn haar gladstreek.

Maar hoe hadden ze me hier gekregen? En hoe was het mogelijk dat buiten alles anders was? Ik nam aan dat het iets met die taxichauffeur te maken had. Zijn gedrag was een beetje vreemd geweest, en met mijn duffe hoofd had ik niet echt opgelet waar ik was toen ik uit de taxi stapte. Misschien had hij me op een raadselachtige manier een andere kant op gestuurd.

Misschien was het pad een decor geweest en had ik daarom gedacht dat er iets aan mijn ogen mankeerde. Een truc, geprojecteerd op een muur of zo. Misschien was het een façade geweest vóór de echte voorgevel van dit oude huis. Het leek een beetje vergezocht maar voor *I'm a Celebrity* lieten ze mensen met een parachute neerkomen in de jungle. Daarbij vergeleken was het een kleinigheid om over het verkeerde tuinpad te lopen.

En die fabriek. Het zou de oude touwfabriek aan de andere kant van de stad kunnen zijn. Daar zaten een paar kleine productie-maatschappijen. Het *Big Brother*-huis stond midden in een industriegebied. Dit zou op een parkeerterrein kunnen zijn. Misschien.

'Gaat het, meisje?' vroeg Mrs. Brown. 'Je hebt weer een beetje kleur. Blijf maar lekker zitten, dan maak ik het eten klaar.'

Ik voelde me iets rustiger nu ik dacht dat ik de dingen op een rijtje had, dus wiegde ik heen en weer op de schommelstoel met de spinnende kat op mijn schoot en luisterde ik naar Mrs. Brown, die met veel gekletter bezig was in de bijkeuken. Dus dit was kennelijk het huis uit de jaren vijftig, en de Feeks moest mij als vrijwilliger hebben opgegeven. En ik moest duidelijk een tijdje blijven. Ik vroeg me af wat de regels waren, wie er nog meer meededen. Ik wist te weinig, veel te weinig.

'Kijk eens,' riep Mrs. Brown, 'daar zijn Frank en Peggy. Precies op tijd.'

Frank was onmiskenbaar Mr. Brown, een besnorde, bebrilde man van middelbare leeftijd in een dik pak. Hij glimlachte naar me en zei: 'Jij moet Rosie zijn.' Hij gaf me een hand. Een stevige hand.

'En dit is Peggy,' zei Mrs. Brown.

Peggy was ongeveer net zo oud als ik, misschien een jaar jonger. Ze had krullend blond haar en een leuk, open gezicht dat betrok zodra ze me zag.

'Hallo,' zei ze. Meer niet, en toen ging ze haar jas ophangen.

'Zo,' zei ik opgewekt, 'dus we doen allemaal mee? We doen alsof we in de jaren vijftig zijn? Hebben jullie meegedaan aan een wedstrijd om gekozen te worden? Of heeft jullie baas jullie als vrijwilligers opgegeven, net als de mijne?'

Het werd stil. Peggy kwam naar me toe en staarde me aan alsof ik met molentjes liep. Mrs. Brown kwam uit de bijkeuken met haar handen in ovenwanten en een verblufte uitdrukking op haar gezicht. En Mr. Brown deed zijn jasje uit, maakte zijn das los, rolde die zorgvuldig op en legde hem op het dressoir, nam een vest van een haakje en trok dat aan, en tot slot verwisselde hij zijn schoenen voor pantoffels.

Ik besefte dat ik iets verkeerds had gezegd.

'Sorry,' zei ik. 'Mogen we niet zeggen dat het een tv-programma is? Moeten we de hele tijd doen alsof we echt in de jaren vijftig zijn? Ik weet zelfs niet of dit net zoiets is als het *Big Brother* huis en we met elkaar wedijveren, of dat ze gewoon willen zien of we ons kunnen redden. Weten jullie dat? Hoe zijn jullie hier verzeild geraakt?'

De stilte duurde voort. Ze staarden me allemaal aan.

Ten slotte schraapte Mr. Brown zijn keel. 'We huren dit huis al sinds vóór de oorlog. Daarom zijn we hier. Jij bent hier omdat Peggy ons heeft gevraagd of je kon komen logeren omdat je voor *The News* werkte. Meer kan ik je niet vertellen.'

Oké, dacht ik, dat verklaart het. We moeten kennelijk de hele tijd doen alsof we in het verleden leven. En deze drie namen het duidelijk zeer serieus. Een beetje zoals de mensen die zich verkleden en je rondleiden door een museum en je 'gij' en 'ge' blijven noemen en doen alsof ze je niet snappen als je vraagt of er een geldautomaat is. Deze drie types waren natuurtalenten. Niet stiekem even terug naar de eenentwintigste eeuw, zelfs niet voor de afwisseling.

'Ik begrijp het,' zei ik, en ik deed mijn best om me in te leven. 'Sinds vóór de oorlog?'

'Ja. Onze Stephen was nog niet geboren en Peggy was een peutertje. En kijk nu eens.'

Dat deed ik. Ze keek me vernietigend aan.

'Zo, Rosie,' zei Mr. Brown, 'en vertel me nu eens over Amerika.'

'Amerika?' Ik had geen idee waar hij het over had. 'Tja, ik ben er maar twee keer geweest, een keer in New York en een keer in Flo...'

'Doe niet zo mal, meisje. Ik weet dat je Amerikaanse bent, anders zou je niet zo'n broek dragen.'

Ik was heel normaal gekleed. Een zwarte broek en een strak zijden truitje. Wel met een heel chic jasje van Jilly G. dat ik op eBay had gekocht. Misschien had Mr. Brown oog voor een goed designerlabel. Oké, misschien ook niet.

'Laten we het daar maar niet over hebben,' zei Mrs. Brown. 'Ik weet zeker dat ze genoeg andere kleren heeft, een koffer vol.'

'Zo kan ze in elk geval niet naar kantoor,' zei Peggy met sarcastische voldoening. 'In Amerika tillen ze er misschien niet zo zwaar aan, maar hier gaat het echt niet. Nee. Mr. Henfield is daar heel duidelijk over. Geen vrouwen in broek op kantoor.'

'Mr. Henfield?'

'Richard Henfield, de hoofdredacteur van *The News*,' legde Mrs. Brown uit. 'Peggy is zijn secretaresse,' voegde ze er trots aan toe. Henfield... Henfield...

Ik dacht aan het kantoor van de Feeks, de muur met foto's van vroegere hoofdredacteuren die ik tijdens de vergadering had bekeken. Ergens in het midden had ik een Richard Henfield gezien, dat wist ik nog.

'Heeft hij een snor en rookt hij een pijp?' vroeg ik. 'Ik heb wel eens een foto van hem gezien.'

'Geen wonder,' zei Peggy. 'Hij is heel erg bekend.'

'Genoeg gepraat,' kondigde Mrs. Brown aan. 'Peggy, wees eens lief en pureer de aardappels.' Zelf haalde ze een grote braadpan uit de oven en die zette ze op tafel.

'Wat een feestmaal voor de maandagavond,' zei Mr. Brown handenwrijvend.

'We hebben bezoek,' zei Mrs. Brown door een grote stoomwolk. Ik durfde dus niet te zeggen dat ik eigenlijk geen rood vlees eet. Ik ben geen vegetariër, maar ik heb het gewoon niet zo op rood vlees. En ik wilde niet zo'n deelnemer zijn die overal over zeurt en mekkert, dus at ik mijn bord leeg, en het was werkelijk erg lekker. Grote stukken vlees en dikke jus. Na het hoofdgerecht haalde Mrs. Brown uit een ander deel van de oven een rijstpudding. Ik kon me niet herinneren wanneer ik voor het laatst rijstpudding had gegeten, zeker niet een die niet uit een beker kwam. Mrs. Brown speelde haar rol met overgave. Tenzij ze ergens aan de achterkant nog een keuken hadden, met een kok die alles klaarmaakte, zodat Mrs. Brown dan kon zeggen: 'Kijk eens, deze heb ik vanochtend gemaakt.'

'Houdt je moeder van koken?' vroeg Mrs. Brown.

'Eh ja, ik geloof van wel. Ze heeft alle delen van Delia en Nigella. Ik weet niet of ze er veel werk van maakt als zij en mijn

vader met z'n tweeën zijn, maar als mijn broer of ik komen eten...'
'O, dus je woont niet meer thuis? Woon je op kamers?'
'Kamers?' Ik gaf niet meteen antwoord. Wilde ze weten hoeveel kamers ik had?
'Op kamers,' herhaalde ze. 'Of ben je bij iemand in de kost?'
'O, nee. Ik heb mijn eigen flat.'
'Allemachtig, een echte carrièrevrouw,' zei Mrs. Brown een beetje verbaasd. Peggy keek alsof ze me wilde wurgen.
'Het is een klein flatje, maar er hoort een grote tuin bij en een beveiligde parkeerplaats.'
'Heb je een auto?'
'Ja, een kleintje, niks bijzonders.'
'Je hebt je eigen flat én een auto? Bof jij even,' zei Peggy terwijl ze zichzelf een tweede portie rijstpudding opschepte. 'Zo te horen is het erg leuk om in Amerika te wonen. Je zult ons wel een stel armoedzaaiers vinden. Ik hoop dat je het bij ons kunt uithouden.'
Ze mocht me echt niet.
'Hoor eens, ik kom niet uit Amerika.'
'Je praat anders wel Amerikaans.'
'Is dat zo?'
De Browns hadden allemaal een sterk plaatselijk accent. Volgens mij heb ik eigenlijk geen enkel accent. Ik vond het vervelend dat ze bleven denken dat ik Amerikaans was.
Ik bood aan te helpen met de afwas, maar Mrs. Brown wilde er niet van horen.
'Nee, vanavond helpt Frank me voor de verandering. Ga jij maar fijn televisiekijken met Peggy.'
Dat klonk als een goed plan. Een beetje hangen voor de buis was precies waar ik behoefte aan had. Nou, vergeet het maar. De tv was een enorme kast met een piepklein schermpje, afgestemd op een programma over ballroomdansen. Maar helemaal niet zoals *Strictly Come Dancing*. Ergens in de verte zag je allemaal grijze figuurtjes in grijze jurken en grijze pakken die door een grijze balzaal walsten.
In de jaren vijftig hadden ze uiteraard nog geen kleurentelevisie.
'Is er iets op de andere zenders?'

'Wat bedoel je?' vroeg Peggy.

Nee, Sky hadden ze natuurlijk niet. ITV, Channel 4?

'Dit is de enige zender.'

'Hebben jullie nog geen ITV?'

'Is dat die zender met reclame?'

'Ja, die.'

'Die kun je in Londen ontvangen, maar hier niet.'

Weer wat geleerd.

Ik keek om me heen in de kamer en vroeg me af waar ze de camera's hadden verborgen. Er hingen een paar prenten aan de muren die er onschuldig uitzagen, maar de spiegel boven de schoorsteenmantel, dat kon best zo'n dubbel geval zijn met een camera aan de andere kant. Ik draaide mijn gezicht ernaartoe en glimlachte – innemend, hoopte ik. Mrs. Brown kwam de kamer binnen, pakte een grote tas van achter een leunstoel vandaan en haalde er een breiwerkje uit. Het zou duidelijk een spannende avond worden.

'Mag ik me verontschuldigen?' vroeg ik. 'Ik wil graag mijn koffer uitpakken.'

'Natuurlijk, meisje. Ik had het zelf moeten bedenken,' zei Mrs. Brown. 'Peggy, zou jij Rosie alsjeblieft naar haar kamer willen brengen?'

Het was zonneklaar dat ze niet weggerukt wilde worden van het grijze vermaak, maar ze deed wat haar moeder vroeg en ging me zwaar zuchtend voor op de smalle, donkere trap, over een smalle, donkere overloop, en nog een klein trapje op naar een kleine, ijskoude kamer. Bij de kachel in de zitkamer was het lekker warm geweest, maar zodra je de kamer verliet kelderde de temperatuur.

'Dit is je kamer,' zei ze. 'Eigenlijk is het de kamer van mijn broer Stephen, maar hij is nu op Cyprus.'

'Heeft hij even mazzel,' zei ik, denkend aan bars en stranden en het uitgaansleven.

Ze staarde me aan alsof ik gek was. 'Er zijn verleden week twee soldaten omgekomen.'

'Is hij dan soldaat?'

'Ja, wat dacht je dan. Hij is dienstplichtig,' bitste ze, en ze liet me alleen.

Het was een treurig kamertje. Linoleum op de vloer en een kleed-je naast een smal bed met een glimmende groene gewatteerde sprei, een stoel, een kast, een boekenkast met een hele trits Big-gles-boeken en voetbalblaadjes, en een stapel voetbalprogramma's. Ik zag een cricket-trofee en een paar modelvliegtuigjes, en dat was het wel zo'n beetje. In de kast hingen alleen een school-blazer en een paar oude truien. Onze Stephen was bepaald geen mode-icoon, tenzij hij al zijn kleren had meegenomen.

Ik zocht naar camera's maar zag niets verdachts. Zouden ze ons privacy gunnen in onze slaapkamer? Vast wel. Maar in het *Big Brother* huis hadden ze nergens privacy. Ik keek nog een keer om me heen. Als hier een camera verborgen was, moest het in de cricket-trofee zijn, concludeerde ik. Nee, te opvallend. Of mis-schien in de modelvliegtuigjes? Ik haalde ze van de plank, zette ze in de kast en deed de deur dicht. Toen pakte ik de Biggles-boeken en die zette ik ook in de klerenkast. Dat voelde iets vei-liger. Nu kon ik de koffer onder het raam openmaken.

Het was een echte ouderwetse hutkoffer, met mijn initialen er-op: RJH, Rose Jane Harford. Ik tilde het deksel op. Kleren! De kleren die ik moest dragen, nam ik aan. Enthousiast stak ik mijn handen ernaar uit. Ik ben dól op kleren.

Ik probeerde me te herinneren wat voor soort kleren ze droegen in de jaren vijftig. Ik dacht aan Grace Kelly in *High Society*, aan Audrey Hepburn in *Funny Face*. Of Olivia Newton John in *Grease*. Yes! In gedachten was ik al aan het swingen met John Travolta, zijn handen rond mijn wespentaille terwijl mijn wijde rok bekoorlijk wervelde en golfde…

Tot mijn grote teleurstelling waren deze kleren in de verste ver-te niet bekoorlijk. Ze deden me allemaal aan mijn oude aard-rijkskundelerares denken. En dan bedoel ik mijn *oude* aardrijks-kundelerares. Ik vond een paar dikke wollen rokken, een ervan met een bijpassend jasje. Een paar katoenen blouses, en vesten die zo te zien met de hand waren gebreid. En er zat één broek in, een driekwart broek van dikke marineblauwe katoen.

Er was een ochtendjas van het soort dat mijn grootvader draagt. O, en dan het ondergoed! De beha's waren gemaakt van witte katoen en zagen eruit alsof ze voor nonnen waren ontworpen. Ik durf te wedden dat Grace Kelly nooit van haar leven zo'n beha heeft gedragen. En onderbroeken, ook van witte katoen. Dat soort onderbroeken had ik niet meer gedragen sinds ik drie was. Of misschien wel nooit. Volgens mij had ik zelfs in die tijd modieuzer ondergoed. Dit waren ondingen.

Zelfs aan een regenjas was gedacht, praktisch misschien, maar foeilelijk. En ik vond een felrood jasje, een beetje zoals een duffelse jas. Dat was een leuk ding, met een bijpassende baret. Ik paste ze en maakte een pirouette voor de vlekkerige spiegel op de garderobekast. Toen hing ik de ochtendjas ervoor, met het oog op verborgen camera's.

Een zeer functionele toilettas bevatte een tandenborstel, een rond blikje met felroze tandpasta, een washandje, een flesje shampoo voor normaal haar en een potje vaseline. Helemaal onderop lag een handtas, mooi leer maar bruin en saai. Er zat een klein portemonneetje met geld in. Maar geen geld dat ik kende. Een paar bankbiljetten, oranje van tien shilling en groene van een pond – ik dacht dat ze die alleen in Schotland hadden – en allerlei munten, geen euro's, maar wel groot en zwaar.

Ik hield het jasje aan. Het was zo koud in die kamer. Buiten hoorde ik het geluid van stromend water. Er moest een rivier zijn. Ik keek naar buiten, maar de straatverlichting was zo zwak dat ik alleen de vage contouren van een paar bomen en een brug kon zien. Het uitzicht kon wel tot morgen wachten. Ik nam tenminste aan dat ik de volgende dag nog steeds in dit huis zou zijn. Wist ik maar wat er precies aan de hand was. Ik voelde me erg onzeker en een beetje, een beetje veel, in de war.

Ik miste Will. Ik probeerde mijn telefoon nog een keer. Er staat een filmpje op van Will die over straat naar me toe loopt. Het is geweldig, want je kunt zien dat hij aan iets anders denkt, en dan opeens ziet hij me en begint hij heel breed te grijnzen. Ik kijk er vaak naar, vooral als ik hem mis. En ik had hem nog nooit zo gemist als in dit rare huis waar ik me zo misplaatst voelde. Maar de telefoon was hartstikke dood. Niets.

Er werd op de deur geklopt. Mrs. Brown. 'Rosie, ik heb thee gezet. Of ik kan chocolademelk voor je maken, als je wilt. Beneden is het lekker warm.'

Chocolademelk! Wat opwindend, dacht ik toen ik de trap afliep naar de keuken. Mr. Brown zat in het halfduister in de schom-

melstoel met *The News* – op gewoon dagbladformaat natuurlijk, zeer authentiek. En er was nog iemand.
Aan de tafel zat een klein meisje, omringd door schoolboeken. Aan de lege borden naast haar te oordelen, had ze het restje stoofvlees en rijstpudding achter de kiezen. Ze droeg een ouderwetse overgooier – je ziet die dingen tegenwoordig alleen nog in oude films – over een groezelige schoolblouse en een smal stropdasje. Haar muizige, vettige haar zag eruit alsof het met een mes was afgehakt in plaats van geknipt. En ze droeg een bril, de lelijkste bril die ik ooit heb gezien. Wat gemeen om een kind zo'n ding op te zetten.
Maar toen ze haar hoofd optilde en me aankeek, besefte ik dat ze ouder was dan ik eerst had gedacht, waarschijnlijk een jaar of elf, twaalf, en dat ze achter die afschuwelijke bril een taxerende, uitdagende blik had die me een beetje van mijn stuk bracht.
'Ben jij de Amerikaanse?' vroeg ze.
'Ik kom niet uit Amerika.' Jeetje, wat werd ik daar moe van.
'Dit is Janice,' zei Mrs. Brown. 'Ze is heel slim en ze doet het goed op school. Ze komt hier om haar huiswerk te maken.'
Ik zal wel vragend hebben gekeken, want Janice zei: 'Ik heb zeven broers. Twee ervan schreeuwen de hele tijd.'
'Haar moeder maakt schoon op het postkantoor waar Doreen werkt,' legde Mr. Brown uit, 'en ze komt altijd hier als ze huiswerk moet maken. Vroeger kon ik haar helpen, maar volgens mij is ze nu slimmer dan ik, waar of niet, Janice?'
Nu kwam Peggy de keuken binnen, en tot mijn verbazing glimlachte ze breed naar het groezelige meisje. Peggy was heel leuk om te zien als ze glimlachte.
'Hoi meisje!' zei ze. 'Hoe gaat het met Frans? Is Mrs. Stace nog steeds zo'n tang?'
'Natuurlijk. We hebben morgen een proefwerk.' Janice keek zorgelijk. 'Wil je me alsjeblieft overhoren, Peggy? De voltooide tijd.'
'Ik heb gegeven.'
'J'ai donné.'
'Hij is klaar.'
'Il a fini.'
'Ze zijn weggegaan.'

'Aha, dat moet met *être! Ils sont allés.*'
'Goed zo,' complimenteerde Peggy haar.
'Spreek jij Frans, Rosie?' vroeg Janice.
'Een beetje,' zei ik, 'maar niet zo goed als jij.'
'Janice heeft een talenknobbel,' zei Peggy vriendelijk, bijna trots.
'Op een dag gaat ze naar Frankrijk en dan moet ze de taal spreken, zodat ze slakken en kikkerbilletjes en wijn kan bestellen.'
'Het lijkt me zo leuk om naar Frankrijk te gaan,' zei Janice verlangend, 'met allemaal mensen die een andere taal spreken.'
'Volgens mij heb je dat proefwerk goed geleerd.' Peggy klonk heel aardig als ze het niet tegen mij had. 'Je hebt meer dan genoeg gedaan voor vandaag. Zal ik je haar wassen? Je mag mijn nieuwe shampoo gebruiken.'
'O ja, graag, Peggy!' zei het kleine ding terwijl ze de boeken in haar schooltas propte.
Even later zat ze op haar knieën op een stoel, voorovergebogen over de grote witte gootsteen in de bijkeuken, terwijl Peggy haar haar waste en de shampoo met water uit een grote emaillen kan uitspoelde. Ze wikkelde er een handdoek omheen en begon het toen met zachte hand te kammen, totdat ze alle klitten eruit had gehaald.
'Ik kan je pony een beetje bijknippen, als je wilt,' bood Peggy aan, en ze pakte de schaar uit haar moeders naaidoos. Ze knipte er vrolijk op los, bekeek het resultaat, draaide Janice' hoofd naar links en naar rechts en knipte nog een paar plukjes bij. 'Ziezo, nu afwachten hoe het eruitziet als het droog is.'
Het begon nu al pluizig te worden door de warmte van de kachel. Het zag er zoveel beter uit, glanzender. De muizige lokken hadden zelfs een rossige gloed.
'Janice, Peggy, meisjes, het is de hoogste tijd.' Mrs. Brown was de keuken binnengekomen en pakte een tafelkleed uit het dressoir. 'Dit is een keuken en geen kapsalon. Ik wil de tafel dekken voor het ontbijt, en jij moet naar huis en naar bed, Janice. Hier.' Ze haalde een sjaal uit een la en gaf die aan het meisje. 'Knoop die om je hoofd. Je kunt niet met nat haar over straat, dan vat je nog kou.'
'Ik ga al, Mrs. Brown.' Janice keek nog een laatste keer in de spiegel voordat ze haar schooltas pakte. Ze glimlachte stralend

naar Peggy. 'Het is heel leuk, Peggy, dank je wel. Tot morgen.'
Ze glipte naar buiten door de achterdeur, klein en slonzig, en ze
rook nog steeds niet zo lekker.
'Ze kan het niet helpen,' zei Mrs. Brown toen ze mijn gezicht
zag. 'Ze komt uit een moeilijk gezin. Haar vader zit de helft van
de tijd zonder werk. De moeder bedoelt het goed, maar in feite
heeft ze geen idee. Het enige wat die mensen kunnen is baby's
maken. Ze hebben zeven jongens en Janice, en twee van de jongens zijn achterlijk. Maar Janice is slim en ze zit op een behoorlijke middelbare school, dus laten we hopen dat ze iets bereikt in het leven. Ze verdient een kans, het arme ding. Nou, wil
je thee of chocolademelk?'
Ik had al sinds een kamp van de padvinderij toen ik een jaar of
zeven was geen chocolademelk meer gedronken. Ik zei welterusten en nam de beker mee naar boven. Er waren te veel dingen waar ik over na wilde denken. Ik kleedde me uit, trok de
enorme ochtendjas aan, sjeesde naar de badkamer, sjeesde terug,
hing de ochtendjas weer voor de spiegel en dook in bed. IJskoude
lakens. Ik pakte mijn blocnote.

DAG ÉÉN IN HET JARENVIJFTIGHUIS
*Heel koud maar minder hoofdpijn, en ik snap in elk geval
hoe de vork in de steel zit. Onze reactie op een nieuwe
situatie maakt kennelijk deel uit van De Test.
Aanvankelijke desoriëntatie hoort er allemaal bij.
Wil uitvogelen hoe lang ik hier moet blijven. Hoe zit het
met mijn werk? Mijn leven? Misschien wordt alles
binnenkort uitgelegd.
Ga op zoek naar de videokamer.
Wat is de hoofdprijs?
Lokaliseer de camera's. Glimlach ernaar. Zo vaak
mogelijk.
Wees aardig voor iedereen.
Peggy – een test?
Die realitysoaps, zoals* Big Brother, It's a Celebrity *et
cetera, worden nooit gewonnen door de schreeuwlelijken,
maar door de rustige, aardige types die van iedereen
respect en bewondering oogsten, hard werken, ruzies*

sussen, kalm blijven en de redelijkheid zelve zijn. Dat ga
ik doen, kalm en redelijk zijn. Oefening baart kunst.

Ik probeerde nog een keer of ik Will kon bellen, maar de telefoon was en bleef dood. Ik voelde me heel erg alleen en een beetje depri. Maar toen werd er op de deur geklopt.
'Ik heb een kruik voor je gemaakt.' Mrs. Brown gaf me de kruik en wierp een verbaasde blik op de ochtendjas die voor de spiegel hing. 'Voel je je wel goed?'
'Heel goed, dank u,' zei ik opgewekt.
De kruik was heerlijk, warm en zacht. Ik schoof hem tussen de lakens, die naar zeeppoeder en zonneschijn roken. Ik kroop ertussen, genoot van de warmte tegen mijn voeten, en hield de telefoon tegen me aan, precies zoals ik vroeger mijn pluchen kat tegen me aan hield. Mijn hoofd tolde, maar ik viel binnen een paar minuten in slaap.
Ik wilde dat ik met Will had kunnen praten, maar als dit een uitdaging was dan zou ik me niet laten kisten!

3

*Uitdaging? Ik zal ze eens vertellen wat ze kunnen doen
met hun gemene, manipulatieve, hartverscheurende
uitdagingen. Ik ben vandaag door de hel gegaan. Een
kijkje in een alternatief universum. Ik vond het
verschrikkelijk. Als ik niet vermoedde dat dit allemaal een
tv-show was, zou ik me geen raad weten.
Ik heb er niet eens om gevraagd om mee te mogen doen.
Ze kunnen me hier niet dumpen zonder me iets te vragen,
zonder enige voorbereiding of briefing. Hadden ze geen
schriftelijke toestemming moeten hebben? Contracten met
advocaten? Grote zakken geld? Ontsnappingsclausules?
Verzekering? Misschien kan ik ze voor de rechter slepen
wegens stress en psychische schade? Wat gebeurt er als ik
op de trappen van* The News *mijn nek breek? Of doodga
aan een longontsteking door het vocht en de kou?
Of aan een gebroken hart?*

Vandaag was mijn eerste dag bij *The News* in jarenvijftigstijl.
Het begon al slecht. Mijn kleren, mijn echte kleren, waren
verdwenen. Iemand moet ze hebben weggehaald toen ik in
de badkamer was. Zelfs mijn eigen handtas. Ik had alleen nog
maar de handtas uit de koffer, een dode telefoon en de blocnote en de pen op het nachtkastje. Ik overwoog naar beneden
te gaan en van Mrs. Brown te eisen dat ze mijn spullen terug-
gaf, maar toen herinnerde ik me de Gouden Regel van reality-
tv: Aardig Zijn, Glimlachen, Niet Moeilijk Doen. Dus nadat ik
me had gewassen – geen douche, en ik kon zelfs niet in bad omdat er maar één wc is, en die is in de badkamer en er bonkten
de hele tijd mensen op de deur – trok ik mijn jarenvijftigkleren
aan.
Alles kriebelde, schuurde en knelde. Er was natuurlijk nog geen
lycra. Ik voelde me net een opgebonden kalkoen in dat mantel-

pak. Mijn jarretel (heb ik ooit echt gedacht dat die dingen sexy waren?) dreigde elk moment te knappen en de grote katoenen onderbroek ging telkens tussen mijn bilspleet zitten. Geen wonder dat mensen op oude foto's zo ongelukkig kijken.

En ik kreeg nog steeds niets op mijn mobieltje. Toen ik wakker werd lag het naast me op het kussen, en ik greep er automatisch naar. Niets. Een zwart scherm. De klap kwam hard aan en ik voelde me vreselijk alleen. Dat ze het signaal blokkeerden was tot daar aan toe, maar je zou denken dat ze me wel naar de foto's en sms'jes zouden laten kijken, ja toch? Het was een link met mijn wereld, mijn echte wereld, en met Will.

En mijn haar! Geen douche, geen crèmespoeling, geen föhn, geen mousse. Ik kon het alleen maar kammen. Leuk hoor.

Na die grimmige start werd het er niet beter op.

Normaal gesproken eet ik yoghurt met banaan als ontbijt. Nu kreeg ik pap en gekookte eieren. Verplicht. Toen ik het ophad voelde ik me alsof ik bakstenen had gegeten en ik kon bijna niet opstaan van mijn stoel. En de koffie… de koffie kwam uit een fles en zag eruit als jus en smaakte ook zo.

Maar dat was nog niet alles. Mrs. Brown werkte 's ochtends op een postkantoor, en omdat Peggy en ik kennelijk pas een halfuur later begonnen, moesten wij de afwas doen.

'Jij wast af,' zei Peggy, en ze gaf me de pan waarin de pap was gekookt, met aangebrande stukjes. 'Ik kan beter afdrogen en alles opbergen want jij weet niet waar alles staat.'

'Dat kun je me toch laten zien,' zei ik, maar ik wist meteen dat protesteren geen zin had.

Wil je weten wat ik tot nu toe van de jaren vijftig vind? Nou, ik háát pannen met aangebrande pap. Tefal is nog niet uitgevonden. Net zomin als afwasmiddel; er is alleen vieze groene zeep. Je moet de aangekoekte pap met een mes van de bodem schrapen en later moet je, o gruwel, grote klonters uit het gootsteenroostertje vissen. Weerzinwekkend.

En Peggy. Peggy is echt strontvervelend. Ik heb een nog grotere hekel aan haar dan aan pannen met aangekoekte pap. Ik doe echt mijn best om aardig tegen haar te zijn en

veel te glimlachten (voor de camera's die ik nog niet heb
gevonden) maar het valt niet mee.

'Zijn deze kleren geschikt voor kantoor, Peggy?' vroeg ik haar.
'Heel geschikt.'
'Kriebelen jouw kleren ook zo?'
'Natuurlijk niet,' zei ze, maar met zo'n vies gezicht dat het me
niet zou verbazen als háár onderbroek ook in haar bilspleet zat.
'Kom op. We moeten de deur uit.'
Ze gaf me een blik bouillonblokjes. Bouillonblokjes? Wat moest
ik met bouillonblokjes? Ik moet haar glazig hebben aangekeken,
want ze zei: 'Je boterhammen, voor de lunch.'
Daar gingen we. Ik weet niet hoe ze het doen, maar het is heel
slim aangepakt. Peggy wees uiteraard de weg. (Hoe meer ik erover nadenk, des te meer ik ervan overtuigd raak dat zij in het
team moet zitten dat de uitdagingen bedenkt.) We liepen door
smalle straatjes en staken een marktplein over. (Het is duidelijk
een filmset.) Er was heel weinig verkeer, alleen een paar oude
auto's. (Het soort dat ze altijd hebben in historische films.) En
een loopjongen op een fiets. (Die hebben ze ook altijd.) En er
was een melkboer met paard en wagen. (Dat vond ik een beetje
overdreven, maar daar zat misschien de camera in verborgen,
dus ik glimlachte extra lief naar het paard.) De winkels waren
klein, met volgepropte etalages, een beetje kleurloos, maar de
straten waren brandschoon. Nergens pizzadozen of patatbakjes.
(Daar kun je aan zien dat het allemaal nep is.)
'Is het ver naar *The News*?' Ik vroeg me af hoe we op het in-
dustrieterrein zouden komen.
'Nee,' zei ze. En dat was het. Geen gezellige babbeltjes. Helemaal niets. Nou, je wordt bedankt, Peggy. Maar ik bedacht dat
ik innemend moest zijn en glimlachte en probeerde het nog een
keer. Lastig, want ze liep heel snel en ik had moeite om haar bij
te houden, en niet alleen vanwege de schoenen.
'Werk je er al lang?'
'Vijf jaar.'
'Wat is de hoofdredacteur voor iemand?'
Nu werd ze een beetje rood en ze draaide zich naar me om. 'Hij
is een fantastische man,' zei ze heftig. 'Fantástisch.'

Ze liet zich wel in de kaart kijken, vind je ook niet?

Maar nu waren we bij *The News*. Niet pal aan de ring, maar in hartje centrum. En het grappige was dat het gebouw er precies zo uitzag als op de oude foto's die nu in de receptie hangen. Een heel oud, met hout beschoten gebouw met glas-in-loodramen. Aan de zijkant was een grote poort die naar een binnenplaats voerde, waar ouderwetse bestelwagens stonden. Hoe ze het doen is me een raadsel, maar het zag er verdomde authentiek uit.

Zodra we binnen waren sloeg Peggy om als een blad aan een boom, en opeens was ze een en al glimlachjes en goedemorgens. Ze ging me voor naar boven.

Oké, het was een krantenredactie, maar heel anders dan ik gewend ben.

Het was één grote chaos. Een doolhof van kleine kamertjes, elk met een log houten bureau waar stapels papier op lagen. De ramen waren klein en groezelig, en bijna onzichtbaar achter bergen papier en mappen. Overal lagen papieren. Stapels vergeelde kranten, op de vloer, in hoeken, op vensterbanken, achter deuren. De gezondheidsinspectie zou een hartverzakking hebben gekregen. Vooral omdat er een dikke wolk sigarettenrook hing. Het leek wel of iedereen rookte.

Eén verdwaalde peuk in die handel...

Peggy ging me voor door een smalle gang met kale, uitgesleten vloerplanken. Ze nam me mee naar een antichambre, hing haar jas op en klopte eerbiedig op de deur van een kantoor. 'Goedemorgen, Mr. Henfield.' Ze glimlachte onderdanig. 'Ik heb Rosie Harford bij me.'

Richard Henfield leek als twee druppels water op zijn foto. Dat was goed gedaan, vond ik, er was veel werk van gemaakt. Middelbaar, bril, snor en pijp. Leuke ogen, slappe kin. 'O ja, je komt een paar weken bij ons werken.'

'Kennelijk,' zei ik met een poeslieve glimlach. Hier móést een camera zijn.

'Nou, vertel me maar eens wat je zoal hebt gedaan.' Hij leunde achterover en staarde me aan, maar niet op een prettige manier. 'Na mijn studie heb ik een postdoctoraal diploma journalistiek gehaald, en ik heb een tijd voor een weekblad gewerkt. De laatste paar jaar heb ik als algemeen verslaggever gewerkt, toen een tijdje op de financiële redactie, en nu schrijf ik achtergrondartikelen over sociale kwesties en consumentenbelangen.' Weer een glimlach.

'Potverdrie, ben jij even een slimme meid,' zei hij, starend naar mijn borsten.

Jezus! Mijn vingers jeukten om een klap te geven in die verwaande, neerbuigende, seksistische tronie van hem. Maar glimlach, Rosie, glimlach. Ik glimlachte.

'Dan moesten we maar eens gaan kijken wat je hier kunt doen.' Hij ging staan en sloeg een arm om mijn schouders – niet prettig, hij rook naar verschaalde tabak en zweet en half verteerd vlees. Nam die man nooit een douche? – en voerde me weer mee door de gang, naar een van de overvolle rokerige kamers, waar een wat oudere man in een lange overjas met zijn voeten op het bureau een krant zat te lezen en een vrouw aan de telefoon was. Twee andere mannen pakten net hun jas alsof ze weg wilden gaan.

Ik maakte me demonstratief los uit Henfields arm. Zijn lichaamsgeur was me net iets té realistisch.

'Is Billy op kantoor?' wilde Henfield weten.

'Op de rechtbank.' De man keek nauwelijks op van de krant, maar toen hij mij zag begonnen zijn kraaloogjes te glinsteren en gaf hij mij en Henfield alle aandacht.

'Gordon,' zei Henfield, 'dit is Rosie. Ze heeft haar doctoraal en een diploma en ze weet alles van financiën en sociale kwesties.' Hij zei het op sarcastische, spottende toon.

'Dat is nogal wat,' mompelde de vrouw achter hem. Ze legde de telefoon neer en stak een sigaret op.

'Ze komt hier een paar weken werken en zal ongetwijfeld haar vele talenten onthullen,' zei hij met een verlekkerde blik op mij, 'en ons veel laten zien.' Hij en Gordon keken elkaar veelbetekenend aan en namen mij toen van hoofd tot voeten op. Toen kwam, godzijdank, Peggy binnen met haar zoetsappige glimlachje. 'Er is telefoon voor u, Mr. Henfield,' meldde ze, en weg was hij.

'Flikflooiende viespeuk,' bromde de vrouw. Veelbelovend. Toen keek ze naar mij en voegde eraan toe: 'Ik ben Marje. Nou, eens even kijken wat je kunt doen.'

'Je zegt het maar,' zei ik enthousiast, want ik wilde niets liever dan mijn tanden in een goed stuk zetten.

'De waterkoker staat daar,' zei Marje. 'Geen suiker voor mij, twee klontjes voor hem...' ze wees op Gordon, die zich weer in de krant had verdiept '... en de kopjes moeten afgewassen worden. Helemaal aan het eind van de gang, en je hoeft niet op warm water te wachten want dat is er niet.'

Had ik soms een plakker met 'koffiejuffrouw' op mijn voorhoofd?

Gordon was de nieuwsredacteur. Nadat hij me uitgebreid had bekeken, had hij kennelijk besloten dat ik niet de moeite waard was. 'Het lijkt me een goed idee als Marje je voorlopig op sleeptouw neemt,' zei hij toen hij zonder te bedanken zijn thee aanpakte. 'Zij kent het klappen van de zweep. Er staan een paar gouden bruiloften in het boek. Dat redden jullie wel met z'n tweeën.'

Gouden bruiloften! Die had ik sinds mijn begintijd bij het weekblad al niet meer gedaan. Maar ik ging braaf met Marje mee. We moesten lopen naar de huizen van de oudjes. Er scheen maar één auto voor het personeel te zijn, en die gebruikten de fotografen de hele tijd. Verslaggevers moesten lopen.

Marje had er flink de pas in.

'Werk je al lang bij *The News*?' vroeg ik buiten adem, want het kostte me moeite om haar bij te houden.

'Sinds de oorlog,' zei ze. 'Ik was telefoniste, en toen alle mannen werden opgeroepen waren alleen ik en de oude Mr. Henfield nog over, dus toen ben ik alle andere dingen gaan doen.'

Weer de oorlog.

'De jonge Mr. Henfield, onze huidige hoofdredacteur, zat in het leger. En Gordon en de meeste anderen ook. John, de adjunct, zat bij de RAF – hij is onderscheiden met het Distinguished Flying Cross, maar hij praat er nooit over. De jongere mannen natuurlijk niet. Billy en Phil waren net nog te jong, de mazzelaars. Maar ze hebben sindsdien wel hun militaire dienst en hun vijftien dagen gedaan.'

'Vijftien dagen?'

'Ja, je weet wel. Twee jaar militaire dienst en dan drie jaar lang vijftien dagen per jaar. Doen jullie dat niet in Amerika?'

'O jawel,' zei ik vaag, want ik had er schoon genoeg van om te protesteren tegen dat Amerika-gedoe. 'Net zoiets.'

Ik kon me steeds beter inleven. Het was bijna alsof ik echt in de jaren vijftig was. Maar ik vond het een beetje zorgelijk dat alle anderen kennelijk zoveel research hadden gedaan. Misschien hadden ze langer de tijd gehad dan ik. Of gewoon de tijd gehad, punt. Nou ja, ik moest maar gewoon improviseren. Wel lastig. Ik probeerde tot me te laten doordringen dat de oorlog nog maar tien of elf jaar geleden was afgelopen, want dat was alsof... alsof ik toen net eindexamen had gedaan. Bizar.

Tijdens onze wandeling herkende ik een paar dingen van de huidige stad maar niet veel. Die tv-maatschappij had het grondig aangepakt. Je kon bijna geloven dat je terug was gegaan in de tijd. Om te beginnen waren er veel meer winkels, een hele hoop kleine. Veel slagers, een paar bakkers. Geen kaarsenmakers, maar een visboer, twee boekwinkels, veel sigarenhandels, een wolwinkel, babykleertjes, een paar apotheken, een winkel met serviesgoed, twee ijzerhandels. Geen supermarkten, maar kruideniers zoals Home en Colonial en Liptons. Eerlijk gezegd zag het er allemaal een beetje haveloos uit.

Toen rook ik het... koffie. Echte koffie...

'O Marje, ruik ik koffie?'

'Dat zou heel goed kunnen. Silvino zit hier om de hoek.'

'Silvino?'

'Een Italiaanse koffiebar.'

'Goddank! Hebben we tijd? Alleen voor een snelle kop koffie. Ik snak naar...'

'Geen tijd, sorry,' zei Marje, en ik moest de verrukkelijke geur negeren.

Haastig liepen we door naar onze eerste gouden bruiloft. Aardig echtpaar. (Recept voor een gelukkig huwelijk: hij leverde op vrijdag altijd zijn loonzakje in en zij had altijd het warme eten klaar.) Gelukkig kwam George de fotograaf langs toen wij er waren. Het was een jonge knul, in een slobberig pak dat hem volgens mij veel te groot was, maar hij wist wat hij deed. En hij had de bestelwagen, wat betekende dat Marje en ik ons op de gammele voorbank konden wurmen en een lift kregen naar het volgende echtpaar. Eric en Bessie hadden elkaar bij het kerkkoor leren kennen, zongen er nog steeds in. Het geheim van een gelukkig huwelijk, zeiden zij, was dat je nooit met ruzie moest gaan slapen. Bessie keek zelfvoldaan en Eric probeerde me in mijn billen te knijpen. Vieze ouwe bok.

Ik neem aan dat het allemaal figuranten waren. Het waren er heel erg veel. Ik had niet beseft dat die tv-maatschappij zo'n enorm budget had. Maar toen ze *Expeditie Robinson* deden hebben ze een jaar lang een heel eiland in bezit gehad, dus een grote filmset voor een paar weken is verhoudingsgewijs goedkoop. Het zag er wel allemaal heel echt uit.

Toen we klaar waren moest George door naar een andere klus, en Marje en ik liepen terug naar kantoor. Ik herinnerde me mijn trommeltje en maakte het voorzichtig open. Er zat een bruin papieren zakje in. Het rook naar kaarsen en boenwas en een muffe geur die ik met bezemkasten onder de trap associeerde. In het zakje zaten twee duimdikke boterhammen van lekker witbrood, met iets ertussen wat een beetje raar rook. Ik nam aarzelend een hapje en probeerde te bedenken wat het was. Het smaakte een beetje vissig. Een beetje als kattenvoer.

Toen herinnerde ik me de keukenkast van mijn grootmoeder, met van die grappige kleine potjes erin. Vispasta. Ik at een boterham met vispasta. Het was weer eens wat anders dan meergranenbrood met gepocheerde Schotse zalm en dillemayonaise en waterkers. En het brood was lekker.

Vervolgens liet Marje me zien hoe ik mijn stukje moest typen. Wat een klus! Je moest vettig zwart papier gebruiken, carbonpapier, waarmee je een vlekkerige kopie maakte. Drie vellen gewoon papier, met twee vellen carbonpapier ertussen, en die rolde je dan in de schrijfmachine, een loodzwaar ding. Tikken duurde een eeuwigheid. Je moest echt rammen op de toetsen. En ik bleef vergeten de zwengel te gebruiken om naar de volgende regel te gaan, dus ik tikte telkens op de rol in plaats van op het papier. En je kon fouten niet wissen!

'Wat zul je er de pest in hebben dat de computer nog niet is uitgevonden,' zei ik tegen Marje.

'Computers? Hoezo?' Ze keek me glazig aan. Ze was er heel goed in om te doen alsof ze in de jaren vijftig thuishoorde. Geen deelnemer, besloot ik, maar iemand van de organisatie.

'Je weet wel, je kunt snel en makkelijk typen, je fouten corrige-
ren, je spelling checken.'
'Je spelling checken?'
'Ja, je spelling wordt gecorrigeerd.'
'Handig als je niet kunt spellen. Hoe werkt dat?'
'Eh, dat weet ik eigenlijk niet. En dan heb ik het nog niet eens
over het internet.'
'Het wát?'
'Het internet. In een paar seconden kun je alles vinden wat je
weten wilt. Over van alles. Feiten, cijfers, beroemdheden, win-
kelen. Je gaat naar een zoekmachine en dan kun je dingen vin-
den en kopen.'
'Hoe werkt dat?'
'Dat weet ik niet, maar het is geweldig. En...'
'Je weet niet veel, hè?' Marje stak nog een sigaret op. 'Al helemaal niet over spelling.' Ze boog zich weer over mijn rommelige
kopie en streepte al mijn fouten aan. Het waren bijna allemaal
tikfouten door die onmogelijke schrijfmachine, geen spelfouten.
'Kennelijk heeft dat computerding je hersenen aangetast. Hier.'
Ze gaf me mijn stukje terug. 'Tik het maar even over, anders
krijg je het met de eindredactie aan de stok. Tot morgen.' Ze
pakte haar boodschappennetje en ging naar huis om eten te koken voor haar man.
Ik tikte de gouden bruiloften nog een keer uit en omdat er geen
loopjongens waren, en omdat ik nieuwsgierig was, bracht ik de
kopij zelf naar de eindredactie. De eindredacteuren, allemaal
mannen, rookten een pijp of sigaretten, en ze zaten aan een lange tafel, waar ze de kopij persklaar maakten voor de zetters. Zodra ik de ruimte binnenkwam, kreeg ik het gevoel dat ik in een
besloten club terecht was gekomen en een buitenstaander was.
Vreselijk.
Een van de mannen tilde zijn hoofd op van zijn werk en floot
naar me. Een andere man leunde achterover. Het volgende moment staarden ze me allemaal aan, alle zes. De eerste zei: 'Kijk
eens aan, wie hebben we hier? Hallo, meisje, wie ben jij?'
'Rosie Harford. Ik kom hier een tijdje werken als verslaggeefster
en rubriekredacteur.'
'Rubriekredacteur, zo, zo. Vroeger hadden we er een, maar de

poten zijn er afgevallen,' zei een jongeman. Ze schaterden van het lachen, alsof hij de grappigste opmerking ooit had gemaakt. Een wat oudere man boog zich naar voren. 'Nou, Rosie, je hebt in elk geval rozige wangen. Een roosje in de knop. Als ik zou zeggen dat je een beeldig figuurtje had, zou je me dat dan kwalijk nemen?'

Gegrinnik.

'Pas op,' waarschuwde ik. 'Dat is seksistisch taalgebruik.'

Even keken ze geschrokken en toen barstten ze weer allemaal in lachen uit. Het begon langzaam en het zwol aan omdat elke man die meedeed harder lachte dan zijn voorganger.

'Seks!' Een van de mannen keek met een brede grijns naar de anderen. 'Tja, als je het zelf aanbiedt...'

'Nee, dat doe ik níét,' zei ik, en ik smeet de kopij op hun bureau, 'en zeker niet met jou.' Ik draaide me om naar de deur.

'Moet je kijken,' zei een van de mannen achter mijn rug. 'Een kontje als twee eieren in een zakdoek.'

Ik sloeg de deur achter me dicht, maar ik kon hun gelach nog steeds horen. Mijn gezicht gloeide. Zwijnen. Idioten. Stomme, achterlijke kerels. Shit! Ik besefte dat het waarschijnlijk een test was geweest, om te zien hoe ik ermee zou omgaan. Nou, dat had ik mooi verknald.

Met mijn gloeiende kop en een gevoel van schaamte ging ik terug naar de redactie. Gelukkig was het bijna tijd om naar huis te gaan. Gordon was er nog, en hij praatte met een andere man. Een lange man met sluik blond haar, die met zijn rug naar me toe aan de andere kant van de redactieruimte stond.

Ik herkende hem onmiddellijk, zelfs in die sjofele, onbekende kleren. Ik zou hem altijd en overal hebben herkend. De vorm van zijn schouders, de manier waarop hij zijn hoofd bewoog, zijn handgebaren toen hij Gordon iets uitlegde. O, het was allemaal zo vertrouwd. Ik hoefde niet nog een keer te kijken. Ik kende dat lichaam bijna net zo goed als mijn eigen.

Will!

Ik was zo blij dat ik bijna een kreet van vreugde slaakte, en het kostte me de grootste moeite niet naar hem toe te rennen en mijn armen om hem heen te slaan. Mijn hart maakte een buiteling van blijdschap en opluchting. In deze setting, te midden van al die vreemde gebeurtenissen en die stomme grinnikende eindredacteuren, merkte ik hoe hard ik hem nodig had. Nu ik Will had, zou het allemaal wel goed komen. Hij zou van de nachtmerrie een avontuur maken. Het zou een spelletje zijn, lekker lachen, een goed verhaal. Wij tweetjes tegen de rest van de wereld. Opeens was het niet meer raar en een beetje sinister. Nu al, in die fractie van een seconde, begon het leuk te worden.

Het was allemaal zo heerlijk vertrouwd, zo geruststellend. Met Will erbij kon ik alles aan, van seksistische eindredacteuren tot boterhammen met vispasta, jeukend ondergoed en geen douche. 'Will!' zei ik toen ik naar hem toe liep. 'Will! Ik ben zo blij dat je er bent!'

Will draaide zich om. Hij keek verbaasd. Hij keek me recht in de ogen. En er was geen enkele blijk van herkenning.

Will keek me aan alsof hij me nog nooit van zijn leven had gezien.

4

De stilte leek een eeuwigheid te duren en hing zwaar in de lucht boven de stapels kranten, de rommelige mappen en de gebutste bureaus; werd als het ware gedragen door het stof uit de overvolle asbakken. Wanhopig staarde ik naar Will en de tijd stond stil. Ik ademde niet meer, wachtte alleen nog maar op zijn reactie, wachtte totdat hij zou gaan lachen, naar voren zou komen en me zou omhelzen. Maar dat deed hij niet.

Toegegeven, heel even zag ik een flikkering in zijn ogen, maar het was de flikkering die elke man in zijn ogen heeft als hij een vrouw voor het eerst ziet, zo'n snelle schattende blik. En toen... niets, *nada, niente*. Geen enkel blijk van herkenning.

Dit was erger, veel erger dan wat voor ruzie dan ook. Dit had niets met boosheid te maken. Will keek naar me alsof hij me nooit eerder had gezien. Alsof ik een vreemde was, alsof we niet samenwoonden, geen verleden hadden met elkaar. Niets. En toen ik die wezenloze blik in zijn ogen zag, leek het alsof mijn hele wereld begon te schuiven, alsof de grond waarop ik stond onder mijn voeten werd weggeslagen en ik in een vrije val raakte. Zonder hem had ik niets om me aan vast te houden. Niets.

Ik wilde naar hem toe rennen, mijn armen om hem heen slaan. Oké, we hadden ruzie gehad. Dat was in een andere wereld, in een ander leven. Het was niet belangrijk. Het enige wat telde was dat hij hier was. Maar niet als hij me zo aankeek.

'Will?' vroeg ik aarzelend, als de dood dat hij me zelfs zou negeren. Ik stond naast het bureau, te bang om dichterbij te komen.

Gordon keek me vreemd aan. 'Billy,' zei hij tegen Will, 'heb je ons tijdelijke meisje al ontmoet? Rosie komt hier een paar weken werken. Ze komt uit Amerika of zo.'

Er verscheen een vluchtige glinstering in zijn ogen en toen glimlachte hij – o, die glimlach! – en stak hij zijn hand uit. 'Hoe maak je het, Rosie,' zei hij. 'Welkom bij *The News*.'

Ik keek hem aan, verwachtte een teken van herkenning, een heimelijk glimlachje misschien. Wat dan ook. Maar nee. Ik gaf hem een hand. En toen schrok ik weer. Zijn hand was ruw, eeltig. Helemaal niet zoals Wills handen. Verwonderd keek ik hem aan. Er waren ook andere verschillen. Zijn haar natuurlijk. Heel erg jaren vijftig geknipt, opzij en van achteren heel kort. Zijn gezicht zag er ook anders uit, holler, hoekiger, en hij leek ouder, anders op een manier die ik niet kan uitleggen. Ik wilde zijn wang aanraken, mijn vingers over zijn beenderen en holtes laten gaan, maar hij keek me aan alsof ik een vreemde was.

Ik kon de aanraking van zijn hand nog steeds voelen. Maar hij had zich alweer omgedraaid en praatte met Gordon over de rechtszaak die hij net had bijgewoond. Het was alsof ik niet bestond. Ik bestudeerde hem van achteren, het korte haar dat een beetje krulde in zijn nek, zijn brede schouders, terwijl hij tegelijkertijd slanker leek. Het kwam waarschijnlijk door die jarenvijftigkleren.

Waarom sloot hij zich totaal voor me af? Hoe kon hij zo wreed zijn? Ik zat aan mijn bureau, verscholen achter *The News*, zonder dat er ook maar iets tot me doordrong, en probeerde het uit te vogelen. Ja. Dat moest het zijn. We waren in dat jarenvijftighuis, maar niemand mocht weten hoe goed we elkaar kenden. We moesten doen alsof we vreemden waren. Zo konden we in het geheim samenwerken, een team vormen. Samen zouden we aan de weet kunnen komen wat we moesten doen om de proef te doorstaan. Maar we mochten niets laten blijken.

Het was de enige verklaring die ik kon bedenken, en ik klampte me eraan vast.

Ik moest Will alleen te spreken zien te krijgen, bij voorkeur ergens waar geen camera's hingen, en het kantoor hing er ongetwijfeld vol mee. Ik moest op kantoor blijven wachten totdat hij wegging, en dan mijn kans grijpen. Hij zat gebogen over een schrijfmachine in plaats van een computer, maar wel in dezelfde houding, met dezelfde frons, dezelfde geconcentreerde uitdrukking terwijl hij nadacht over de volgende zin, gevolgd door dat halve glimlachje toen hij driftig begon te tikken. Dit was de Will die ik kende. Zelfs in die wijde grijze broek en een nogal versleten overhemd, in plaats van de stijlvolle pakken die hij normaal gesproken draagt.

Ik zat en keek en wachtte. Brian, de nieuwsredacteur van de avondploeg, kwam binnen en werd aan me voorgesteld. Eindelijk verlieten hij en Gordon de redactie voor overleg met Henfield. Will en ik waren alleen. Dit was mijn kans.

Ik kwam tegenover hem staan in het stoffige gele licht. 'Will,' zei ik.

Hij reageerde niet meteen, tilde toen zijn hoofd op en keek me vaag aan, alsof hij niet begreep tegen wie ik het had.

'Will!' siste ik. 'Wat gaan we doen? Wat ís dit? Weet jij hoe het zit?'

Verbluft keek hij me aan. 'Sorry, eh… Rosie, ik snap niet helemaal waar je het over hebt. Ik ben bijna klaar. Heb jij alles af? Het is tijd om naar huis te gaan. Je hebt toch geen late dienst? Nee, je was hier vanochtend al.'

Hij boog zich weer over de schrijfmachine, tikte nog een paar woorden, herlas wat hij had geschreven, trok het papier met het carbonpapier ertussen uit de machine en vouwde het op. 'Heb je je kopij al ingeleverd? Als je je stukjes aan mij geeft, neem ik ze mee naar de eindredactie.'

Dit was hopeloos.

'Will! We moeten een plan uitwerken, bedenken hoe we dit aanpakken. Weet jij wie de andere deelnemers zijn? Waar zijn de camera's? En is er een videokamer? We moeten weten waar we aan toe zijn.'

Nu pakte hij zijn jasje – een dik, vormeloos tweedgeval met pennen in het borstzakje en leren stukken op de ellebogen – van de rug van zijn stoel en trok het aan. 'Sorry, Rosie,' zei hij beleefd, 'maar ik weet echt niet wat je wilt. Ga even met Gordon praten. Of als je meer wilt weten over camera's, ga dan naar Charlie, de fotograaf, of naar George, zijn assistent. Het spijt me,' zei hij terwijl hij zijn kopij pakte – en dat was nog een verschil, zijn bureau was onberispelijk, keurig opgeruimd, heel erg on-Will – 'ik moet ervandoor. Ik heb mijn vrouw beloofd dat ik vroeg thuis zou zijn. Ik hoop dat je eerste dag bij ons je een beetje is bevallen. Een prettige avond en tot morgen.'

Ik gaf geen antwoord. Ik stond daar maar, leunde tegen het gebutste houten bureau, keek ernaar, en naar de stoel waar hij had gezeten. Hij had zijn vrouw beloofd dat hij vroeg thuis zou zijn.

Zijn vróúw? Hij had het zijn vrouw beloofd? Nee. Ik kon het niet geloven. Will had helemaal geen vrouw.

Ik zat nog steeds op de redactie toen Brian terugkwam. 'Nog steeds op kantoor, Rosie?' vroeg hij. 'Ik heb altijd geweten dat Amerikanen harde werkers zijn.'

'Zeg,' begon ik, 'Will, Billy. Weet jij of hij getrouwd is?'

'Billy? O ja, moppie, een echte huisvader. Hij heeft ook kinderen. Drie, geloof ik.' Hij glimlachte vriendelijk. 'Je verdoet je tijd, mop. Billy is gelukkig getrouwd.'

Billy. Will. Een echte huisvader. Getrouwd. Drie kinderen. Nee. Néé!

Ik pakte mijn spullen bij elkaar, verliet het gebouw en liep door de stad terug naar 'huis'. Ik had het gevoel dat ik gek werd. Will kon niet getrouwd zijn. Niet mijn Will. Zeker niet zo heel érg getrouwd. Drie kinderen? Mijn huid werd klam van paniek.

Kalmeer, ik moest kalmeren. Denk na. Ik probeerde alle mogelijkheden op een rijtje te zetten. Dit was allemaal nep. Het was een uitdaging. Een beetje zoals de slangen en spinnen en andere griezels in die show *Bobo's in de Bush*, maar dan veel erger.

Ja, dat was het. Het was gewoon de volgende uitdaging. Ik kon nu weer bijna gewoon ademhalen. Een uitdaging in een realityshow. Dat was het. Allemaal nep. Ergens zaten mensen voor een batterij beeldschermen naar me te kijken, en ze lachten zich een kriek omdat ik zo stompzinnig reageerde. Het was allemaal een spelletje.

Natuurlijk kon Will op kantoor niets zeggen. Daar barstte het van de camera's. Allicht. Ik moest het buiten proberen. Ergens waar geen camera's waren. Ergens waar we ongestoord met elkaar konden praten.

Ik was inmiddels een stuk rustiger. Het begon me een beetje duidelijk te worden.

Maar ik kon die wezenloze blik niet vergeten. Die wezenloze blik was veel te echt geweest. Was Will werkelijk zo'n goede toneelspeler? Ik probeerde de herinnering weg te stoppen.

Het was een test, meer niet, gewoon een test. Maar wat voor een test!

Ik snakte naar een borrel, een stevige borrel. Een dubbele wodka leek me erg lekker. Of een mooi glas merlot. Ik werd al vrolijker bij de gedachte, en het leven leek bijna weer normaal. Ik liep naar het marktplein, op zoek naar een supermarkt of een slijterij, maar die waren er niet, alleen allemaal kleine winkels, en die waren al dicht. Het was erg donker allemaal. Geen cafés. Geen restaurants. Geen snackbars. Ging niemand dan ooit uit eten? Overal pubs, dat wel. Er waren behoorlijk louche tenten bij.

Ik liep verder door het centrum van de stad. Toen zag ik The Fleece. Natuurlijk! The Fleece moest eeuwen geleden een pleisterplaats voor de postkoets zijn geweest. Het was vreselijk fatsoenlijk, echt zo'n etablissement waar de Rotary bij elkaar komt. Ik liep naar een van de bars aan de zijkant. Het stond er blauw van de rook en het rook er heel sterk naar bier.

'Hé jij! Eruit!'

Ik liep langs de tafeltjes naar de bar. Bijna alle krukken waren bezet, en ik wilde dat een grote dikke kerel opzij zou gaan zodat ik kon bestellen.

'Neem me niet kwalijk,' zei ik.

'Wat?'

'Ik wil er graag even langs.'

'Jij hebt niks te willen,' zei hij, en hij draaide zich met een grijns opzij naar de man naast hem.

'U hoeft niet zo onbeleefd te zijn!' zei ik gepikeerd.

'Jij hebt te veel noten op je zang. Je hoort hier helemaal niet te zijn,' zei hij, nog steeds zonder opzij te gaan. De man naast hem lachte – geen aardige lach – en een paar andere mannen deden mee.

Ik wilde dat ik niet naar binnen was gegaan, maar ik vertikte het om me te laten koeioneren. Ik rechtte mijn schouders en zei ferm: 'Ik heb het volste recht om hier te zijn.'

'Nee, dat heb je niet. Hoepel op.'

Ik keek naar de barkeeper. Die zou er zeker iets van zeggen.

'Sorry, miss,' zei hij, 'maar u mag hier niet komen. Alleen heren.'

'Alleen heren? Dat mag helemaal niet!'

'Dat mag wel, miss. Deze bar is altijd alleen voor heren geweest. U moet weg.'

'Dat is discriminatie en bij wet verboden!'

'Niet dat ik weet, miss. We hebben een vergunning. Wilt u nu alstublieft gaan?' Hij maakte aanstalten om achter de bar vandaan te komen en me weg te jagen.

Wat kon ik doen? Met een knalrode kop liep ik weg, langs de tafeltjes, terwijl sommige mannen nog steeds lachten. Vreselijk. Vreselijk! Ik wilde wel door de grond zakken. Nog een test. Ik probeerde me er niets van aan te trekken. Ik duwde de deur naar de gang open, en aan de andere kant zag ik een deur met LOUNGE BAR erop. Dat klonk beter. Ik ging zo kalm mogelijk naar binnen. Deze ruimte was veel prettiger. Gemakkelijke stoelen, paardentuig, een haardvuur, een rustige atmosfeer en gedempte stemmen. En er was hier ook een vrouw – een echtpaar van middelbare leeftijd zat in een hoekje onder een schilderij van een jachttafereel. Hier kon me weinig overkomen. Ik liep naar de bar en klom op een kruk. Deze barman was ouder, en hij poleerde glazen.

'Een dubbele wodka met cranberrysap, graag.'

Hij ging onverstoorbaar door met poleren.

Ik wachtte even af. Ik moest nog bijkomen van mijn avontuur in de andere bar. Maar toen was hij klaar met poleren en begon hij flessen op een plank te zetten.

'Pardon,' zei ik op een toon van mankeer-je-soms-iets-aan-je-ogen? 'Mag ik een dubbele wodka met cranberrysap, alstublieft?' Dit keer nam hij in elk geval de moeite om naar me te kijken. Hij legde zijn handen op de bar en keek om zich heen, in de richting van de deur. 'Bent u hier alleen, miss?'

'Ja, en ik wil graag een dubbele wodka met cranberrysap.'

Hij keek me aan, maar niet bepaald vriendelijk. 'Twee dingen, miss. In de eerste plaats hebben we geen Russische drankjes. En in de tweede plaats serveren we geen dames die niet door heren worden vergezeld. U begrijpt ongetwijfeld waarom.'

Ik stond perplex. 'Nee, dat begrijp ik helemaal niet. Ik heb verdomme geen flauw idee.'

'Uw taalgebruik, miss, alstublieft. Ik kan u niets schenken en ik moet u vragen om te vertrekken.'

Ik keek naar het middelbare echtpaar, en ging er eigenlijk van uit dat ze me uit de brand zouden helpen. Maar ze vonden het opeens heel erg belangrijk om het tafelkleed te bestuderen.

'Dit is bespottelijk,' zei ik. Ik begon me nu echt kwaad te maken. 'Als u geen wodka heeft, geef me dan een groot glas Merlot.'

Hij boog zich dreigend naar me toe. 'Ik geef u helemaal niets, miss. En hoepel nu op,' vervolgde hij met een felle ondertoon, 'of anders haal ik de manager en laat ik u op straat zetten. Dit is een fatsoenlijk etablissement. We willen uw soort hier niet.'

Mijn soort? Waar zag hij me voor aan? Een hoer op zoek naar klandizie?

En toen begon het me te dagen. Dat was precíés wat hij dacht. Het was zo'n idioot idee dat ik begon te lachen, ook al voelde ik me nog zo opgelaten. Ik liet me van de kruk glijden en blies waardig de aftocht. Maar buiten stond ik te trillen op mijn benen. Het was bespottelijk, maar het was ook beledigend. En ik had nog steeds niets te drinken gehad. En Will was getrouwd. Geen fijne dag.

Ik besloot terug te gaan naar de familie Brown. Ik móést met Will praten. Deze uitdaging ging veel te ver, het was niet leuk meer. Ik dacht aan zijn glazige blik en voelde weer paniek opkomen. De tranen waren heel dichtbij. Maar nee, het was een spel, een tv-programma. Het is niet echt, sprak ik mezelf beslist toe. Het is niet echt. Morgen zoeken we alles haarfijn uit.

Ik snoot mijn neus in het malle kanten zakdoekje dat ik in mijn jaszak had gevonden en ging op huis aan. Ik wist niet of ik de weg zou kunnen vinden, maar ik stapte flink door met mijn hoofd omhoog en met een vastberaden uitdrukking op mijn gezicht. Ik probeerde zelfs te glimlachen, voor het geval ik op de een of andere manier werd gefilmd.

5

O, wat zijn ze slim, de lui die dit doen. Slim en wreed.
Maar ik wil me niet laten kennen. Dat laat ik niet
gebeuren. Wat ze ook voor gemene stiekeme trucs
uithalen.
Ik dacht dat het in Het jarenvijftighuis om praktische
dingen zou draaien – geen lekker glas wijn, geen warme
douche, schurend ondergoed, niets om je haar in model te
brengen, dat soort dingen. Niet om psychologische
oorlogvoering. Maar toen dacht ik opeens aan een stukje
dat Caz vorig jaar heeft geschreven, over de wreedheid
van reality-tv. Met elke nieuwe serie worden de grenzen
verder opgerekt. In het laatste programma werden
mensen dagen achter elkaar opgesloten in het donker. Ze
raakten zo gedesoriënteerd dat ze hun greep op de
werkelijkheid compleet kwijtraakten en bijna niet meer
wisten wie ze waren. Openbare executies zijn de volgende
stap, denkt Caz. Maar volgens mij is dat niet waar. Het
gaat om psychologische spelletjes, en dan kijken ze hoe je
ermee omgaat. Daarom was ik van tevoren niet
gewaarschuwd, daarom had ik me niet kunnen
voorbereiden. Nou, als ze maar niet denken dat ik de rol
van slachtoffer ga spelen. Zeker niet in een tv-programma
waar ik niet eens uit eigen vrije wil aan meedoe. Zelfs
niet na hun laatste streek.

We marcheerden naar kantoor, Peggy en ik, allebei weggedo-
ken onder een paraplu in een onverwachte lentebui, allebei met
een humeur om op te schieten, allebei zwijgend. Niet alleen was
me de vorige avond een borrel door de neus geboord, maar toen
ik thuiskwam kreeg ik lever met uien en vette kool te eten, voor
me warm gehouden in de oven. Het eten was vastgekoekt aan
het bord en er zat een vel op de jus. En die Janice was er weer,

met pagina's en pagina's sommen over samengestelde rente. 'Zorg altijd dat je een rentevrije creditcard hebt,' riep ik in een poging om nuttig advies te geven voor haar toekomst, maar toen moest ik uitleggen wat een creditcard was. Het klinkt zo stom als je het probeert uit te leggen. En intussen moest ik de hele tijd aan Will en zijn vrouw denken. En hun drie kinderen. Het was een truc of een uitdaging, ja toch?

Het deed me denken aan Kamer 101 in *1984*, de kamer met al de dingen waar mensen het bangst voor zijn. Ik besefte dat ik het bangst was om Will kwijt te raken. Alleen had ik me dat tot nu toe nooit gerealiseerd. Kennelijk kenden die tv-mensen me beter dan ik mezelf kende. Slim en wreed. Geen wonder dat ik de hele nacht wakker had gelegen. Mijn ogen waren droog.

Peggy was tijdens het ontbijt ontzettend vervelend, duidelijk nog vervelender dan anders, want zelfs haar vader vroeg een paar keer of ze zich soms niet goed voelde, maar ze snauwde hem telkens af. Enfin, hij had andere dingen aan zijn hoofd en Mrs. Brown maakte zich zorgen over een vriendin die problemen had met haar man. In feite was niemand er in gedachten echt bij.

Mrs. Brown ging nog vroeger de deur uit dan de dag ervoor. 'Ik wil even bij Joan langs en een paar dingetjes voor haar regelen. Dennis is weer tekeergegaan. Dit keer heeft hij de keuken kort en klein geslagen.'

'Wat vreselijk!' zei ik. 'Heeft ze de politie gebeld? Is ze ongedeerd? Je kunt iets doen tegen huiselijk geweld.'

'Hij kan het niet helpen,' zei ze terwijl ze haar tas en sjaal pakte. 'Het komt door die stomme Jappen. Hij heeft zich bijna dood moeten werken in een kamp. Vóór de oorlog was hij de liefste en aardigste man die je je kon voorstellen. Nu heeft hij woedeaanvallen.'

'Kunnen ze hem niet behandelen? Therapie? Begeleiding? Een schadevergoeding? Hoe houdt zijn vrouw het in hemelsnaam vol?' Ik had massa's artikelen over huiselijk geweld gelezen en er zelf een flink aantal geschreven. Ik wist van de hoed en de rand en welke nummers je kon bellen.

Mrs. Brown keek me hoofdschuddend aan. 'Ze is blij dat ze hem terug heeft. En het is nu niet meer zo erg als eerst. In het begin was het doodeng, alsof hij een gewond dier was. Nu gaat het veel beter met hem, meestal tenminste. Maar dan gebeurt er iets en wordt hij eraan herinnerd, en dan moet ze bij hem blijven en hem vasthouden en tegen hem praten en hem uit de buurt van de kinderen houden. Ik ga even bij haar langs om haar een beetje te helpen en te zorgen dat de kinderen behoorlijk te eten krijgen. Jullie tweetjes hebben me nu niet nodig. Er staan ham en kaas in de kelderkast, en ik doe een paar aardappelen in de oven, zodat ze gepoft zijn als jullie thuiskomen. En er is nog een stukje strooptaart over.'

'In orde, mam,' zei Peggy, 'maar ik denk dat ik vanavond uitga.'

'Wat leuk voor je, schat. Om tien uur thuis, denk erom. Je moet morgen weer werken,' zei Mrs. Brown, maar ze was al halverwege de deur voordat Peggy iets kon zeggen.

Ik verwachtte dat ze zou protesteren. Om tien uur thuis! Hemelse goedheid, Peggy was zesentwintig, geen zestien. Maar ze zei niets. Verbijsterend. Aan de andere kant zou Peggy ook een deelnemer kunnen zijn, en dan is ze er veel beter in om zich niet op de kast te laten jagen dan ik.

Nog steeds zwijgend kwamen we bij de krant, en voor de voordeur bleven we even staan en haalden we allebei diep adem voordat we naar binnen gingen. Ik keek Peggy van opzij aan. Ik meende een zweem van een glimlach te zien, iets van herkenning en verbondenheid, maar niet genoeg om iets te zeggen.

Ik tastte nog steeds in het duister. Als dit een realityshow was, dan had ik spelregels moeten hebben, instructies, richtlijnen, enig idee van wat de bedoeling was. En als het Narnia was, waar was dan de behulpzame faun of mevrouw Bever met beboterde toast? Of een Aslan om alle problemen op te lossen?

Ik haalde diep adem en ging de redactie binnen, er helemaal op voorbereid dat ik Will zou zien. Ik kon het aan. Natuurlijk kon ik het aan. Dit was maar een tv-programma, godsamme, niet het echte leven. Terwijl ik mijn jas ophing keek ik snel om me heen, o zo achteloos, en ik liep beheerst, met mijn gezicht voortreffelijk in de plooi naar zijn bureau... maar hij was er niet. Ik slaakte een enorme zucht, van verlichting of teleurstelling, dat wist ik niet, maar ik had mijn adem zo krampachtig ingehouden dat mijn hele borstkas er pijn van deed.

Gordon verdeelde het werk over de andere verslaggevers, Alan, Tony en Derek. 'Billy is vandaag op het regiokantoor om iets uit te zoeken, dus jij kunt zijn taken overnemen,' zei hij tegen Alan. 'Heb je iets voor mij?' vroeg ik. Ik zorgde dat er een bureau tussen mij en hem in stond, want ik wilde niet te dicht bij hem in de buurt komen. Nu al had hij de gewoonte om 'per ongeluk' langs mijn borsten of billen te strijken. Hij rook ook niet zo lekker. Ik geloof niet dat ze lichamelijke hygiëne erg belangrijk vonden in de jaren vijftig. Ik had zin om hem een lel te geven, een harde, maar bedacht op tijd dat ik lief en aardig moest zijn, en tot nu toe had ik me in weten te houden.

Hij keek naar me alsof hij zich afvroeg wie ik in godsnaam was. 'Als ze vandaag alle korte stukjes doet, kan ze morgen misschien de rubriek "Het mooiste dorp" doen,' opperde Marje, terwijl ze intussen een sigaret opstak. Je zag die vrouw alleen maar door een rookwolk. 'Ik heb een fotograaf besproken maar ik heb mijn handen vol.'

Gordon keek nog een keer naar mij. 'Goed,' zei hij met tegenzin. 'Als jij andere dingen te doen hebt, Marje. Als ze het verknalt, kun jij het vrijdag overdoen.'

Jezus, wat was die man neerbuigend!

'Best,' zei ik kordaat en zakelijk. 'Wat houdt het in?'

'Leg jij het haar maar uit, Marje,' zei Gordon en hij ging terug naar zijn bureau.

'Het is lente,' zei Marje met een spottende blik op het groezelige raam, waarlangs de regendruppels omlaag liepen, 'dus het wordt tijd om met onze dorpsrubriek te beginnen. Simpel concept, je kent het wel. Je gaat naar een van de mooiere dorpen, je zorgt voor een hele serie beeldige foto's en je babbelt wat met de oudste inwoner, de dominee, de burgemeester, de landheer en zijn vrouw, dat soort dingen. Alles wat actueel of interessant is. Op die manier kopen de mensen *The News* en misschien duikelen we tegelijkertijd nog een paar verhalen op voor de rest van de krant. We leggen in elk geval contacten. Je kunt het makkelijk. Volgens de postbode zou het morgen opklaren. Ik was van plan om met Middleton Parva te beginnen. Heb je daar bezwaar tegen?'

'Helemaal niet.' Het was niet bepaald groot nieuws, maar wel een stuk leuker dan het bezoek van prinses Margaret aan het plaatselijke regiment. Er zijn ergere opdrachten. 'Hoe kom ik er?'

'Je kunt samen met George gaan. Hij heeft de auto. Maar vandaag heeft Charlie de auto nodig. Misschien kun je voorlopig eerst de korte berichten doen. Of je duikt in het archief om te zien wat er over Middleton Parva te vinden is.'

'Geen probleem,' zei ik. Ik verheugde me erop een dag weg te zijn van kantoor.

Op dat moment ging de deur open, en een wat oudere vrouw met een smal houten kistje vol bruine enveloppen kwam binnen. Iedereen dromde om haar heen, en zij deelde de envelopjes uit. 'Rose Harford?' Ze keek naar mij.

'Dat ben ik.' Ik ging naar haar toe zoals een kind naar de Kerstman.

Mijn cadeau was een bruine envelop met geld erin. Ik werd hiervoor betaald, wat een meevaller. Acht pond, twaalf shilling en zes penny, om precies te zijn. In mijn normale leven zou het genoeg zijn voor twee koppen koffie en een broodje. Hier moest ik er een hele week mee doen. Maar afgaand op wat ik van de prijzen had gezien was het best veel. Ik stopte het geld zorgvuldig weg in mijn handtas.

Ik was net begonnen aan mijn lijst met KB's (Korte Berichten – voornamelijk rommelmarkten en activiteiten van allerlei verenigingen) toen een van de loopjongens zijn hoofd om de hoek van de deur stak.

'Is Billy hier?' vroeg hij.

'Nee. Hij is naar het regiokantoor. Hoezo?'

'Zijn vrouw staat beneden. Ze heeft hem nodig. Ze zal z'n geld wel nodig hebben, als je 't mij vraagt. Ik zal tegen haar zeggen dat ze de boodschappen op de pof moet doen.'

Wills vrouw stond beneden? Die kans mocht ik niet missen.

'Nee, dat hoeft niet,' zei ik voor ik het wist. Snel ging ik staan, midden in een zin over de voorstelling *Yeoman of the Guard* van de Gilbert and Sullivan Society. 'Ik ga wel even.'

'Van mij mag 't,' zei de jongen, en hij liep fluitend weg.

Mijn hart bonsde toen ik over de smalle trap naar beneden draafde. In de bocht bleef ik staan, mijn hand op de gammele leuning, en ik probeerde mijn ademhaling onder controle te krijgen. IN tweedrieviervijfzes, UIT tweedrieviervijfzes. Wills vrouw. Wills vrouw. Hoe zou ze zijn? Welk meisje had Will zo gek gekregen dat hij zijn vrijheid had opgegeven? Hoe zou ze eruitzien, hoe zou ze klinken? IN tweedrieviervijfzes, UIT tweedrieviervijfzes. Het ging niet. Ik had geen tijd om op adem te komen. Snel liep ik verder.

Maar naarmate ik de receptie naderde ging ik langzamer lopen, werden mijn stappen zwaarder. Wilde ik Wills vrouw echt ontmoeten? Wilde ik zien wie hij had gekozen, met wie hij kinderen – drie! – had? Wat moest ik tegen haar zeggen? Hoe pijnlijk zou het zijn? Wat was dit nu weer voor een truc? Wat werd er van me verwacht? Te laat. Ik duwde de verveloze deur open. Wie of wat ze ook was, ik moest het weten.

Er stonden maar twee mensen in de deprimerende receptieruimte, met een logge, ouderwetse houten balie en een gebarsten tegelvloer: een vrouw en een kindje. De vrouw droeg een saaie bruine jas. Ze stond met haar rug naar me toe, voorovergebogen om iets tegen het kind te zeggen, en toch kwam ze me heel bekend voor. Ik herkende iets, iets wat zo vertrouwd was. Het haar had de verkeerde kleur, het kapsel klopte niet maar... Ze draaide zich om.

'Caz!'

Caz keek me niet zo wezenloos aan als Will. Ik las verbazing in haar blik, en toen begon haar gezicht te stralen. 'Hallo!' zei ze. 'Ben jij de Amerikaanse? Ik heb over je gehoord. Ik ben Carol, Billy's vrouw.'

Caz? Getrouwd met Will? Ergens in het universum haalde iemand een ontzettend gemene grap met me uit. Caz en Will, dat kon toch niet waar zijn? De twee mensen die het allermeest voor me betekenen konden me dit toch niet aandoen, zelfs niet als grap, zelfs niet voor een tv-programma?

'Jij? Ben je echt getrouwd met Will?' Mijn stem sloeg over terwijl ik het vroeg. Spanden Will en Caz tegen me samen?

'Getrouwd met Billy. Ja, ik ben bang van wel. Al elf jaar en nog wat. Is hij hier?'

'Nee, sorry. Hij moest naar het regiokantoor.' Hoe was het mogelijk dat ik zo kalm en beleefd antwoordde?

Elf jaar? Elf jaar en nog wat? Will zat elf jaar geleden nog op school. Waarom was hij met Caz getrouwd? Uitgerekend met Caz! Het moest een of andere streek zijn, maar dan wel een heel erg gemene.

'Ach, het geeft niet. Het is niet belangrijk.' Ze glimlachte en draaide zich om naar de deur.

'Kan ik hem misschien een boodschap geven?' Ik wilde niet dat ze weg zou gaan. Ik wilde dat ze zou blijven, zodat ik met haar kon praten. Ik moest meer weten.

'Nee, het is niet belangrijk.' Ze aarzelde. 'Nou ja, vooruit. Zeg maar tegen hem dat ik een baantje heb. Na de paasvakantie, als dit kleintje...' ze gebaarde naar het meisje, dat me met de heldere, nieuwsgierige ogen van Caz en een verlegen glimlachje aankeek '... naar school gaat, begin ik ook. Ik word kokkin op een school. Ik heb het net gehoord. Is het niet geweldig?'

Haar gezicht gloeide van blijdschap. Caz deed alsof ze in de wolken was omdat ze kokkin zou worden op een school? Caz, die al vond dat ze haar best had gedaan als ze een takje peterselie op een kant-en-klaarmaaltijd legde? We moesten met elkaar praten, maar niet op kantoor, niet voor de camera's.

'Wat fijn voor je!' Ik besloot het spelletje mee te spelen, want het moest een spelletje zijn. 'Dat moeten we vieren. Ik heb een halfuur pauze. Zullen we naar Silvino gaan? Ik trakteer. Ik heb net mijn loonzakje gehad.'

Deze hele wereld was dan misschien nep, maar de koffie zou in elk geval echt zijn. En ik nam aan dat Gordon me niet zou missen als ik een halfuur weg was. Caz – typisch Caz – aarzelde niet langer dan een fractie van een seconde.

'O ja, als je tijd hebt,' zei ze, en ze boog zich opzij naar het meisje. 'Hoor je dat, Libby? Dubbel feest vandaag.'

Ze klonk helemaal zoals Caz, mijn Caz, en mijn hart zong. Met haar kleine meisje aan de hand staken Caz en ik het marktplein over naar Silvino, en we wurmden ons naar binnen langs vrouwen in natte regenjassen, met boodschappentassen en druipende paraplu's. Er stonden allerlei soorten taartjes op de kaart, maar het tentje rook naar koffie, echte Italiaanse koffie, en de sissende stoom deed een espressoapparaat vermoeden. Serveersters, gekleed in zwarte uniformen met een wit schortje, draafden af en aan tussen de overvolle tafeltjes, en te midden van al die drukte ontwaarde ik Silvino in eigen persoon, een kleine, kogelronde Italiaan met een sloof en een brede grijns op zijn gezicht. Eigenlijk wilde ik het liefst ontspannen om me heen kijken en genieten omdat alles zo heerlijk normaal was, maar ik moest eerst spijkers met koppen slaan.

'Oké,' zei ik toen we eenmaal hadden besteld en Caz de knopen van Libby's jas openmaakte. 'Kom op, Caz, vertel op, hoe zit dit allemaal?'

'Wat? Mijn baantje? Nou, dat...'

'Nee, niet je baantje, sufkop, dat hele gedoe met die reality-tv. Waar zijn de camera's? Wie organiseert het allemaal? Ben jij ook zomaar in het diepe gegooid? Hoe komen we eruit als we dat willen?'

De glimlach op haar gezicht verstarde. Ze leunde naar achteren, legde een hand op Libby's arm alsof ze haar wilde beschermen, en keek me verbluft en argwanend aan.

Toen zag ik het pas. Net zoals Will er hier niet helemaal hetzelfde uitzag, verschilde Caz, of Carol, ook van de Caz zoals ik haar kende. Haar haar had een andere kleur. Dat is niet zo vreemd. Caz verft haar haar al zó lang dat ze zelf niet eens meer weet wat haar eigen haarkleur is. Maar Caz heeft altijd glanzend haar, en het haar van deze Carol was dof. Eerlijk gezegd zag het eruit alsof het nodig gewassen moest worden. Zo zag Caz er nooit uit. Caz wast haar haar elke dag, zelfs als ze ziek is, want ze zegt dat ze zich dan meteen beter voelt.

Dan haar tanden. Caz heeft mooie, rechte, witte tanden. De tanden van deze Carol stonden een beetje scheef. En deze Carol had rimpels, of in elk geval beginnende rimpels, rond haar ogen en op haar voorhoofd. En nu keek zij me ook al aan alsof ik een vreemde was – een verknipte vreemde, ook dat nog.

Opeens wist ik het allemaal niet meer.

Ik liet mijn hoofd hangen. Ik voelde me totaal verslagen.

'Het spijt me. Het komt gewoon doordat jij en Will, Billy, sprekend lijken op mijn beste vrienden thuis. En eh... ik heb het er moeilijk mee dat jullie toch niet mijn oude vrienden zijn.'

'O, arm ding!' zei Carol, en ze klonk zo helemaal als Caz dat ik ervan overtuigd was dat ze het móést zijn. 'Wat naar voor je, vooral als je heimwee hebt. En Amerika is zo ver weg. Zijn ze aardig, die vrienden van je?'

'Het zijn schatten, de beste vrienden die je je kunt wensen.'

'Nou, laten we hopen dat Billy en ik het een beetje goed kunnen maken,' zei ze, en het klonk heerlijk opgewekt en normaal. 'Kom op, drink je koffie en neem een stukje krentenbrood.'

Ze behandelde me alsof ik net zo oud was als Libby, en om de een of andere reden knapte ik opeens een beetje op, vooral toen ik zag dat ze naar mijn jasje keek. Dat was typisch iets voor Caz. Altijd oog voor kleren. Of ze nou Caz of Carol was, ik had haar gezelschap nodig, ik wilde een vriendin. Ik begon me een beetje te ontspannen, hoewel ik haar met honderden vragen wilde bestoken, zoals: Waarom ben je met Will getrouwd? Wat voor soort echtgenoot is hij? Hou je echt van hem? Was je niet heel jong toen je kinderen kreeg? En kun je nu alsjeblieft ophoepelen, want ik ben er en hij is van mij.

De gedachte dat Caz met Will was getrouwd was te vreselijk. Ik kon het niet bevatten. Ze waren goede vrienden, uiteraard, al sinds de middelbare school. Maar getrouwd! Als de twee mensen die me dierbaarder waren dan alle anderen op deze hele wereldbol met elkaar getrouwd waren, wat bleef er voor mij dan nog over? De hond in de pot, en die mocht ik afwassen. In mijn eentje.

Zelfs als dit fake was, vond ik het niet leuk. Helemaal niet leuk zelfs. Die twee moesten een complot hebben gesmeed om mij een kool te stoven. Dat je twee beste vrienden zoiets doen is geen vrolijke gedachte.

Intussen zat Caz tegenover me, met grote ogen boven de rand van haar koffiekopje, en ze keek me aan op dezelfde manier als altijd. Ze keek niet langer argwanend, alleen bezorgd om mij. Net alsof er niets was gebeurd, niets was veranderd. Misschien waren hier ook camera's opgesteld, en wist zij dat. Misschien wachtte zij ook wel op een kans om met mij te konkelfoezen. Voorlopig moesten we maar genoegen nemen met een kopje koffie.

Het was precies wat ik wilde, doen alsof Caz en ik gewoon een kopje koffie dronken, alsof er niets aan de hand was. Ik wilde vergeten dat er allemaal rare dingen gebeurden, al was het maar een paar minuten. Dus ik ontspande me en deed alsof. Het was verbazingwekkend makkelijk.

'O, kijk,' zei ik met een mond vol krentenbrood, 'er is hier morgenavond muziek.'

'Muziek?'

Op de muur hing een handgeschreven aankondiging. 'Zaterdagavond in Silvino. The Skiffle Cats!'

'O ja, ik heb gehoord dat hij 's avonds open wilde gaan om het uit te proberen.'

'Om wat uit te proberen?'

'De skifflebands. Ben je in de ruimte aan de achterkant geweest?'

'Nee, welke ruimte?'

'Er is nog een ruimte, met een ingang in de steeg hiernaast. Daar staat een jukebox. In het weekend komen er 's avonds jongeren om naar muziek te luisteren.'

'Ga jij naar The Skiffle Cats?'

Carol lachte. 'Nee, dat is voor jongelui, niet voor mensen zoals ik. Ze hebben zelfs geen echte instrumenten, alleen een wasbord en een snaar op een bezemsteel. Nee, ik lieg, volgens mij heeft een van die jongens een gitaar. Ik boen me al suf op mijn eigen wasbord, dus dan hoef ik 's avonds niet ook nog eens te kijken naar iemand anders die aan het schrobben is. Maar ik vind het wel leuk om naar muziek te luisteren,' zei ze met een weemoedige zucht. 'Ik ben dol op de jukebox. Weet je wat?' Opnieuw klonk ze precies zoals Caz. 'Ik ben zaterdag in de stad om naar de markt te gaan. Ben jij dan ook in de stad? We zouden om een uur of elf kunnen afspreken, onze boodschappen doen en dan koffiedrinken en muziek luisteren bij de jongelui. Wat vind je ervan?'

'Ja, leuk. Waarom niet?'

'Dat is dan afgesproken!' zei Caz/Carol, en ze draaide zich opzij naar Libby. 'Nu moeten we echt boodschappen gaan doen, anders heeft niemand iets te eten vanavond. Tot zaterdag, Rosie.'

Ze knoopte Libby's jas dicht, nam haar bij de hand en manoeuvreerde tussen de tafeltjes door naar de deur. Libby draaide zich nog even om en ze glimlachte naar me. Ze was het evenbeeld van haar moeder.

Ik betaalde de rekening, gaf drie penny fooi zonder de munten zes keer om te draaien (daar was ik best wel trots op) en draafde terug naar kantoor, aan de ene kant diep verdrietig en aan de andere kant op een vreemde manier bijna gelukkig. Het vooruitzicht om met Caz/Carol boodschappen te gaan doen maakte me vrolijker dan ik me sinds het begin van mijn avontuur had gevoeld. De gedachte dat ze met Will was getrouwd was zo bizar dat ik me er niet bij kon neerleggen. Het moest een grap of een truc zijn. Ja toch? Misschien dat ik zaterdag meer aan de weet zou komen. Dat was duidelijk haar bedoeling. En ook al deed ze alsof ze me niet kende, ze leek toch op mijn vriendin Caz. Ze was in elk geval vriendelijk en praatgraag, in tegenstelling tot Will. Maar ik wist eigenlijk niet of dat beter of erger was. Misschien probeerde ze me uit mijn tent te lokken. Misschien was dit nog slinkser.

Will/Billy kwam aan het eind van de dag niet terug naar kantoor. Elke keer dat de deur openging en er iemand binnenkwam bereidde ik me erop voor dat hij het zou zijn, trok ik een kalm gezicht terwijl het bloed door mijn aderen racete en achter mijn ogen klopte. Elke keer dat hij het niet was, zakte ik weer in. God, wat werd ik daar stressy van.

Uiteindelijk, toen duidelijk was dat hij echt niet meer terug zou komen, ging ik vroeg naar huis om mijn gepofte aardappel met ham te eten. Janice kwam later. Ik kon haar niet helpen met haar huiswerk – natuurkunde – maar ze vroeg me de oren van het hoofd over kranten.

Ik kon nog steeds niet geloven dat Caz met Will getrouwd was. Dat was zo'n sadistische truc van de organisatoren. Ik vond het onvoorstelbaar dat ze ermee akkoord waren gegaan. Ik dacht aan het malle gevoel dat ik soms had als ik een beetje jaloers was op hun lange vriendschap, maar dit zouden ze me niet aandoen. Nooit.

Maar als ik me bij de situatie neerlegde, dan was Caz er tenminste ook, en ze was bovendien bereid om aardig te zijn. Dat was iets. Niet veel, dat geef ik toe. Maar verder had ik helemaal niets.

Middleton Parva was een vrijstaand dorp. Verbijsterend. Voor mij was het dat buurtje aan de ringweg waar de nieuwe B&Q en Tesco waren. Maar wij gingen de stad uit, langs allemaal velden, en we sloegen af van de hoofdweg naar een landweggetje om er te komen. Georges rijstijl was grillig, en dan druk ik me voorzichtig uit.

'Hé, kalm aan! We zaten bijna in de greppel! Je rijdt aan de verkeerde kant van de weg!'

'Sorry!' riep George. 'Een oude gewoonte. Soms denk ik dat ik nog in Duitsland ben.'

'Duitsland?'

'Ja, daar heb ik leren rijden, toen ik in militaire dienst zat. Op tanks, dus dit karretje was even wennen.'

'Heb je in het leger gezeten?' Hij leek me er eerlijk gezegd veel te jong voor. 'Hoe oud ben je, George?'

'Twintig.'

'Heb je de harten van alle Fräuleins gebroken?'

'Nee hoor,' zei George grijnzend en hij bloosde zelfs, 'we hielden er geen liefjes op na. Maar we hebben wel veel gedronken! Wat kunnen die Duitsers zuipen.'

Wonder boven wonder bereikten we zonder kleerscheuren Middleton Parva. En toen we het dorp binnenreden kwam de zon tevoorschijn, precies zoals de postbode van Marje had voorspeld. Het was werkelijk een beeldig dorp. Er was een echte dorpsweide met bomen, er waren een paar winkeltjes, en ik was verrukt van het kerkje, dat me eerder nooit was opgevallen, waarschijnlijk omdat B&Q ervoor staat. Dit kon toch geen filmset zijn? Dit was iets anders. Iets veel groters. Maar wat het dan wel was? Daar wilde ik nog niet over nadenken. Te eng. Veel te eng. Mijn huid werd koud en klam. Nee. Makkelijker om gewoon aan het werk te gaan.

George ging op zoek naar mooie plaatjes, en ik liep naar het postkantoor. Het was meteen bingo. De familie van de post-meester, een vrouw, runde het al toen de post nog met de post-koets werd gebracht, dus dat was een lekker makkelijk verhaal. Toen vond ik de dominee, en we maakten leuke kiekjes van de kerk en babbelden over de geschiedenis ervan, en we bekeken ook nog een paar interessante graven.

'En nu?' vroeg George.

'De vrouw van het postkantoor zei dat de pub in handen is van een Eastender, een man die hier in de oorlog als evacué terecht is gekomen. Kennelijk beviel het hem hier, want hij is gebleven. Hij heeft vast en zeker een verhaal te vertellen. Zullen we?'

'Een pub klinkt goed, dan kunnen we meteen iets drinken. Maar welke is het?'

Er waren twee pubs, elk aan een kant van de dorpsweide. De ene, de Royal Oak, was laag en plomp en ouderwets, met klei-ne raampjes. Door de plafondbalken leek het net alsof de pub uit de grond omhoog was gekomen en er elk moment weer in kon wegzakken. De andere, de Rising Sun, was nieuwer, groot en een soort van modern, met een parkeerterrein. Ook deze pub had balken, maar je kon zien dat ze niet zo oud waren. Er hing een bordje achter het raam. Ik liep erheen om het te kunnen le-zen.

GEEN ZIGEUNERS! GEEN IEREN! stond erop.

Gechoqueerd deed ik een stap naar achteren. 'Mogen ze dat echt zeggen?'

'Ja, natuurlijk. Er is hier nog niet zo lang geleden kermis geweest, vandaar. Ze willen niet dat zulk gespuis hun deftige klanten weg-jaagt. Moeten we hier zijn?'

'Nee, gelukkig niet. We gaan naar de Royal Oak.'

We staken de weide over en gingen door de lage deur naar bin-nen. Hier hing niets achter de ramen. De gelagkamer had een plavuizen vloer, en er brandde een houtvuur in de open haard. Twee oude mannen, allebei met een pijp, speelden domino. Ze keken naar ons toen we binnenkwamen. 'Goedemiddag,' zeiden ze, en ze gingen verder met hun spel.

Ik had mijn adem ingehouden vanaf het moment dat ik over de drempel was gestapt. Ik verwachtte dat iemand tegen me zou gaan schreeuwen, of zou zeggen dat ze me niet konden bedienen

omdat ik een dame van lichte zeden was. In plaats daarvan zei de opgewekte jonge barman: 'Goedemiddag. Wat zal het zijn?'
'Een pint bitter voor mij, graag,' zei George.
'En voor de jongedame?'
Ik aarzelde. Ik kon bijna niet geloven dat ik eindelijk een alcoholisch drankje zou krijgen. Maar ik wist niet waar ik om moest vragen. Afgezien van de bieren van de tap leek de voorraad op de planken achter de bar beperkt. Ik zag gin en whisky en een heleboel flessen Mackeson en Guinness. Op een reclameposter aan de muur stonden vliegende toekans, waar een paar RAF-types naar keken. 'Een mooie dag voor een Guinness,' luidde de slogan. Maar misschien toch niet.
'Geen wodka, neem ik aan?' Ik lachte alsof ik een grapje maakte.
'Nee, we zijn hier in Middleton, niet in Moskou, miss.'
'Sorry. Ik weet niet wat ik zal nemen.'
'Ze komt uit Amerika,' zei George bij wijze van uitleg.
'Het geeft niet, hoor. Waarom neemt u geen shandy? Veel dames vinden dat lekker. Of een drupje plaatselijke cider?'
'Cider. Dat lijkt me lekker. Ja, graag.'
Hij verdween even en kwam terug met een grote emaillen kan. Hij zette een glas op de toog, ongeveer een meter bij hem vandaan, en tilde de kan op. De cider stroomde er in een lange boog uit, precies in het glas. Ik was onder de indruk.
Ik nam een slok. 'Proost!' zei ik, en ik verslikte me bijna. 'Jeetje, sterk spul. Wat zit erin?'
'Veel appels,' zei de waard, 'en natuurlijk een paar dode ratten.'
Ik nam aan dat hij een grapje maakte, maar man, wat was die cider lekker. Het was precies waar ik behoefte aan had. Ik bedacht dat ik mijn lunchtrommel op kantoor had laten liggen.
'Hebben jullie ook iets te eten? Broodjes?'
'Moeder de vrouw kan sandwiches maken. Ham of kaas?'
We kozen allebei ham, en terwijl moeder de vrouw onze sandwiches maakte vertelde ik de waard waarom we waren gekomen. Hij vond het maar wat leuk om te praten, drukte zich goed uit, en hij sprak in citaten. Een makkie. George maakte een mooie foto van hem, geleund op de bar, en tegen de tijd dat de brood-

jes werden gebracht waren wij zo goed als klaar, zodat Ray, de waard, zijn andere klanten kon bedienen.

George en ik namen onze sandwiches, en een tweede drankje, mee naar een tafeltje voor het kleine raam. De sandwiches waren briljant. Dikke sneden brood met een zwarte korst, massa's boter (Cholesterol? Hoezo cholesterol?) en plakken verrukkelijke zelfgekookte ham. Echt eten. Maar nu we aan een tafeltje zaten en niet aan het werk waren of over werk praatten, viel het me op dat George zich kennelijk opgelaten voelde. Het duurde een tijdje voordat het me begon te dagen waarom: hij was het duidelijk niet gewend om samen met een oudere vrouw in een café te zitten.

'Wees maar niet bang, George, ik eet je heus niet op.'

Hij glimlachte nerveus en schoof zijn stoel iets verder bij me vandaan.

'Hoe vond je het in het leger, George?'

'O, ging wel. Na de basistraining, bedoel ik. Al dat verrekte, sorry Rosie, al dat exerceren en die klote... alle stomme dingen die ze je laten doen.'

'Kwam je zo van school?'

'Nee. Ik was loopjongen bij *The News*. En ik hielp Charlie vaak met ontwikkelen en afdrukken en dat soort dingen. Dat heb ik gemeld toen ik werd opgeroepen en ze plaatsten me bij het onderdeel informatie. Dat was geweldig. Ik werkte met de legerfotografen, dus toen ik terugkwam nam Mr. Henfield me aan als Charlies officiële assistent. Ik was hartstikke blij. Volgens mij heeft Peggy een goed woordje voor me gedaan.'

'Peggy?'

'Ja, Henfields secretaresse. Dat is waar ook, jij logeert in haar huis. Ze is aardig, vind je niet? Ze was altijd aardig tegen me toen ik nog loopjongen was. De meeste mensen maken je alleen maar belachelijk, maar dat heeft Peggy nooit gedaan. Ze was altijd even vriendelijk. Ze zei tegen me dat er geen enkele reden was waarom ik geen fotograaf zou kunnen worden. Ze geeft je het gevoel dat je alles kunt, als je maar wilt. En ze glimlacht zo lief.'

Ik moet zeggen dat dit een compleet ander beeld van Peggy gaf dan hoe ik haar zag. Maar toen bedacht ik hoe aardig ze was voor smoezelige kleine Janice, en ik zei niets. George was duidelijk een beetje verliefd op Peggy, en wie was ik om hem uit de droom te helpen? Bovendien heeft ze misschien alleen een hekel aan míj.

'Vind je het leuk bij *The News*?'

'Ja, heel leuk. En ik vind het leuk dat ik auto kan rijden. Op een dag koop ik mijn eigen auto. Als ik eenentwintig word krijg ik een echt salaris. Dan kan ik uitjes maken met mijn moeder.'

'Woon je nog bij je moeder?'

'Ja. We zijn met z'n tweetjes, al sinds de oorlog. Mijn pa is gesneuveld in Duinkerken.'

'Wat naar voor jullie.'

'Het was voor ons niet naarder dan voor andere mensen.' Hij zweeg, nam een lange teug uit zijn glas en keek uit het raam naar de Rising Sun aan de overkant van de weide. 'Zo te zien is Henfield naar Middleton gekomen voor zijn dagelijkse middagborrel. Dat moet zijn auto zijn. Een tweekleurige Hillman Minx zie je hier niet zo vaak. Misschien heeft hij afgesproken met een van zijn snoesjes.'

Snoesje, wat een geweldig woord. Ik dacht dat alleen mijn grootvader het nog gebruikte.

'Houdt hij er dan snoesjes op na?'

'Een of twee. Wil je nog een cider?'

'George, je hebt er al twee gehad. Stel nou dat je moet blazen?'

'Blazen?'

'Je mag niet meer dan twee glazen drinken. Als je te veel drinkt kun je je niet meer goed concentreren.'

'Onzin. Ik rijd juist beter met een paar glazen op. Eentje om het af te leren.'

Toen hij de drankjes haalde – en die cider was erg lekker – staarde hij nog steeds naar buiten. Aan de andere kant van de weide stopte een bus, een echte ouderwetse plattelandsbus. Een jonge vrouw stapte uit en ze haastte zich naar de Rising Sun. Ze kwam me op de een of andere manier bekend voor.

Ik ging rechtop zitten om beter te kunnen kijken. Ja, geen twijfel mogelijk. Het was Peggy, die op kantoor hoorde te zijn, en ze liep snel de pub binnen, de pub met het parkeerterrein waar de auto van Richard Henfield stond. Ze verdween door de deur op het moment dat George terugkwam met de drankjes.

Dus Henfield had snoesjes. En hij en zijn secretaresse waren heel toevallig in dezelfde pub in een dorp buiten de stad. Interessant. Machtig interessant.

7

DAG ZES IN HET JARENVIJFTIGHUIS

Maar ben ik daar wel? Ik ben er niet meer zo zeker van.
Ik ben nergens meer zeker van.
Als dit Het jarenvijftighuis is, waarom heb ik dan geen
uitleg gekregen? Waarom ben ik niet geïnterviewd of
verzekerd, waarom ben ik niet voorgesteld, waarom heb
ik niets ondertekend?
Het is meer dan alleen een huis en de krant. Het is een
hele stad, compleet met het omringende platteland en
dorpen zoals Middleton Parva. Dat was geen filmset. En
al die mensen! Geen enkele productiemaatschappij zou
zoveel figuranten betalen. Het is zo echt allemaal. Het
voelt niet als een filmset. Ik heb niet één camera gezien.
Niemand heeft het over een videokamer gehad.
Geen van de andere mensen lijken me deelnemers. Mrs.
Brown wist dat ik zou komen. Mijn koffer stond er.
Iedereen schijnt te denken dat ik voor een paar weken
hier ben. Maar waar is 'hier'?
Will en Caz. Tja. Dat is een lastige. Zijn het Will en Caz
wel? Zo ja, dan zouden ze me nooit zo lullig in de maling
nemen, niet zo lang. Ze zouden niet doen alsof ze
getrouwd waren, zelfs kinderen hadden. Het zijn mijn
twee allerbeste vrienden. Ze zouden nooit zo gemeen
tegen me zijn, nog geen minuut. Zeker niet voor een
stomme realityshow. Dat zouden ze gewoon nooit doen.
Nee. Zelfs niet bij wijze van 'psychologische test'. Het is
niets voor hen om dit soort gemene spelletjes te spelen.
Als ze het wél doen, hoe kan ik dan ooit nog iemand
vertrouwen? En wie? Billy en Carol lijken als twee
druppels water op Will en Caz. Maar ze zijn ook anders.
Om te beginnen zien ze er allebei ouder uit. En hoe zit
het met Caz' gebit? De rimpels? Wills handen? Dat is

geen make-up. Maar als het Will en Caz niet zijn, wie zijn
het dan wel? Waarom is alles anders? Waar ben ik in
hemelsnaam in verzeild geraakt?
Toen Lucy door de klerenkast in Narnia terechtkwam,
wist ze meteen waar ze was. Ik weet niets. Ik weet niet
waar ik ben of waarom ik hier ben.
Het is toch niet echt de jaren vijftig, hè? Dat kan
helemaal niet. Of wel?
Maar wat is het dan wel?

Nadat ik dat had opgeschreven, kreeg ik een paniekaanval. Mijn
hele lichaam verstijfde en ik kon geen lucht in of uit mijn longen krijgen. Ik had alleen pijn, de pijn van paniek. Ik wist niet
waar ik was. In de tijd of in de ruimte. Ik kon mijn zintuigen
niet vertrouwen. Niets was wat het leek.
Ik snakte naar lucht, haalde hortend en stotend adem, en intussen probeerde ik mijn hersenen te laten werken, probeerde ik logisch na te denken, rustig. Ha!
Ik had gedacht dat dit een realityshow was, maar niets wees in
die richting, helemaal níéts. Dit was niet alleen maar een huis,
of zelfs alleen maar een filmset. Dit was meer. Dit was een compleet andere wereld, de wereld van vijftig jaar geleden. Ik rende
naar het raam en sloeg erop met mijn handen, alsof het de tra-
lies van een kooi waren, en zo voelde het ook.
Ik kon niet terug zijn gegaan in de tijd en nu écht in de jaren
vijftig zijn. Maar waar was ik dan wel?
Het enige wat ik zeker wist, maar dan ook het enige, was dat ik
naar Will verlangde. Ik wilde zijn armen om me heen voelen, ik
wilde dat hij in mijn oor fluisterde zoals hij altijd deed als ik een
nachtmerrie had gehad, want dit veranderde langzaam maar zeker in een echte nachtmerrie. Ik wilde naar huis. Het was pas
acht uur 's ochtends, op mijn vrije zaterdag, godbetert, en ik was
al uren wakker. Ik haalde diep adem en probeerde mijn angst en
paniek onder controle te krijgen. Ik stond nog steeds met mijn
voorhoofd tegen het koele raam geleund, toen Peggy binnenkwam.
'Gaat het?' vroeg ze niet onvriendelijk.
'Ja, nee... o, ik weet het niet.' Maar toen bedacht ik iets. 'Peggy,

jij hebt je moeder toch gevraagd of ik hier kon komen logeren?'
'Eh… ja.'
'Wie heeft geregeld dat ik bij *The News* kon komen werken? Jij bent de secretaresse van de hoofdredacteur. Het moet dus via jou zijn gegaan.'
'Klopt.'
'Nou, hoe dan?'
Eindelijk, dacht ik, eindelijk zou ik dichter bij de waarheid komen. Als ik eenmaal wist wie mijn reisje had geregeld, en de kleren en de rest, kon ik daaruit afleiden wat er precies aan de hand was. Er moest correspondentie over zijn. Als ik die kon inzien, zou het raadsel opgelost zijn.
'We zijn gebeld door iemand van lord Uzmastons kantoor.'
'Lord Uzmaston?'
'Ja, je weet wel, de eigenaar. Ik heb hem nooit ontmoet, maar Mr. Henfield wel. Hij heeft een keer geluncht in Uzmaston Hall.' Ze zei het met iets van trots. 'Hij is eigenaar van *The News* en een flink aantal andere kranten.'
'Wat zei hij?'
'O, hij heeft niet zélf gebeld. Dat zou een beetje raar zijn. Het was een man, een jongeman, volgens mij. Hij zei alleen dat ze tijdelijk werk zochten voor een verslaggeefster en dat wij iets moesten regelen. Mr. Henfield was er niet blij mee omdat het een vrouw was, dat kan ik je wel vertellen. Maar ja, je moet een bevel van hogerhand nu eenmaal opvolgen. Vooral als het de eigenaar is, en lord Uzmaston is een beetje een eigenaardige man.'
'Is erover gecorrespondeerd? Een schriftelijke bevestiging? Wat dan ook?'
'Nee. Helemaal niets. Het was heel vreemd allemaal. Hoogst ongebruikelijk. Daarom was ik zo blij dat ik naar de huur had gevraagd.'
'De huur?'
'Ja, de huur. Ze vroegen of we woonruimte voor haar – jou – konden regelen. En toen dacht ik aan Stephens kamer, want die stond toch leeg. Maar voordat ik dat zei, heb ik eerst gevraagd hoeveel ze wilden betalen. En die man zei: "De gebruikelijke kamerhuur. Betaal het maar uit de kas van kantoor, dat is het makkelijkst."'

'O, en doen jullie dat?'

Tot mijn schaamte besefte ik dat ik er geen moment bij had stilgestaan dat ik van mijn acht pond en nog wat misschien huur zou moeten betalen.

'Ja, ik haal het geld uit de kas, en Mr. Henfield tekent een bewijsje.'

'En niemand is erop teruggekomen? Niemand heeft vragen gesteld?'

'Nee, en dat vond ik eigenlijk een beetje zorgelijk. Maar het lijkt allemaal goed te gaan. Hoezo? Met wie heb jij dan te maken?'

'Dat is lastig uit te leggen,' zei ik. Dat was het understatement van het jaar, of misschien wel van vijftig jaar. Toen kwam er weer iets bij me op. 'Peggy, waarom heb je voorgesteld dat ik hier zou komen logeren? Zodat je moeder een financieel extraatje zou hebben?'

'Nee, niet echt, al speelde het wel mee.' Peggy leek zich er een beetje voor te schamen. 'Nee, het leek me gewoon gezellig.'

Dat verbaasde me. Als Peggy had gedacht dat het gezellig zou zijn als ik bij hen kwam logeren, waarom had ze dan nauwelijks een woord tegen me gezegd? Daar snapte ik echt geen snars van. Ze stond nog steeds in de deuropening, met een armvol wasgoed. Ze keek een beetje zorgelijk. Geen wonder, na de vragen die ik had gesteld. Waarschijnlijk dacht ze dat ik stapelgek was.

'Gaat het?' vroeg ze nog een keer.

'Ja, ja, maak je geen zorgen,' zei ik, te verbluft om iets anders te zeggen. Maar in elk geval had ik nu een idee, iets te doen. Als ik maandag terug was op kantoor, kon ik de persoon die Peggy had gesproken opbellen, en vragen wie dit had bedacht. Dat was een begin. Ik had een plan. Ik had nu al het gevoel dat ik iets deed.

'Alsjeblieft,' zei Peggy, 'een schoon laken en kussensloop. Op zaterdag verschonen we de bedden.'

'Eén laken maar?'

'Je gebruikt je bovenlaken als onderlaken en het schone laken wordt je nieuwe bovenlaken.' Ze klonk alsof ik haar geduld zwaar op de proef stelde. 'We zijn hier niet in Amerika. Neem het gebruikte laken maar mee naar beneden, en verder al je witte katoenen dingen, zoals ondergoed en zakdoeken, dan stop ik alles in de wasmachine.'

Toen ze weg was verschoonde ik het bed. Lastig hoor, met lakens en dekens. Je moet alles gladstrijken en instoppen. Maar het kalmeerde me. Ik streek de lakens zó glad dat er geen kreukeltje of plooitje meer te zien was. Was mijn leven maar net zo rimpelloos.

Ik verzamelde het wasgoed, liep de trap af naar de bijkeuken en stopte het in een rare kleine wasmachine. Peggy keek me verwijtend aan toen ze zag dat ik mijn kousen en jarretels er ook bij wilde doen, dus die waste ik op de hand in de gootsteen met spul dat Oxydol heette. Alsof ik op vakantie was. Maar wel een rare vakantie.

Op de achtergrond klonken kinderliedjes uit de radio, een enorm geval ter grootte van een ijskast. 'The Teddy Bears' Picnic', 'There once was an ugly duckling', en nog iets over roze en blauwe tandenborstels. Vergeleken hierbij was de hitparade gewaagd.

De wasmachine spoelde niet. Of eigenlijk wel, maar je moest het zeepsop er eerst uit gieten en er dan schoon water in doen. Peggy kieperde het warme zeepsop over het plaatsje aan de achterkant, en toen schrobde ze de stenen met een grote boender. Dit zou een luie zaterdagochtend moeten zijn...

Terwijl we bezig waren wilde ik haar naar haar bezoekje aan de Rising Sun vragen, maar ze keek nogal grimmig dus het leek me beter er nog even mee te wachten. Bovendien had ik te veel andere dingen aan mijn hoofd.

We moesten het wasgoed uit de wasmachine tillen (op de radio werd een belachelijk vrolijk plaatje gedraaid, 'I love to go a wandering', wat me om de een of andere reden aan de Hitlerjugend deed denken), en het door de mangel boven de kuip halen. Ik had vroeger een boek over een egeltje dat wasvrouw was, en ik voelde me net Mrs. Tiggy-Winkle. Ik dacht met heimwee aan mijn automatische wasmachine, die met veertienhonderd toeren centrifugeerde en ook nog droogde. Het was zwaar werk aan die zwengel te draaien en het water uit het wasgoed te persen.

'Voorzichtig,' waarschuwde Peggy. 'Een meisje van school ging in een wasserij werken, en haar hand kwam in de mangel terecht. Alle botjes waren gebroken.'

'Vreselijk!' zei ik. 'Ik hoop dat ze compensatie heeft gekregen.'

Peggy keek me glazig aan.

'Je weet wel, een schadevergoeding voor haar verwonding,' legde ik uit.

'Natuurlijk niet. Ze had gewoon beter op moeten passen.'

Peggy nam het wasgoed mee naar buiten en hing het aan de lijn in de smalle achtertuin, terwijl ik het laatste water gebruikte om de vloeren in de keuken en de bijkeuken te dweilen.

Toen moest ik opschieten voor mijn afspraak met Caz.

Het was druk in de stad. Ik keek naar al die mensen, en kreeg het een beetje benauwd toen ik besefte dat het onmogelijk allemaal figuranten konden zijn. Zoveel vrouwen, bijna allemaal in lange jassen, zeulend met manden en boodschappentassen. Mannen schitterden door afwezigheid. Er waren een paar jongens en een of twee kromme oude mannetjes met een wandelstok die tussen de kramen door schuifelden, maar verder was het een vrouwenwereld. En dan de kinderen! Er waren overal kinderen in hun eentje, sommige niet ouder dan zeven, en ook zij torsten boodschappentassen. Kleine meisjes van hooguit tien goochelden niet alleen behendig met boodschappentassen, maar duwden soms ook nog een kinderwagen met een dik ingepakte baby erin, of ze hadden een peuter op sleeptouw. Ze stonden voor de marktkramen in de rij en leken het beperkte assortiment groente kritisch te bekijken. Die lieten zich geen knollen voor citroenen verkopen!

Was het wel veilig dat die kinderen alleen over straat gingen? Moest er niet iemand op hen passen? Ik liep er nog over te piekeren toen ik Carol op de trap van het marktkruis zag staan.

Carol of Caz? Wie van de twee was ze? Ik bleef staan, want ik moest erover nadenken. Was ze mijn vriendin uit mijn echte leven in de eenentwintigste eeuw die me op een gemene manier voor het lapje hield? Of was ze Carol, een jonge moeder van drie kinderen, wier leven zich een halve eeuw geleden afspeelde?

Ze praatte met een jongen en gaf hem een paar tassen aan. Hij was een jaar of tien, elf oud, en het evenbeeld van Will, hetzelfde blonde haar, dezelfde bruine ogen. Hij droeg een korte broek, sportkousen en een grote handgebreide trui, en hij blaakte van gezondheid en energie. Wills zoon. Dus zo zou Wills zoon eruitzien, precies zoals ik me hem in mijn dagdromen had voorgesteld. Hij zag er net zo uit als de foto van Will die bij zijn moeder op de schoorsteenmantel staat. Ik had het gevoel dat ik hem al kende. Hij grijnsde breed naar me toen Caz me begroette.

'Komt dat even goed uit. Ik ben net klaar met de boodschappen. Denk erom, Pete, je gaat rechtstreeks naar huis. Papa wil dat je hem helpt. Als je goed je best doet, neem ik fish-and-chips mee. Hup, vlug een beetje!'

De jongen lachte en maakte zich in looppas uit de voeten, ondanks al die boodschappentassen.

'Ga je even mee?' zei Caz. 'Ik moet stof uitzoeken. Billy en ik gaan volgende maand naar een deftig feest, en ik heb niets om aan te trekken.'

Deftig? Dit kon gewoon niet de echte Caz zijn. Caz had maling aan deftig. Ik moest ophouden haar als Caz te zien en me erop instellen dat dit Carol was. Carol. Niet Caz. Het kon niet anders.

Carol liep voor me uit naar de andere kant van de markt, waar een aantal stoffenkramen stonden. Grote rollen stof lagen op schragentafels, en dik ingepakte vrouwen voelden eraan. De stoffenverkopers rolden de stoffen er handig af en jongleerden met duimstokken en scharen. De kramen leken net minitheaters. Bij de meeste kramen verkochten ze alledaagse stoffen, veel wol en tweed, geruite en gebloemde katoentjes.

Carol liep snel tussen alle mensen door en bleef staan voor een kraam met luxueuze stoffen, zoals fluweel en glanzende zijde.

'Goedemorgen, Mrs. West,' zei de koopman opgewekt. 'U bent op zoek naar iets bijzonders, dat zie ik zo.'

'Inderdaad,' beaamde Carol. Ze zette haar aftandse handtas neer en bekeek de berg met stoffen. Ze trok er rollen uit, hield de stof dan tegen zich aan, en legde ze weer terug.

'Heeft u iets in gedachten?' vroeg de man.

'Ja,' zei ze, 'maar ik weet het pas als ik het zie.'

'U haalt wel mijn hele handel overhoop,' zei hij met slechts een zweem van verwijt in zijn toon.

Toen zag ik het. Helemaal onderop lag een kleine rol tafzijde in een prachtige kleur die het midden hield tussen diep donkerrood en zwart. Caz had in de uitverkoop ooit een jurk in precies dezelfde kleur gekocht, en die stond haar adembenemend mooi. De kleur paste helemaal bij Carol.

'Dit is het!' riep ik, en ik probeerde de rol onder de stapel uit te trekken.

De hele berg begon te schuiven en ik dacht dat alles van de stal zou rollen, maar de man legde zijn ene hand erop en trok met de andere de rol donkerrode tafzijde eruit. Hij schoof hem naar Carol, die een stuk zijde naar zich toe trok en tegen zich aan hield. Meteen veranderde haar vaalblonde haar van kleur en kreeg het een kastanjebruine gloed – dezelfde kastanjebruine kleur waar Caz bij de kapper een vermogen voor betaalde.

'Prachtig!' zei ik. 'Die kleur staat je fantastisch.'

Carol lachte breed en bekeek hoeveel stof er nog op de rol zat. 'Dat is niet veel meer,' zei ze met getuite lippen. 'Ik weet niet of ik er wel een jurk uit kan krijgen. Dat wordt passen en meten. Iemand die ook maar iets groter is dan ik zou in haar onderbroek lopen. Nee,' besloot ze, en met veel vertoon legde ze de rol terug en draaide ze zich om, 'ik moet iets anders zoeken.'

'Vooruit,' zei de man, 'u mag het voor achttien shilling hebben.'

'Wacht eens even!' Carol trok nog een rol met een restje uit de stapel. Het was roomkleurige katoen met een donkerroze patroon, een soort plaatje. Ik kon niet goed zien wat het was, maar Carol straalde. 'Nog een staaltje. Niemand heeft er iets aan.' Ze keek hem uitdagend aan, met zulke Caz-achtige pretlichtjes in haar ogen dat ik moest lachen. 'Als u dit er nou eens bij cadeau doet.'

'Leuk geprobeerd,' zei hij, 'maar vooruit, geef me een pond voor de hele handel, dan verdien ik er nog niets aan.'

Bliksemsnel haalde Carol een briefje van een pond uit haar portemonnee. 'U bent een echte heer,' zei ze. 'Ik zal tegen al mijn vriendinnen zeggen dat ze bij geen enkele andere kraam moeten kopen.'

De man lachte en verpakte de stoffen in bruin papier. Even later waren we onderweg naar Silvino, Carol met het pakje onder haar arm.

'Kun je er echt een jurk van maken?' vroeg ik terwijl we tussen de mensen door laveerden.

'Ik zou niet weten waarom niet. Ik heb een patroon dat ik al eerder heb gebruikt, dus dat komt wel goed.'

'Wat is het trouwens voor feest?'

'Een bal van de burgemeester. Heel chic allemaal. In The Fleece.'
Ik rilde bij de herinnering aan mijn afschuwelijke ervaring in The Fleece.

'Ik verheug me erop. Ik heb al heel lang niet meer gedanst. Het is de eerste keer dat we erheen gaan. De burgemeester is voorzitter van de voetbalclub en hij heeft Billy twee kaartjes gegeven. Erg aardig van hem. Zo, we zijn er.'

Door een kleine deur in een steeg kwamen we in een ruimte die zo te zien kortgeleden nog een voorraadkamer was geweest. De muren waren slordig gewit, maar ik rook koffie en er schalde muziek uit de jukebox. Wat een prachtding! Precies zoals in oude Amerikaanse films.

Het was er rokerig en vol. De klanten waren jong, tieners en mensen van net twintig – Carol en ik waren beslist de oudsten. Ze hadden blije, levendige gezichten, maar afgezien daarvan was het een saaie bedoening. Jongens in stijve, slecht passende spijkerbroeken of wijde grijze broeken, en sommige droegen zelfs een jasje en stropdas. Een paar meisjes droegen broeken, net als ik. Veel twinsets en tweedrokken, behalve twee meisjes die voor de jukebox stonden. Ze droegen allebei een zwart coltruitje en een wijde rok, de een met een patroon van hartjes, de ander met sterretjes.

Ze keken toe terwijl een nieuwe plaat op de draaitafel werd geheveld. Toen begonnen ze in hun eentje te dansen, en ze gingen alleen opzij als iemand geld in de jukebox wilde werpen.

Aan deze kant was duidelijk geen bediening. In plaats daarvan ging iedereen naar een luik dat vermoedelijk uitkwam op het café aan de voorkant en daar bestelden ze, voornamelijk cola en milkshakes. Het hele tafereel leek wel een parodie op die zwart-witfilms over Amerikaanse tieners. Het was een warm en dampig en levendig geheel en het rook er een beetje naar een natte hond. Toen we onze koffie bestelden begon net het nummer 'Sixteen Tons'. Dat was echt heel grappig, omdat mijn vader er vaak een paar regels van zingt:

Sixteen tons and what do you get?
Another day older and deeper in debt.

En de rest had ik nooit gehoord, dus ik luisterde nu goed naar de woorden. De volgende keer dat ik mijn vader zag zou ik het voor hem zingen. De volgende keer... Maar nu speelde de jukebox 'See you later, alligator', en gingen er meer jongeren dansen in de kleine ruimte ervoor.

See you later, alligator.

En dan riepen ze allemaal terug:

In a while, crocodile!

De twee meisjes in de zwarte coltruitjes dansten met elkaar, en ze gingen zo op in hun bewegingen dat ze op niemand anders letten. Ze hadden beslist stijl. Dit was ook een favoriet nummer van mijn vader, en iedereen zong mee. Ik kende de woorden en zong uit volle borst. Ik had het gevoel dat ik erbij hoorde, deel uitmaakte van de groep. Dat was fijn. Ik grijnsde naar Caz.
'Ik zou niet weten waarom alleen jonge mensen plezier kunnen maken,' zei ze.
Toen haalde ze de stof uit het pakje en keek er nog een keer naar. 'Ik heb nog nooit iets in deze kleur gehad. Denk je echt dat het me staat?'
'Die kleur is voor je gemaakt,' zei ik, 'geloof me. Maak je veel kleren zelf?'
'De meeste. Mijn grootmoeder heeft me haar naaimachine gegeven toen Billy en ik ons eigen huis kregen. Ik maak de meeste kinderkleren en bijna alles voor mezelf. Het is veel goedkoper en ik kan het precies zo maken als ik het hebben wil.'
Weer klonk ze precies als Caz, zoals Caz praatte over spullen die ze in tweedehandswinkels of op eBay had gekocht, en waar ze dan iets mee deed waardoor het bijzonder werd. Wat een talent. Ze was dol op oude kleren. We hebben het hier over retro of vintage, niet over oubollige omajurken. Het was bijna toveren wat ze deed, en ze zag mogelijkheden die niemand anders kon bedenken.
Ze deed ook allemaal slimme dingen met kussens en gordijnen.

En ze had geholpen bij het maken van de kostuums toen Jamie een toneelvoorstelling op zijn school had geregisseerd. Ik denk dat ze haar eigen kleren had kunnen maken, alleen was dat nooit nodig geweest.

Carol dronk haar koffie verkeerd en wiegde heen en weer op de maat van de muziek. 'Rock, rock till broad daylight...'

'Luister je vaak naar muziek?' vroeg ik.

'Zo vaak als ik kan. Als we ons nieuwe huis krijgen, nemen we een radiotoestel.'

'Een radiotoestel? Een radio, bedoel je? Heb je er dan geen?'

'Geen elektriciteit.'

'Geen elektriciteit? Hoe kun je dan in hemelsnaam leven?'

'Dat gaat best,' verdedigde ze zichzelf. 'We kregen vroeger thuis pas na de oorlog elektriciteit. Ik ben niet de enige. Er zijn zoveel mensen die geen elektriciteit hebben.'

'Nee, dat dacht ik ook niet, sorry.' Ik probeerde me voor te stellen hoe het zou zijn om geen elektriciteit te hebben. Hemel, een stroomstoring van twee uur kan al een chaos veroorzaken. 'Je kunt toch een radio op batterijen nemen.'

'Weet je wel hoe duur batterijen zijn? En ze doen het niet langer dan een paar uur. Nee, we kopen een echt toestel. Misschien zelfs wel een televisie. Daar zou Billy maar wat blij mee zijn. Bij zijn moeder kijkt hij altijd.'

De rock-'n-roll was afgelopen. Een nieuw plaatje werd uit het rek getild en landde op de draaitafel. Het introotje was jazzy. Niet Bill Haley of Lonnie Donnegan. Ik herkende het: Frank Sinatra.

The way you wear your hat, the way you sip your tea
The memory of all that. They can't take that away from
me...

In gedachten zag ik Will voor me op de redactie, dezelfde houding, alle gebaren die ik zo goed kende. Ik stelde me hem thuis in bed voor, slapend, met zijn ene arm op het dekbed. Ik kon Carol moeilijk vragen of Billy ook zo sliep. Maar ik wist het. Het was op een rare manier geruststellend. Dat konden ze me niet afpakken, al mijn herinneringen aan Will...

De jongeren dromden rond de jukebox, en 'Rock around the clock' werd nog een keer opgezet.

'Ik moet ervandoor,' zei Carol met een zucht. 'We moeten op zaterdag vroeg eten. Billy gaat altijd naar de voetbalwedstrijd en schrijft dan een verslag voor The News.'

'O, oké,' zei ik. 'Dan ga ik ook maar eens naar huis.'

'Dat hoeft niet,' zei Carol. 'Heb je zin om mee te gaan en bij ons fish-and-chips te eten? Ik zou het gezellig vinden, maar...' en opeens werd ze verlegen '... maar jij hebt misschien wel wat beters te doen.'

'Helemaal niet. Vis met patat lijkt me erg lekker,' zei ik.

We gingen op pad, weg uit het centrum, en na bijna een kilometer, schat ik, namen we een klein zijstraatje. Op de stoep stond een lange rij mensen te wachten. We sloten aan, totdat we aan de beurt waren en in de vettige damp en het gesis op onze bestelling stonden te wachten. De vrouw achter de toonbank verpakte de hele handel handig in oude kranten (The News), en Carol stopte het pakket in een boodschappennetje dat ze uit haar jaszak haalde.

We liepen verder. Dit deel van de stad herkende ik niet. De straten waren smaller en donkerder en meestal niet eens geplaveid, een soort zandpaden met kuilen. Op een van de straathoeken hing een groep jongens rond bij een lantaarnpaal, een stuk of zes, van twaalf of dertien jaar. Aan de overkant van de straat hing een oud reclamebord dat half was losgeraakt. Het bungelde aan twee schroeven en zwaaide heen en weer doordat de jongens er stenen tegenaan gooiden. Je kon het fluiten van de stenen horen, zo hard zeilden ze door de lucht. Dan klonk er een doffe plof als ze het zachte, half verrotte bord raakten.

'Ja, ik heb gewonnen! Ik heb gewonnen!' riep een van de jongens, die het bord precies in het midden had geraakt. De anderen protesteerden luidkeels, ze joelden en schreeuwden.

Instinctief dook ik in elkaar. Ik keek omlaag, vermeed oogcontact. Je moet altijd uitkijken met bendes jongeren, vooral als ze zich vervelen en zakken vol stenen hebben. Ik ging sneller lopen, mijn blik strak op mijn voeten gericht, maar toen besefte ik dat Carol was blijven staan. En dat niet alleen, ze daagde die jongens zelfs uit. Was ze gek geworden?

'Hé, jullie!' zei ze. 'Hebben jullie niets beters te doen op de zaterdagmiddag? Een beetje met stenen gooien! Straks raken jullie iemand, stel je voor. Wat zouden jullie moeders zeggen als ze jullie nu konden zien? Of jullie vaders? Ga toch naar huis, en steek je handen uit de mouwen.'

Tot mijn stomme verbazing – toen ik eindelijk mijn hoofd durfde op te tillen – keken de jongens beschaamd en bedremmeld. 'We hadden geen kwaad in de zin, Mrs. West,' zei een van hen. 'Nee, nu niet, maar ik weet precies hoe jullie zijn. Hup, ga iets nuttigs doen en maak alsjeblieft niet zoveel herrie.' Ze begon weer te lopen, en de jongens schuifelden nog even heen en weer en zetten het toen joelend op een lopen.

'Schoffies,' verzuchtte Carol. 'En ze hebben allemaal moeders die wel een beetje hulp kunnen gebruiken. Rondhangen op straat en kattenkwaad uithalen! Het is een schande.'

Ik was één en al bewondering. 'Weet je, Carol, wat jij net deed zou ik nooit hebben gedurfd.'

'Waarom niet? Het zijn gewoon een paar opgeschoten jongens.'

'Ja, dat weet ik wel, maar waar ik vandaan kom kun je dat echt niet doen. Ze zouden je in elkaar slaan en er met je handtas vandoor gaan.'

Verbluft keek ze me aan. 'Het zijn gewoon een paar jongens, Rosie, kinderen. Die kun je toch wel aan?'

'Eh... nee, eigenlijk niet. We weten niet meer hoe dat moet.'

'Dan zijn jullie volgens mij niet goed snik,' concludeerde Carol. 'Kom, we zijn er. Oost west, thuis best.'

We waren een smal en steil laantje ingeslagen, met in de verte een vervallen molen en een boerderijtje aan een riviertje.

'O, wat mooi!' riep ik uit.

'Je zou er anders over denken als je er woonde,' zei Carol, en zelfs zij moest bukken om door de voordeur naar binnen te gaan.

De kamers waren klein en donker, zo donker dat ik bijna geen hand voor ogen kon zien. Carol liep meteen naar de keuken, en toen naar buiten, de achtertuin in. Het was werkelijk een enorme tuin, die omhoogliep tegen de heuvel. En midden in die tuin zag ik Will.

Tijdens de hele wandeling naar huis met Carol had ik geprobeerd het feit dat Will er zou zijn uit mijn hoofd te zetten. Hij was per slot van rekening haar man.

En daar was hij dan. En ik kon mijn ogen niet geloven, hij was aan het klussen in de tuin. Will, die kluste in de tuin! Het moest niet veel gekker worden. Will in een wijde legerbroek, en hij droeg een oud raam door zijn tuin, samen met de kleine Pete. Stel nou dat hij het liet vallen? Of dat de ruit brak?

'Voorzichtig, Pete,' zei Will. 'We leggen het aan de zijkant van het huis, naast dat andere.' Behoedzaam legden ze het raam neer op een laag bakstenen fundament, en ze deden een stap naar achteren om hun werk te bewonderen.

'Het eten is klaar!' riep Carol. 'Kom snel!'

Pete wierp nog een laatste blik op de broeibak en rende over het tuinpad naar de keukendeur. 'Mogen we uit het papier eten, mam? Niet op borden?'

'Natuurlijk mag dat,' zei Carol. 'Dat scheelt mij met de afwas. Laten we buiten eten, dan doen we net of het vakantie is. Waar is Davy?'

'Hij is naar Robbie gegaan. Op de fiets. Op míjn fiets.'

'Dat weet ik, liever, maar die fiets is nu echt te klein voor je,' zei Carol. 'Kom eens hier, Libby.'

Het meisje dat ze bij zich had gehad toen ik haar voor het eerst ontmoette zat op haar hurken in de tuin en was geconcentreerd bezig. 'Ik ben sla aan het planten,' zei ze.

'En wij hebben een broeibak gemaakt,' zei Pete trots. Hij pakte zijn krantje met eten aan en ging op een muurtje zitten. 'De ene helft is al af, en de bakstenen liggen klaar voor de tweede. Nu hoeven we alles alleen nog maar vast te zetten en de scharnieren op het kozijn te schroeven.'

'Goed gedaan,' zei Carol. 'Alsjeblieft, Billy.'

Will/Billy veegde zijn handen af aan zijn broek en ging naast zijn zoon op het muurtje zitten. Hij keek uit over zijn tuin alsof hij in gedachten nog steeds plannen maakte.

Opeens was ik verlegen met deze Will/Billy. Ik kende deze man niet, iemand die handig was en dingen maakte met zijn handen. Iemand die een enorme tuin had. Alles was even goed onderhouden, met keurige rijtjes en jong groen dat begon te ontluiken.

'Wat hebben jullie een grote tuin,' zei ik tegen hem. 'Ik had niet gedacht dat je van tuinieren zou houden. Ik weet eigenlijk niet waarom.' Maar dat wist ik natuurlijk donders goed: Will had zelfs nog nooit naar een tuin gekeken, laat stáán dat hij erin had gewerkt.

'Mijn vader had vroeger een volkstuin. In de oorlog heb ik die onderhouden. De padvinders hadden ook een lapje grond, dus ik had genoeg ervaring.'

'Heb je bij de padvinderij gezeten?'

'O ja, we voelden ons erg bij de oorlog betrokken – we verbouwden onze eigen groente, ik was brandwacht bij bombardementen, en we verzamelden oud ijzer. Al betwijfel ik of er ooit een tuinhek is omgesmolten om een Spitfire te bouwen. Maar het hield ons bezig.'

Carol giechelde. 'Hij was een goede padvinder,' zei ze, 'maar als hij zich aan de eed "Wees voorbereid" had gehouden, dan zouden we Pete niet hebben gehad.'

Aha, dus Carol was zwanger geraakt en daarom was Will met haar getrouwd. Daarom waren ze zo jong getrouwd. Heel logisch allemaal, en toch deed het pijn. Dat Caz giechelde en Will grijnsde. Met hun onderonsje – en dan heb ik het nog niet eens over het feit dat ze getrouwd waren en samen kinderen hadden – sloten ze me buiten. Zíj waren het echtpaar, ik was de buitenstaander. Ik voelde me opeens heel erg eenzaam.

Billy woelde liefhebbend met een hand door Peters haar. 'Ik zou hem voor geen goud willen missen. Je hebt me vanochtend geweldig geholpen, knul.'

Ik at mijn vis met patat – bijna koud en meer beslag dan vis, moet ik bekennen – en probeerde deze nieuwe Billy te plaatsen. Aan het eind van een lange werkweek had hij de hele ochtend zwaar lichamelijk werk gedaan, en straks ging hij weer aan de slag voor de krant. Toch maakte hij een zielsgelukkige indruk.

'Zo,' zei hij, en hij verfrommelde het krantenpapier. 'We hebben nog net tijd om de scharnieren erop te zetten voordat ik naar kantoor moet. Kom op, Pete.'

Pete verslond zijn laatste patatjes en holde over het pad achter zijn vader aan. Ik kon zien dat Billy Pete uitlegde wat hij moest doen. Samen bevestigden ze het oude raamkozijn aan de muur naast de schuur. Billy deed de ene kant, en gaf het gereedschap toen aan Pete om hetzelfde te doen aan de andere kant. Zijn vader keek goedkeurend toe en gaf een paar keer een aanwijzing, of hij stuurde zijn hand, terwijl hij met zijn vrije hand het gewicht van het raam torste. Tot slot testten ze of alles goed werkte door het raam op en neer te klappen, lachend, tevreden over hun werk.

'De thee is klaar!' riep Carol.

Billy beende over het tuinpad met zijn arm om Petes schouders en sloeg toen af naar een ander pad dat naar een soort schildwachthuisje voerde. Wat een raar huisje, dacht ik, en toen hij weer naar buiten kwam, sjorrend aan zijn broek, besefte ik dat het de wc was. Een wc zonder stromend water. Weerzinwekkend.

'Ik ga me even wassen voordat ik thee drink,' zei Billy, en hij ging naar binnen.

Ik hoorde water stromen in de keuken achter me. Hij waste zich bij de gootsteen in de keuken? Toen hij weer naar buiten kwam, droeg hij een nette broek en zijn tweedjasje en hij knoopte zijn das.

'Ik moet ervandoor,' zei hij nadat hij snel een kop thee had gedronken. 'Pete, berg alle gereedschap alsjeblieft op in de schuur, netjes waar het hoort. En ik ga de kost verdienen. Of misschien wel een nieuwe fiets die iemand nodig heeft.' Hij grijnsde naar Pete, en de jongen begon te stralen.

'Echt waar? Een nieuwe fiets?'

'Volgens mij is er binnenkort iemand jarig, en die iemand heeft een fiets die te klein voor hem is geworden.'

'Jippie!' joelde Pete.

Billy zette zijn theekop neer en tilde Libby op. 'En over een tijdje hebben we de lekkerste sla van de wereld.' Hij drukte een kus op de bovenkant van haar hoofd. 'Maar nu moet papa aan het werk. Tot straks allemaal.'

Hij knikte naar mij. 'Leuk dat je er was, Rosie.' Hij dook de donkere keuken weer binnen, en even later zag ik hem ontspannen tegen de heuvel op lopen. Op en top een huisvader. Will als huisvader... Ik moest er nog aan wennen.

'Hij is zo volwassen,' zei ik terwijl ik hem nakeek.

'Ja, hij staat altijd voor me klaar en hij vindt het fijn om zijn vader te helpen.' Carol keek vertederd naar haar zoon.

'Dat bedoelde ik niet. Ik bedoelde Wi... Billy.'

'Billy? Ja, natuurlijk is hij volwassen, oen. Hij is negenentwintig. Als dat niet volwassen is dan weet ik het niet meer.'

Ik dacht aan Will en Jamie die tafelvoetbal speelden, die kwijlend naar autoraces keken. Negenentwintig? Volwassen? Niet altijd.

Pete bracht alle gereedschap naar de schuur om het op te bergen, zoals hem was opgedragen. Libby had haar bedje met sla in de steek gelaten en was in de weer met een oude poppenwagen. Ze stopte haar poppenkinderen zorgvuldig in onder een hele stapel dekentjes.

'Weet je wat, de kinderen zijn lekker bezig, dus laten wij een pot verse thee zetten,' stelde Carol voor.

Ik ging met haar mee naar binnen, en toen mijn ogen eenmaal aan het halfduister waren gewend keek ik goed om me heen. Het was een grote keuken, maar het plafond was laag en het rook er naar aarde en vocht, ondanks het vuur in het ouderwetse kachelfornuis. Erboven hing een rek met opgevouwen strijkgoed, net als bij de Browns. Aan weerszijden van het fornuis stonden twee versleten stoelen, en in een nis zag ik een boekenkast.

Er was een tafel met een kleed erover, en een goedkope metalen kast met borden en kopjes en wat levensmiddelen, zoals een blikje doperwten en een pak havermout. Op een plank die uitgeklapt kon worden lag een brood, met een botervloot ernaast. Tegen een muur was een grote stenen gootsteen met een houten afdruiprek, wit geboend, met een spiegel erboven. Op een plankje ernaast stonden een paar bekers. In de ene stond een familie tandenborstels en in de andere een scheerkwast. Dus hier schoor Billy zich 's ochtends. Ik dacht aan Will en onze massagedouche en de plank die helemaal vol stond met zijn gels en mousse en aftershave en huidverzorgingsproducten. De grote metalen teil die ik buiten aan de muur had zien hangen, besefte ik opeens, was hun bad...

Onder de gootsteen hing een geblokt gordijntje, vermoedelijk met potten en pannen erachter. En op het fornuis stond een grote pan met deksel.

'Maak je iets lekkers voor het avondeten?' vroeg ik.
'Nee! Ik kook Billy's onderbroeken uit.'
O nee, beslist te veel informatie.
'Als we verhuizen neem ik een elektrische waskoker, of misschien wel een echte wasmachine. Je kunt ze op afbetaling kopen. Ik verheug me er nu al op. Geen pannen met handdoeken meer. Niet langer schrobben op een wasbord.' Ze slaakte een zucht.
'Vertel me eens over Amerika, Rosie. Vertel me over de dingen die jij hebt.'
'Ik zal je over mijn vriendin Caz vertellen,' zei ik. 'De vriendin die zo op je lijkt.'
'Leuk.' Vol verwachting ging ze zitten, met haar theekop tussen haar handen, als een kind dat naar een verhaaltje luistert. Precies zoals Caz, als ik haar een pikante roddel vertel.
'Caz woont samen met een leraar die Jamie heet.'
'Wat, woont ze met hem samen? Zonder boterbriefje? Ze zijn niet getrouwd?'
'Nee.'
'En dan mag hij toch lesgeven?'
'Eh ja.'
'Daar zullen de ouders niet zo blij mee zijn. Geen goed voorbeeld.'
'De helft van de ouders is ook niet getrouwd.'
'O. Wat een raar land, Amerika. Wat voor huis hebben ze?'
'Een victoriaans rijtjeshuis.'
'Wat, een oud huis, geen moderne flat?'
'Met vier slaapkamers en twee badkamers.'
'Twéé badkamers? Hemel, ik zou al blij zijn met één badkamer.'
'En het is helemaal in neutrale kleuren ingericht.'
'Neutraal?'
'Ja, je weet wel, wit en roomwit en beige.'
'Klinkt saai.'
'Nee, het is niet saai, want Caz heeft allemaal mooie kussens gemaakt en ze hebben prachtige schilderijen aan de muren.'
'Schilderijen? Dan zijn ze zeker rijk, die vrienden van je.'
'Nee. Zoals ik al zei, Jamie geeft les en Caz werkt bij dezelfde krant als ik.'
'Hebben ze een televisie?'

'O ja, Jamie heeft net een hele grote gekocht, met een scherm van wel een meter breed. En de kleuren zijn heel helder.'

'Kleuren? Hebben jullie televisie in kleur?'

'Ja, bijna iedereen heeft een kleurentelevisie. En we kunnen wel uit honderd verschillende zenders kiezen.'

Carol gaapte me aan. Ik vertelde haar dat Caz en Jamie allebei hun eigen auto hadden, dat ze met Kerstmis gingen skiën en van plan waren om in de zomer naar Thailand te gaan, maar volgens mij geloofde ze me niet. Ze kon het in elk geval niet bevatten.

'Hebben ze kinderen?'

'O nee. Ze willen geen kinderen, in elk geval voorlopig nog niet. Het zou me niet verbazen als het er nooit van komt.'

'Je krijgt wat je toekomt,' zei Carol lachend. 'Al komt het niet altijd op het juiste moment. Maar ik moet er niet aan denken dat ik mijn kinderen niet zou hebben.'

Libby was binnengekomen, met haar duim in haar mond en een pop in haar andere hand. Ze kroop tegen haar moeder aan, en Carol sloeg een arm om haar heen. 'Stel je voor dat ik jou niet zou hebben, schatje van me. Of je grote broers.'

'En Billy?' Mijn hart begon te bonzen en mijn stem beefde een beetje.

'Hij is een goede vader,' zei Carol. 'Hij werkt hard, hij geeft me altijd alles wat hij verdient, hij doet de tuin. Ik mag niet klagen.'

'En ben je gelukkig?' Ik aarzelde maar moest het vragen. 'Hou je nog steeds van hem?'

'Of ik van hem hou?' Ze trok haar wenkbrauwen op. 'Ik zou niet weten wat houden van ermee te maken heeft. Maar we zijn nu al jaren samen en hij is een goede man, een fatsoenlijke man. Hij heeft geen moment geaarzeld om te trouwen en hij is sindsdien altijd een goede kostwinner geweest. Ik had het slechter kunnen treffen.

Hij verdient het geld en verzorgt de tuin. En ik zorg voor hem en de kinderen en het huishouden. En als we straks ons nieuwe huis hebben, is alles in kannen en kruiken.'

'Weet je al waar jullie gaan wonen?'

'In The Meadows.'

'The Meadows?'

Ik dacht aan de uitgestrekte buitenwijk, de paar goede enclaves, en de grote no-goarea's, waar joyriders de straten terroriseerden en de auto's die ze hadden gestolen in brand staken. De wrakken bleven wekenlang staan, maar vielen niet eens meer op tussen de rotzooi in de voortuinen van huizen met dichtgetimmerde ramen die waren volgekalkt met graffiti. De wind voerde afval mee, en agressieve jonge meisjes, allemaal met humeurige gezichten, blote buiken, piercings en goedkope tatoeages, zaten op muurtjes te roken en scholden voorbijgangers uit, zonder aandacht te besteden aan hun baby's.

'Ja, het wordt echt zo'n mooie wijk. De huizen zijn modern, met grote ramen, zodat ze heel licht en fris zijn. We krijgen een badkamer en drie slaapkamers, en er is een keuken met een echt gasfornuis en een zitkamer met verwarming en zelfs een kleine eetkamer. Dan zijn we echt deftige mensen, hè, Libby? En jij krijgt je eigen kamer. Lijkt je dat niet leuk?'

Buiten klonk het geluid van iets wat omviel. Een klein jongetje stormde naar binnen. Hij leek ook sprekend op Carol, maar hij had Wills bruine ogen. 'Hoi mam. Is er iets te eten? Ik rammel!'

'Dan had je op tijd thuis moeten zijn voor de lunch. We hebben al je patat opgegeten. Maar als je lief bent maak ik een boterham met jam voor je. Wat zie je eruit! Wat heb je gedaan?'

'We hebben een hut gebouwd, maar toen moest Rob mee naar zijn oma.'

'Nou, trek die kleren maar uit, en dan zet ik je in de gootsteen om je te wassen.'

Tijd om te gaan. 'Ik ga er weer eens vandoor, dan loop ik je niet in de weg. Het was erg gezellig. Bedankt voor de vis en de thee en alles.'

'Kom je nog een keer?'

'Graag, als je wilt. Of misschien kunnen we nog een keer koffiedrinken in de stad als ik weg kan van kantoor.'

'Leuk.' Maar ze had zich al omgedraaid naar Davy en was bezig zijn smerige trui uit te trekken, helemaal de zorgzame huismoeder. Ik liet mezelf uit en liep in gedachten verzonken terug door de stad. Het was zo raar om Caz met kinderen te zien, kinderen die ze bovendien overduidelijk aanbad. En dat ze zo opgewekt kon zijn in dat kleine, donkere, vochtige huis. Caz!

Ik dacht na over wat ze over haar en Will had gezegd. Wat heeft houden van ermee te maken... Het klonk bijna als een zakelijke overeenkomst. Toch hadden ze drie kinderen, dus hun relatie was beslist niet platonisch. En de blik en de grijns die ze hadden uitgewisseld. Caz en Will, samen in bed. Ik wilde er niet aan denken en liep snel verder, ik concentreerde me erop de weg naar huis te vinden. Toch kreeg ik de nieuwe Will niet uit mijn hoofd. Will als huisvader.

Toen ik terug was in het huis van de Browns moest ik heel nodig plassen. Ik was al misselijk geworden bij de gedachte aan dat schildwachthuisje bij Carol. Mr. en Mrs. Brown waren er kennelijk niet, maar Peggy was in de badkamer. Ik wachtte nog een tijdje, maar uiteindelijk kon ik het echt niet langer ophouden.

Ik bonsde op de deur. 'Peggy, kun je alsjeblieft een beetje opschieten? Ik moet echt heel nodig.'

Ten slotte deed ze de deur open en kwam ze naar buiten, gehuld in een enorme stoomwolk.

'Hemel, het lijkt hier wel een sauna,' zei ik toen ik langs haar heen liep. Het was nog nooit zo warm geweest in die badkamer. En wat ook al zo vreemd was, ik had durven zweren dat ze naar drank rook. Toegegeven, ik ga wel eens in bad met een glas wijn, maar het leek me niets voor Peggy. Terwijl ik op de wc zat, hoorde ik haar tegen dingen op botsen in haar kamer, alsof ze dronken was. Maar dat sloeg nergens op. Peggy was niet het type om te drinken.

8

Soms denk ik aan Dantes derde kring in de hel: Heathrow op een nationale feestdag, Will en Jamie die de buitenspelval uitleggen, een uur lang wachten totdat je aan de beurt bent bij een helpdesk, en dan eindelijk iemand aan de telefoon krijgen die aan de andere kant van de wereld zit en zegt dat hij Kevin heet, waarna de verbinding wordt verbroken...

Dat is allemaal peanuts vergeleken bij een zondag in het huis van de familie Brown.

Zaterdagavond was eigenlijk heel goed te doen geweest. Kort nadat de Browns thuis waren gekomen, hadden er twee jongens aangebeld. Het waren vrienden van Stephen die verlof hadden. Doreen had sandwiches gemaakt en Frank was een paar flesjes bier gaan kopen en het was best gezellig. Vandaar dat ik niet op de zondag was voorbereid.

Het begon met de kerk. Begrijp me goed, ik heb er niets op tegen om naar de kerk te gaan. Ik ga zelf regelmatig, minstens om de twee jaar naar de nachtmis met Kerstmis om mijn moeder een plezier te doen. Niet dat zij veel vaker gaat. Enfin, ik wilde de Browns niet tegen de haren in strijken, en zo erg kon het niet zijn. Toch? Mis. Het was verschrikkelijk. Als de kerkdiensten vroeger zo waren, is het niet verwonderlijk dat niemand meer gaat. Ik kon de juiste bladzijde niet vinden in het gebedenboek, en toen ik me in de woorden vergiste keken mensen me nijdig aan. Tot mijn eigen verbazing kende ik de eerste hymne, in elk geval zo'n beetje. 'Praise my soul the King of heaven' – ik heb dat lied bij bruiloften wel eens gezongen. Maar toen liet ik mijn gebedenboek vallen, en je zou denken dat ik een wind had gelaten, zo afkeurend werd er om me heen gemompeld.

Wat de dienst betreft, die was zo boeiend dat ik stukjes gekleurd glas ging tellen, en ik kan je wel vertellen dat er drieëndertig blauwe stukjes zaten in het raam achter het altaar, vijf minder dan in het raam rechts van me.

En toch drong er iets tot me door, een soort verlangen naar iets, al wist ik niet naar wat. Het was niet eens zozeer de dienst, maar meer iets over het gebouw zelf en de gedachte dat er hier al eeuwenlang mensen kwamen, om te bidden, om dezelfde psalmen te zingen. Het was alsof ik ze om me heen kon voelen.

En het gaf me de kans om aan Will te denken, of liever aan Will als Billy, de huisvader. Carol had me uitgelachen, maar ik kon hem echt alleen maar als 'volwassen' omschrijven. Hij spande zich in voor zijn gezin, hij verdiende de kost, hij verbouwde groente, hij had Pete geleerd hoe je een broeibak maakt.

Jeetje, zelfs Pete was in bepaalde opzichten volwassener dan Will. Zou Will zo zijn als wij een gezin hadden? Zou hij de verantwoordelijkheid nemen?

Billy had al op zijn zeventiende de verantwoordelijkheid genomen, toen hij vader was geworden. Op zijn achttiende was hij getrouwd, vader van een zoon en soldaat. Is dat wat ze bedoelen als ze zeggen dat ze een man van iemand kunnen maken? Ik dacht aan het geduld waarmee Billy Pete timmerles had gegeven, een vader die zijn kennis overdraagt op zijn zoon. Hij maakte er geen toestand van, hij deed het gewoon. Briljant.

O god, ik wilde huilen. Gelukkig was het de laatste psalm, en even later schuifelden we allemaal naar de deur en legden we onze gebedenboeken terug op de tafel en stonden we weer buiten, verlost van de muffe lucht van mottenballen en pepermuntjes.

Zodra we thuis waren, verruilde Mrs. Brown haar goeie goed voor haar gewone kloffie. Ze stroopte haar mouwen op en begon aan de lunch.

Kijk, de zondagse lunch van mijn moeder is top. Helemaal het einde. Ze kookt altijd uitgebreid als mijn broer thuis is, en het eten is zo lekker dat ik kan vergeten dat ik eigenlijk niet van rood vlees houd – rosbief met alles erop en eraan. Maar mijn moeder kokkerelt terwijl ze intussen een halve fles rode wijn achteroverslaat, en tussendoor gaat ze aan de keukentafel zitten om de *Sunday Times* te lezen. Bij haar krijg je altijd de indruk dat het een makkie is.

Dit was echter een helse onderneming. Peggy was eindelijk haar nest uit en ze probeerde de *News of the World* te lezen. Of ze deed alsof, want volgens mij verschool ze zich alleen achter de krant. Dat duurde niet lang. Mrs. Brown zette ons aan het werk: we moesten aardappels schillen (alwéér aardappels!) en groente hakken. Ze had het kleed van de keukentafel gehaald en maakte deeg voor een taart.

'Rosie, wil jij alsjeblieft even naar de tuin gaan om wat rabarber te snijden?' vroeg ze.

Rabarber?

De achtertuin was steil, smal en verraderlijk, een soort terrasjes die omlaag liepen naar de rivier, met een trap in het midden. Aan de rommel op de trap was goed te zien dat de tuin nog niet zo lang geleden onder water had gestaan. Ik keek om me heen en probeerde me te herinneren hoe rabarber eruitziet. Lange roze stengels.

Ik liep de glibberige trap helemaal af en toen weer helemaal op, en tuurde naar de plantjes, maar ik kon niets zien wat op rabarber leek. Ik bleef zo lang weg dat Peggy me kwam zoeken. Driftig beende ze de trap af.

'Ik kan het niet vinden, sorry,' zei ik.

Ze keek me vernietigend aan en marcheerde naar een grote metalen emmer die op zijn kop stond. Ze tilde de emmer op en onthulde lange, roze stelen rabarber met lichtgroen blad.

'Hoe moet ik nou weten dat rabarber onder een emmer groeit?' zei ik.

'Hoe kom jij dan aan je rabarber?' vroeg ze op sarcastische toon. Nou, het ligt in een lang bakje van piepschuim, helemaal links in het koelvak van Sainsbury's, wilde ik zeggen, maar het leek me verspilde moeite.

Toen moest ik appels halen uit de kelderkast. Het waren appels van de grillige oude boom in de tuin en ze waren vorig jaar in de herfst geplukt. Over de uiterste verkoopdatum gesproken. De appels waren stuk voor stuk in krantenpapier verpakt, en ze voelden zacht aan. Ik schilde ze, sneed ze in blokjes, zette de pan op de rand van het kachelfornuis en bleef erin roeren totdat ze tot moes waren gekookt. Wat een hoop gedoe voor een beetje appelmoes.

Het hele maal deed me aan dat tv-spotje denken. Mrs. Brown zette het vlees op tafel en Mr. Brown sneed het in plakken. Nu hoorden we allemaal oh... en ah... te roepen. Gut, het zou een stuk makkelijker zijn geweest om gewoon met z'n allen naar de pub te gaan. Toen we ons ten slotte door het vlees heen hadden gewerkt, kwam er eindelijk een beetje leven in de brouwerij. Ik zei tegen Peggy, langs mijn neus weg: 'Hebben ze lekker eten in de Rising Sun?'

Ze keek me vuil aan. 'Hoe moet ik dat nou weten? Ik ben er nog nooit geweest.'

'O,' zei ik, 'ik dacht dat je er een keer was geweest voor een zakenlunch met de hoofdredacteur.'

'Hoe kom je erbij?' snauwde ze, en ze knalde de rabarbertaart op tafel. Ze was van streek en een beetje bleek, dus ik voelde me schuldig en liet het er verder bij. Ik had duidelijk een gevoelige snaar geraakt.

Na het eten, toen we allemaal zo vol zaten dat we niet meer konden bewegen, moesten we afwassen. Dat duurde uren. Het was te vergelijken met de pan met aangebrande pap, alleen dan tien keer zo erg, en je moest staalwol en grijs poeder gebruiken.

En dat was het. Dat was het hoogtepunt van de zondag.

Peggy kondigde aan dat ze naar een vriendin ging en weg was ze. Mr. Brown ging aan de eetkamertafel zitten om administratief werk voor de kerkgemeente te doen, en Mrs. Brown stortte zich op het strijkwerk.

O ja, en Stephens vriendin Cheryl kwam langs. Het was een kleurloos klein ding en ze was pas zeventien. Ze had een brief van Stephen bij zich om aan de Browns te laten zien. Mrs. Brown onderbrak haar strijkwerk en viste de laatste brief van haar zoon achter de keukenklok vandaan. Samen vergeleken ze de twee brieven, en Mr. Brown nam even pauze om te luisteren.

Te oordelen naar wat ik ervan meekreeg, had die jongen zijn moeder en zijn vriendin precies dezelfde dingen geschreven. Het was er heel erg warm, er was een of ander akkefietje geweest en ze hadden de hele week geen vrijaf gehad. Ze zaten nog steeds in tenten maar hoopten binnenkort naar echte barakken te verhuizen. Misschien dat zijn vriendinnetje meer kusjes kreeg dan zijn moeder. En dat was het zo ongeveer.

'Hij zal wel last hebben van de warmte,' merkte Mrs. Brown

op. 'Hij krijgt altijd jeukende uitslag op zijn rug als het warm is.'

'En in zijn knieholtes,' vulde Cheryl aan.

Uitslag van de warmte? Voor zover ik wist waren er op Cyprus rellen uitgebroken na het gedwongen vertrek van aartsbisschop hoe-heet-hij. Er werd geschoten in de straten. De hemel mocht weten wat het 'akkefietje' was waar Stephen het over had. En zijn moeder en zijn vriendin konden zich alleen maar zorgen maken over de uitslag op zijn rug.

Ik stond paf. Echt waar. Dit kon niet echt zijn.

Ik ging naar mijn kamer en liet me op mijn bed vallen. Sambo kwam achter me aan en lag spinnend naast me. Ik luisterde naar de rivier en probeerde wijs te worden uit de krankzinnige wereld waarin ik terecht was gekomen. Ik wist niet eens waar ik moest beginnen.

Ik probeer nog steeds te ontrafelen waar ik ben en waarom, maar ik ben geen stap dichterbij gekomen. Inmiddels begin ik te denken dat het geen reality-tv kan zijn. Er zijn geen camera's, geen regels, er is geen videokamer en geen commentaar van grappige stripfiguurtjes.

Het is te groot. Je kunt een huis nabootsen, een krant, zelfs een straat, maar niet een hele stad.

En dan al die mensen. Carol en Billy zijn niet Caz en Will. Ze lijken er alleen heel erg op. Precies zoals Caz en Will vermoedelijk zouden zijn geweest als ze in een ander tijdperk waren opgegroeid. Als ze bijvoorbeeld naar de jaren vijftig waren verplaatst. Ik bedoel, Caz heeft altijd gezegd dat ze geen kinderen wil, en hier heeft ze er drie, op wie ze duidelijk stapelgek is. Maar Caz mist het niet. Carol is dolblij met een baantje als kokkin op een school. Als ze niet op haar zestiende zwanger was geraakt, wat had ze dan niet allemaal kunnen bereiken?

Het is bespottelijk om Will en Caz als stel te zien. Maar Billy en Carol zijn twee handen op één buik, en ze zetten zich samen in voor de kinderen. Als het nodig was geweest, zouden Will en Caz het dan samen net zo goed hebben gerooid als Billy en Carol? Misschien. Heel erg vreemd allemaal.

Ik dacht aan de hymne die we die ochtend in de kerk hadden gezongen. Een van de regels luidde: 'wij zijn allen bewoners van tijd en ruimte.'
Helemaal waar. We denken dat we vastzitten aan één klein plekje, dat we over een smal pad wandelen, altijd in dezelfde richting, een beetje zoals treinrails. Maar stel nou dat het heel anders in elkaar zit? Stel nou dat we ons als astronauten door een gewichtloos heelal bewegen, dat we nu eens hierheen zweven, dan weer daarheen, zonder dat we zelf kunnen bepalen waar we heen gaan? Was het mogelijk dat ik werkelijk in de echte jaren vijftig terecht was gekomen?
Het was een angstaanjagende gedachte, zo angstaanjagend dat ik er niet over had willen nadenken. Maar nu weigerde ik het idee weg te stoppen. Ik moest het onder ogen zien. Ik kreeg het eerst heel warm, toen heel koud. Mijn hart bonsde en mijn huid werd klam. Ik haalde diep adem om rustiger te worden.
De echte jaren vijftig? Dat kan niet. Dat soort dingen kunnen niet gebeuren. Mensen gaan niet terug in de tijd, niet echt, niet naar een andere wereld. Dat is onmogelijk.
Maar wat kon het anders zijn?
Ik had me het hoofd gebroken over wat er met me gebeurde, ik had diverse mogelijkheden van alle kanten bekeken, maar er was één mogelijkheid die ik niet onder ogen durfde te zien.
Dat dit echt was. Dat ik op de een of andere manier was teruggegaan in de tijd. God wist hoe of waarom het was gebeurd. Maar zo langzamerhand was het de enige reële mogelijkheid. Ik herinnerde me iets uit *Het betoverde land achter de kleerkast*, toen de oudere kinderen met de professor waren gaan praten over wat Lucy over het land van Narnia had gezegd. Als je al het andere hebt geëlimineerd, zei de professor, moet dat wat overblijft de waarheid zijn.
Ik haalde nu regelmatiger adem en voelde me opeens merkwaardig kalm. Misschien was ik echt terug in de jaren vijftig. Het was niet te bevatten, maar het was het enige wat overbleef. Ik had een reis door de tijd gemaakt. Nee. Dat kon niet. Maar

hoe moest ik het anders verklaren? Hoe of waarom, dat wist ik niet, dat begreep ik niet. Het ging mijn verstand te boven. Maar ik was hier. En dat kon ik moeilijk vergeten met dat knellende ondergoed en de prikkende deken.

Dit was mijn wereld niet. Ik hoorde hier niet. Als ik bleef… jezus, dan zou ik ouder zijn dan mijn ouders. Weer golfde er paniek door me heen.

Maar nee. Diep ademhalen. Iedereen scheen te denken dat ik een paar weken zou blijven. De Browns hadden het gezegd. Richard Slijmbal Henfield had het gezegd. Dit was geen permanente uitwisseling, het was een reisje door de tijd, een vakantie in een ander tijdperk. Het was niet voor altijd. Daar moest ik me aan vasthouden.

Maar hoe zat het met mijn leven thuis? Wisten mijn ouders waar ik was? Stel nou dat ze me probeerden te bellen, en dat ze zich zorgen maakten omdat ik niet opnam? Mijn hart begon weer te bonzen. Het was niet voor altijd. Dáár ging het om. Het was niet voor altijd. Dat hoopte ik althans. En voor het geval dat, bleef ik glimlachen voor de camera's.

Als avondeten waren er sandwiches met zalm uit blik, kennelijk een lekkernij, en een cake die Mrs. Brown 's ochtends had gebakken. Geloof het of niet, ik verveelde me zó dat ik leerde breien. Echt waar. Toen *What's My Line* begon, een spelprogramma op tv, pakte Mrs. Brown de tas met breiwerk.

'Brei je veel?' vroeg ze.

'Helemaal niet,' zei ik. 'Ik heb het nooit geleerd.'

Nou! Eet ik soms baby's voor het ontbijt? Duw ik lieve oude dametjes onder auto's? Je zou denken van wel, zoals Mrs. Brown reageerde. Enfin, ze viste een paar breinaalden en wat restjes wol uit haar tas en leerde me breien. Het moest een das worden. Ik heb al bijna tien centimeter af. Tot nu toe is mijn das zwart, rood en geel, en de andere kleuren zijn afhankelijk van de restjes in Mrs. Browns breitas.

Toen ik het eenmaal onder de knie had was het eigenlijk heel rustgevend, klik, klik, klik, en intussen keek ik naar de kleine grijze mensjes op de televisie en de pantomimes die ze uitvoerden. Er zijn massa's breiende Hollywoodsterren, ja toch? Ze zeggen dat het ontstressend werkt op de set. Nu begrijp ik het pas.

Ik dacht aan Carols kinderen en hun zelfgebreide truien. Ik neem aan dat Carol dat ook nog heeft gedaan, en dat terwijl ze bijna al hun kleren zelf naait, de was op de hand doet en ook nog eens dat kleine donkere huisje schoon moet houden. Totaal anders dan Caz. Begrijp me niet verkeerd, Caz is een harde werker. Ik heb meegemaakt dat ze twaalf uur achter elkaar moest werken, zonder ook maar één keer te klagen. Maar op haar vrije dagen doet ze het liefst zo min mogelijk. Ik dacht aan hun badkamer: de massagedouche, het enorme bad, de flesjes met badolie en de kaarsen. Ik kon me niet voorstellen dat ze in een teil voor de kachel zou zitten. Maar als er geen alternatief was...

Ik was aan het eind van de rode wol gekomen en wilde even uitblazen van al die creativiteit en dat gepieker – dat is het probleem met zondagen in de jaren vijftig, te veel tijd om na te denken. Ik hoorde een merkwaardig geluid uit de keuken en ging poolshoogte nemen. Het bleek de kleine Janice te zijn. Ze droeg een groezelige, vormeloze kilt en dito trui, en ze liep met een boterham in haar hand heen en weer, haar ogen gesloten terwijl ze een gedicht opzei.

'"Is daar iemand?" zei de Reiziger,
die klopte op de maanverlichte deur.
En in de stilte klonk het grazen van zijn paard
op de varens die het had bijeengegaard.
En een vogel... en een vogel... (Hè, verdikkie.)
En een vogel vloog weg uit het torentje.'

'Above the Traveller's head,' las ik hardop toen ik het boek zag liggen.
Janice schrok zo dat ze bijna haar boterham liet vallen.
'Sorry Janice, ik wilde je niet laten schrikken. Heb je dit als huiswerk?'
'Ja, voor morgen, meteen het eerste uur. En thuis lukt het niet met al dat gekrijs.'
'Dat kun je de leraar toch gewoon uitleggen? Dan krijg je vast vrijstelling.'
'Nee, zo is ze niet. Als iets moeilijk is, vindt ze dat je gewoon beter je best moet doen. En ik zou me rot schamen, als alle an-

deren het hebben geleerd en ik niet, alleen maar omdat mijn broers de hele tijd herrie maken.'
Ik had bewondering voor haar. Zelfs met haar nieuwe kapsel – en haar haar was nu al weer vettig – was het arme ding nog het aanzien niet waard. Maar ze was vasthoudend, dat moet ik haar nageven. Ze probeerde nergens onderuit te komen, al had ze volgens mij een huis vol uitvluchten.
'Kom op, dan help ik je.'
Samen liepen we heen en weer in de keuken, terwijl Sambo tussen onze benen door kronkelde, en zeiden we het gedicht op.

> *'Maar alleen de spoken in dat eenzame huis*
> *luisterden in de stilte van het maanlicht intens*
> *naar die stem uit de wereld van de mens...'*

Totdat een trotse Janice het helemaal uit haar hoofd kende, en ik trouwens ook. Breien en gedichten uit je hoofd leren. Wat een doldwaze zondag.
Toen Janice weg was ging ik terug naar de zitkamer en ik nestelde me op de sofa voor de open haard. Een kille tochtvlaag streek langs mijn schouders en nek, terwijl mijn benen haast verbrandden in de hitte van het vuur. Ik voelde me nerveus en rusteloos, en ik kon merken dat Mrs. Brown zich aan me ergerde, dus pakte ik mijn breiwerk weer op. Zo had ik tenminste iets te doen terwijl ik bleef piekeren. Ik staarde naar de dansende vlammen en breide mijn das. En ik dacht na. Tobde me suf.
Klik klik. *'Is daar iemand?'* zei de Reiziger.
Klik klik. *Wij zijn allen bewoners van tijd en ruimte.*
Klik klik. *Als je al het andere hebt geëlimineerd, moet dat wat overblijft de waarheid zijn.*
Klik klik. *Dat kunnen ze me niet afpakken.*
Klik klik klik...

9

Misschien kwam het door het breien... Oké, misschien ook niet. Geloof me, het therapeutische effect wordt zwaar overschat. Maar op maandagochtend was ik wel een stuk rustiger. Misschien was dit gewoon een avontuur. Enerzijds was ik nog steeds in de war en bleef ik piekeren, en als ik te hard nadacht voelde ik nog steeds paniek opkomen. Maar ik klampte me vast aan het feit dat iedereen zei dat het maar voor een paar weken was. Dus was ik anderzijds gewoon nieuwsgierig, bijna opgetogen. Dit was een avontuur en ik wilde zien hoe het afliep. Het zou, bedacht ik, een geweldig verhaal zijn.

Na die dodelijk saaie zondag rende ik de volgende dag zowat naar de krant. Ik verheugde me erop weer aan het werk te gaan. Ik kwam binnen op de redactie en verwachtte dat Gordon meteen om thee zou vragen, maar hij was er niet. Niet Gordon, maar Billy stond over de grote agenda gebogen om het werk te verdelen.

'Hallo, Rosie,' zei hij, vriendelijk en beleefd, maar nog steeds als een vreemde. 'Leuk dat je er zaterdag was.'

Ik was volkomen op het verkeerde been gezet. Om de een of andere reden had ik niet verwacht dat hij op de redactie zou zijn, en ik wist me geen raad met mijn handen, wist niet hoe ik moest kijken. 'Ja, ik vond het erg leuk om Pete te zien. Wat een flinke jongen is hij.' Jemig, ik babbelde als een oud omaatje met de dominee.

'Hij kan ermee door,' zei Billy, maar hij straalde van trots.

'Luister, allemaal,' vervolgde hij. 'Gordon is een week of twee uitgeschakeld. Hij is van de trap gevallen en heeft zijn been gebroken – en voordat iemand een grapje maakt, hij was volslagen nuchter. Hij ligt in de Victoria Infirmary, en ze laten hem pas gaan als hij met krukken overweg kan. Dus het zal wel even duren voordat hij weer kan werken.'

Ik zag Gordon voor me, terwijl hij de lange, steile trap op en af hobbelde, worstelend met een paar krukken, en even, héél even maar, had ik bijna met hem te doen.

'Voorlopig neem ik zijn taak over, en ik moet het werk een beetje anders verdelen. Alan, jij gaat naar de zitting van de gemeenteraad. Vandaag valt het besluit over de ringweg, dus het is belangrijk. Tony gaat naar het kantongerecht. Derek is naar Netherton Road. Daar is een ongeluk gebeurd. Marje, ik heb jou genoteerd voor de opening van de nieuwe school door de hertog en de hertogin. Is dat goed?'

'Ik vind het best,' zei Marje.

'Wat kan ik doen?' vroeg ik.

'Dan en Doris Archer openen de bloemententoonstelling in Shire Hall, maar dat is pas om twaalf uur, dus misschien kun je tot die tijd een paar korte berichten doen.'

'Wat, van het hoorspel? Dé Dan en Doris? Wat zal mijn moeder jaloers zijn. Ze is dol op *The Archers*.'

'Ze halen het niet bij *Dick Barton*,' mompelde Marje. 'Van mij mag je ze hebben.'

Maar eerst moest ik bellen.

Telefoneren was lastig omdat er maar drie toestellen waren op de redactie, en geen ervan stond op mijn bureau. En elk gesprek ging via de telefoniste in de receptie. Je kon niet zelf een nummer draaien, je moest wachten tot je werd doorverbonden. Het voordeel hiervan was dat je niet eerst zelf het nummer hoefde op te zoeken, want dat liet je aan de telefoniste over.

Ik wachtte totdat er niemand meer op de redactie was, liep toen naar Gordons bureau, haalde diep adem en pakte de hoorn van de haak. Er klonk een klikje, gevolgd door een stem. 'Centrale!'

'Kunt u me doorverbinden met het hoofdkantoor,' vroeg ik op kordate, zakelijke toon.

'Mag ik vragen wie u bent?' vroeg de telefonist achterdochtig.

'Rosie Harford.'

Er viel een stilte en ik hoorde dat ze met een collega overlegde wat ze moest doen. Nederige verslaggevers waren niet zo brutaal om het hoofdkantoor te bellen, dat was wel duidelijk.

'Er zijn een paar details die ik met de secretaresse van lord Uzmaston moet bespreken.'

'Ooo, dan is het in orde,' zei de telefoniste, en heel veel klikjes later had ik een andere telefoniste aan de lijn, die klonk alsof ze op Mars zat, of onder water.

'U spreekt met Rosie Harford van *The News*. Ik heb een paar vragen over mijn aanstelling en ik wil graag even overleggen met de persoon die alles heeft geregeld.'

'Weet u de naam van die persoon, miss?'

'Nee, het spijt me.'

'Dan verbind ik u door met het kantoor van lord Uzmaston.'

Mooi. Dat klonk veelbelovend. De telefoon werd opgenomen door een vrouw met een ongelofelijk bekakt accent. Ik kon gewoon hóren dat ze parels droeg. Zo'n soort stem had ze. Ik herhaalde mijn verzoek.

'En wie is de persoon die dit heeft georganiseerd?'

Jakkes. Daar ging mijn zakelijke verhaal.

'Het spijt me, dat weet ik niet precies. Het was een jongeman, de assistent van lord Uzmaston, als ik me niet vergis.'

'Aha. Dat moet Mr. Simpson zijn.'

'Kan ik hem alstublieft even spreken?'

'Nee, helaas niet. Hij is de komende twee weken niet op kantoor.'

'Is er misschien iemand anders die er iets van weet?'

'Niet als Mr. Simpson het heeft geregeld, nee.'

'Heeft Mr. Simpson een secretaresse? Heeft u een afdeling personeelszaken? Wie is er verantwoordelijk voor banen en stages? Er moet toch íémand zijn.'

'Dat ben ik zelf. Als ik niets weet over deze... deze aanstelling... dan ben ik bang dat niemand iets weet. U zult echt moeten wachten tot Mr. Simpson terug is. Ik kan u verder niet helpen.'

En toen legde ze neer. Geweldig. Nóg twee weken voordat ik de duistere Mr. Simpson te spreken kon krijgen. Nóg twee weken voordat ik kon proberen de mysterieuze situatie waarin ik verzeild was geraakt te ontrafelen. Ik was gefrustreerd en wist me eerlijk gezegd geen raad.

Toen kreeg ik een idee. Ik begon het nummer van mijn ouders te draaien. Misschien waren ze er gewoon. Misschien waren ze ook wel hier. Misschien konden ze zorgen dat alles weer goed kwam. Ik heb ze in het verleden zo vaak gebeld als ik autopech had of ziek was of als de geldautomaat mijn pinpas had opgeslokt. En dan kwamen ze, de een of de ander of allebei, en zorgden ze dat alles weer goed kwam. Ik was een keer ziek toen ik nog studeerde, en ze kwamen midden in de nacht naar me toe, wikkelden me in mijn dekbed en namen me mee naar huis. Ik weet nog goed hoe ik me voelde toen ze er waren, de immense opluchting omdat ik me vanaf dat moment kon laten gaan. Zij zouden voor me zorgen. Zij zouden me helpen. Misschien konden ze me nu ook wel uit de brand helpen...

Het duurde even voordat ik me hun nummer kon herinneren; ik was het zo gewend om 'thuis' in te toetsen op mijn mobieltje. Maar dat maakte niet uit. Ik had de eerste drie cijfers nog niet gedraaid of ik werd onderbroken door een bazige stem. De telefoniste. 'Wat kan ik voor u doen? Welk nummer wilt u bellen?'

'Het is niet belangrijk,' zei ik verslagen. Toen wist ik het weer. Opeens was ik weer klein, vijf of zes jaar oud, en ik lag bij mijn ouders in bed. In die tijd hadden ze een donkerrode telefoon met een draaischijf en die stond op het nachtkastje. Er zat een plakker op met het nummer.

'Een ogenblik. Wacht even. Kunt u me doorverbinden met...' Ik deed mijn ogen dicht en probeerde me die oude telefoon voor te stellen, probeerde te lezen wat er op de plakker stond. 'Barton 463, graag.'

'Een ogenblik, miss.'

Er klonken klikjes en geruis. Ik hield mijn adem in, hoopte vurig dat mijn moeder of vader zou opnemen en dat alles op miraculeuze wijze weer goed zou komen.

Maar nee.

'Sorry, miss, ik kan u niet doorverbinden. Dat nummer is niet in gebruik.'

Nee. Dat had ik ook niet verwacht. Maar het was de moeite van het proberen waard geweest. Toch voelde ik me wanhopig en bitter teleurgesteld. Ik had zó gehoopt dat mijn ouders alle verwarring hadden kunnen wegnemen. Maar ik was geen kind meer, ik moest flink zijn. Ik snoot mijn neus en ging weer aan het werk, blij met de afleiding van die saaie korte berichten, totdat ik besefte dat ik door het ontbreken van Gordons geblafte bevelen was vergeten thee te zetten. Ik had nog net tijd om een kop te drinken voordat ik weg moest voor mijn ontmoeting met Dan en Doris. Ik liep net naar de gang om water op te zetten toen de telefoon ging.

'Redactie,' zei ik gewichtig, maar ik was net zo zenuwachtig als tijdens mijn eerste stageweek, jaren geleden.

'U spreekt met Ron Neasham, de kioskhouder in Friars' Mill,' zei een stem. 'Bent u op de hoogte van wat hier aan de hand is?'

'Nee, Mr. Neasham, ik ben niet op de hoogte,' zei ik. 'Waar gaat het over?'

'Nou, het wemelt hier van de politie, met honden en al. Volgens mij wordt er een kind vermist.'

'Een kind? Weet u het zeker? We hebben vanochtend nog met de politie gebeld, en die hebben niets gezegd.'

'Ik denk dat het net pas is gebeurd. U kunt beter zelf komen kijken.'

'Dat zullen we zeker doen, Mr. Neasham. Bedankt.'

Hij had al neergelegd, en net op dat moment kwam Billy weer binnen.

'Er wordt een kind vermist in Friars' Mill,' zei ik tegen hem. 'Ene Ron Neasham belde net om te vertellen dat er veel politie op de been is.'

'Goeie kerel, Ron,' zei Billy. 'Hij werkte vroeger voor ons als chauffeur, dus hij geeft ons vaak tips door. Vreemd dat de politie er vanochtend niets over heeft gezegd.'

'Dat heb ik ook tegen hem gezegd.'

Billy keek wanhopig om zich heen, op zoek naar iemand die hij erheen kon sturen. Maar die was er niet. Ik was als enige op kantoor.

'Rosie, jij gaat naar Friars' Mill en je probeert zo veel mogelijk informatie te verzamelen. Bel me zodra je iets weet.'

'Okido.' Ik griste mijn handtas van mijn stoel en stond al buiten voordat hij zich kon bedenken. Ik zou Dan en Doris mislopen, maar wat donderde het – ik had nog vijftig jaar de tijd.

Friars' Mill was een kilometer of drie buiten de stad. Lopend zou ik er minstens drie kwartier over doen, en tegen die tijd zou de hoofdinspecteur alweer hoog en droog terug zijn op het bureau. Shit!

Toen dacht ik aan Dan en Doris. George was erheen om een foto te nemen. Ik stoof naar Shire Hall en wurmde me door de menigte om hem te zoeken.

'Zijn ze er al?'

'Ze komen er net aan,' zei George.

'Neem zo snel mogelijk een foto en dan moeten we er als de wiedeweerga vandoor. Doe het gewoon, George. Alsjeblieft.'

Dan en Doris zagen er eerder uit als acteurs dan als een boer en zijn vrouw. Het zat mee, want halverwege de trap van Shire Hall bleven ze staan om naar de menigte te zwaaien, en een kindje kwam ze een pluchen lam brengen. George schoot zijn plaatje. En even later zaten we in de bestelwagen en jakkerden we naar Friars' Mill.

Nu is het kennelijk een deel van de stad. Ik weet dat er een Friars' Mill Road is, maar daar houdt het mee op. Al zei de naam me wel iets, en dat bleef aan me knagen. Ik was de naam eerder tegengekomen, alleen wist ik niet waar of waarom.

Hoe dan ook, het dorp waar ik met George heen ging, lag buiten de stad. Ook hier was een dorpsweide, en verder een rivier met een dam erin, een eendenvijver en een rijtje cottages. Op de weide stonden een paar zwarte auto's, en ik zag politieagenten in ouderwetse uniformen, die voor een van de cottages stonden en met iemand in gesprek waren.

Toen viel mijn oog op een soort legerhutje van golfplaat, met een rek vol kranten ervoor, en zakken aardappels en gasflessen. De voorloper van de supermarkt. Dat moest de kiosk van Ron Neasham zijn. We liepen erheen. Ron was bezig met zijn boekhouding, maar hij keek enthousiast op toen hij George en zijn camera zag en besefte wie we waren.

'Het is het kleine meisje uit het herenhuis, de dochter van de huishoudster,' kondigde hij gewichtig aan, apetrots op de belangrijke rol die hij speelde. 'Ze is vanochtend om ongeveer halfnegen naar school gegaan, net als anders. Om halfelf ging haar moeder naar de school om haar mee te nemen naar de tandarts, en ze was er niet. Nooit aangekomen. Ik heb gehoord dat Joyce Williams, de moeder van de kleine Susan, de andere kinderen heeft gevraagd of iemand haar had gezien, en toen vertelde Charlie, een van de kleintjes, dat ze door een oude man in een bestelwagen was getrokken. Hij had het zelf gezien.'

'Wat! Waarom heeft hij dat dan niet meteen gemeld?'

'Het jochie is pas vijf.'

Ik maakte driftig aantekeningen in mijn blocnote terwijl hij praatte.

'Toen de directrice het hoorde, heeft ze meteen de politie gebeld, en die zijn direct gekomen. Ze zijn nu in het herenhuis, en die twee agenten daar gaan van deur naar deur om de mensen te vragen of ze misschien iets weten. Voor zover ik weet heeft niemand iets gezien, behalve dat kleine jochie.'

'En als hij pas vijf is, zuigt hij het misschien wel uit zijn duim.'

'Misschien, misschien. Als jullie de hoofdinspecteur willen spreken, volgens mij is hij nu in het herenhuis. Daar is de ingang.'

Hij wees op een indrukwekkend hek aan de andere kant van de weide. 'Het huis zelf is nog zo'n zevenhonderd meter lopen.'

'Prima, Ron.' Ik stopte de blocnote weer in mijn tas. 'Reuze bedankt. Je bent een held.'

'Ach, ik vind het gewoon leuk om m'n ouwe maten te helpen,' zei hij glunderend.

Ik liet George een foto maken van de weide, met de agenten op de achtergrond. Toen liepen we over de oprijlaan naar The Grange. Het was een groot herenhuis, net geen kasteel, maar behoorlijk indrukwekkend. Aan de voorkant liep de oprijlaan rond goed onderhouden gazons. Ik zag een tennisbaan, en meende stallen en een omheinde weide te zien.

'Laten we maar op zoek gaan naar de dienstingang,' stelde George voor.

We liepen om het huis heen, langs twee kleine cottages, en kwamen uit bij een grindpad aan de achterkant, waar een grote zwarte auto stond. Een jonge politieman hield de wacht.

'Pers,' zei ik zelfverzekerd. 'Van *The News*.'

'Jemig, jullie zijn er snel bij,' zei de agent. Hij had roze wangen en leek een jaar of zestien.

'Is de hoofdinspecteur hier?'

'Hij is binnen, maar ik denk niet...'

'Bedankt,' zei ik, en ik ging naar binnen, met George in mijn kielzog.

We kwamen binnen in een kamer met allemaal oude jassen en rubberlaarzen en hondenmanden, en liepen verder door een gang totdat we stemmen hoorden. Die volgden we naar een enorme keuken met een hoog plafond. In de deuropening bleven we staan, en een jonge vrouw stormde op me af.

'Hebben jullie haar gevonden?' vroeg ze. 'Hebben jullie Susan gevonden?'

'Nee, het spijt me. We zijn van *The News*. Iemand heeft ons gebeld om te vertellen wat er is gebeurd,' zei ik snel, voordat de hoofdinspecteur ons eruit kon gooien. 'Misschien kunnen we helpen.'

'Helpen? Hoe dan?'

Een statige dame met grijs haar en een kaarsrechte rug stond voor een Aga fornuis. Ze was duidelijk de dame des huizes. Later hoorde ik dat ze Caroline Cavendish was.

'Mijn verontschuldigingen,' zei ik zo beleefd mogelijk. Ik probeerde tegelijkertijd vriendelijk, bezorgd, onschuldig en behulpzaam over te komen. Toen ik zag dat de hoofdinspecteur aanstalten maakte om in te grijpen, richtte ik me snel tot de huishoudster.

'Ik weet zeker dat Susan rond theetijd weer thuis is,' zei ik. 'De hoofdinspecteur heeft u ongetwijfeld verteld dat bijna elk vermist kind na een paar uur zelf weer naar huis komt, ongedeerd.'

Joyce frunnikte aan haar zakdoek, snufte en zei ja, dat had hij inderdaad gezegd, en ze hoopte dat hij gelijk had.

'Ze komt vast en zeker uit eigen beweging terug. Maar we kunnen voor de zekerheid, als een soort vangnet, een stukje in de krant zetten, en dan zijn er morgenochtend om zes uur honderdduizend mensen die naar haar uitkijken. Als we een foto van haar plaatsen, weten mensen hoe ze eruitziet en waar ze op moeten letten.'

'Ze heeft gelijk,' zei de hoofdinspecteur. 'In dit soort gevallen kan de pers erg nuttig zijn.'

Joyce keek haar werkgeefster smekend aan. 'Als u denkt dat het een goed idee is, Mrs. Cavendish.'

Ik draaide me opzij naar de hoofdinspecteur. 'Hoe snel geeft u een persconferentie?'

Glazig staarde hij me aan. 'Persconferentie?'

Nee, natuurlijk niet, geen persconferentie. Geen reconstructie, geen foto's voor iedereen, geen interviews op radio en tv. Ik kreeg een foto op het buffet in het oog, duidelijk gemaakt door een schoolfotograaf. Een klein meisje met blonde vlechten en een grijns die gaten in haar gebit liet zien, haar armen over elkaar geslagen boven een indrukwekkend dikke encyclopedie. 'Is dat Susan?'

'Ja,' zei de moeder. Ze griste de foto naar zich toe en hield hem tegen zich aan.

'Misschien,' zei ik voorzichtig, 'mag mijn collega George hem even van u lenen, dan kan hij er een foto van maken en hebben we een kopie. Wees maar niet bang, we halen hem alleen even uit de lijst, en dan krijgt u hem meteen weer terug. Dat kan toch, George?

En terwijl jullie daarmee bezig zijn, heeft u, hoofdinspecteur, misschien even tijd om mee naar buiten te gaan?'

Buiten vatte hij de details van de zaak voor me samen. 'Kleine Charlie dacht dat Susan op hem stond te wachten, begrijpt u wel. Toen verscheen er een bestelwagen, een grijze, zegt hij, die heel hard reed. Een "dikke" man stapte uit, schreeuwde iets, sleurde Susan de auto in en scheurde weer weg.'

'Denkt u dat zijn verhaal klopt?'

'Waarschijnlijk wel. Zeker weten we het natuurlijk niet. Hij is pas vijf, en het zou kunnen dat hij dingen door elkaar haalt. Maar hij houdt vol dat het zo is gegaan, en zijn verhaal is consistent. Hij denkt dat de auto uit het bos kwam.'

'Kan dat?'

'Er is geen weg door het bos, maar wel een pad, en met dit droge weer is dat goed begaanbaar. Hobbelig, maar wel begaanbaar.'

'Enig idee van wie de auto zou kunnen zijn?' vroeg ik.

'Nee. Van grijze bestelwagens zijn er dertien in een dozijn.'

'Wie woont er in The Grange?'

'De familie Cavendish. U heeft mevrouw Cavendish gezien. Kolonel Cavendish, haar man, is doordeweeks in Londen. Ze hebben een dochter op kostschool, en een zoon, Jeremy. Hij studeert in Oxford, maar hij heeft vakantie en is nu thuis. Gisteravond is hij naar een vriend in Upper Middleton gegaan. Daar is hij kennelijk blijven logeren en hij is nog niet thuis. De familie heeft geen grijze bestelwagen.'

'Hoe gaat het nu verder?'

'Ik denk nog steeds dat Susan rond etenstijd wel weer thuiskomt. Het is verbijsterend hoeveel kinderen bedenken dat ze naar huis moeten als ze honger krijgen. Ze is waarschijnlijk verdwaald, of ze had vandaag een proefwerk of zoiets.'

'En als ze niet thuiskomt?'

'In dat geval beginnen we met een grote zoektocht, gezien het verhaal van dat jongetje. Maar ik weet zeker dat het niet nodig zal zijn. Weet u genoeg?'

'Bedankt, hoofdinspecteur.'

Ik ging weer naar binnen en maakte een babbeltje met Susans moeder Joyce. Susan had nog nooit een dag school gemist, was zelfs nooit te laat geweest, ze vond het heerlijk op school, kon goed leren, en wilde zelf schooljuf worden. Ze zou toch snel weer thuiskomen?

Natuurlijk komt ze snel weer thuis, heus.

'Zo,' zei George. 'Wat nu? Ik heb een kopie van de foto. Ik heb de politie en haar moeder. Wil je nog blijven?'

'Nee, dat is niet nodig. Bovendien moet ik Billy vertellen wat er aan de hand is.' Automatisch wilde ik mijn mobieltje pakken, en ik bedacht tegelijkertijd dat het zinloos was. Ik zag een vrouwelijke agente aankomen over de oprijlaan, hand in hand met een klein jongetje, ongetwijfeld Charlie. Het was inmiddels kwart voor vier. Bijna theetijd. Nu maar hopen dat Susan honger had. George en ik stapten net in zijn bestelwagen (gelukkig een zwarte, geen grijze), toen ik een jonge politieman als een steratleet over de oprijlaan zag rennen. Zijn helm wipte op en neer en zijn lange jas wapperde achter hem aan. 'Chef, chef!' riep hij naar de hoofdinspecteur, die net samen met de agente en Charlie het tuinmanshuis binnen wilde gaan.

De jonge agent bleef staan, zo buiten adem dat hij vooroverboog, en richtte zich weer op. 'Chef, we… we hebben een stoffelijk overschot gevonden.'

'O, nee,' zei de hoofdinspecteur, en hij trok bleek weg. 'Niet Susan.'

'Nee, chef, niet Susan. Het is een jongeman. We denken dat het Jeremy Cavendish is. Hij is doodgeschoten.'

In een flits was ik uit de auto, maar de hoofdinspecteur stak een hand op, nu niet langer vriendelijk maar grimmig en autoritair.

'Nee, ik heb niets te zeggen voordat ik zelf meer weet. Ik moet u verzoeken weg te gaan. Als ik iets te vertellen heb, bel ik de krant.'

'Maar...'

'Alstublieft. Ga weg. Nu.'

Ik moest toch met Billy praten, en George moest de foto's ontwikkelen.

We scheurden over de oprijlaan, mijn tanden ratelend in dat hobbelende autootje. Ik dacht aan de statige, grijsharige vrouw die voor de Aga had gestaan en haar huishoudster had geholpen bij het gesprek met de autoriteiten. Nu was haar zoon dood.

Terug bij de krant stoof ik de stoffige houten trap op. Billy was aan de telefoon en maakte aantekeningen in een blocnote terwijl hij luisterde. Heel erg Will. Maar ik had geen tijd om daaraan te denken en zwaaide om zijn aandacht te trekken. Hij maakte snel, maar zeer beleefd, een einde aan het gesprek. Ik vertelde hem wat er was gebeurd, zo vlug, helder en professioneel mogelijk.

Billy luisterde aandachtig, dacht even na, en zei toen: 'Schrijf je verhaal over het vermiste meisje, maar zeg nog niets over het stoffelijk overschot voordat we de officiële bevestiging hebben.' Hij draaide zich om naar de andere verslaggever. 'Derek, ben jij klaar?'

'Zo goed als.'

'En ben je met de motor?'

'Uiteraard.'

'Mooi, dan ga jij naar Friars' Mill. Zorg dat je Watkins niet ergert, maar probeer meer aan de weet te komen over dat lijk. Er komt uiteraard een lijkschouwing om het te identificeren. We moeten precies weten wat er aan de hand is.'

'Maar het is mijn verhaal!' protesteerde ik.

'Dat weet ik, Rosie, en ik pak het je echt niet af. Dit is teamwerk. Schrijf zo snel mogelijk je stuk.'

Ik typte zo snel mogelijk, met al dat stomme carbonpapier. Ik was net klaar, en toen herinnerde ik me opeens iets.

Voordat dit rare Narnia-achtige avontuur begonnen was, toen ik in het archief in de gebonden kranten van de jaren vijftig snuffelde, was ik een klein stukje tegengekomen. Een meisje van zestien was verdronken in de rivier beneden aan de molenkolk in Friars' Mill. Ik herinnerde het me alleen omdat het zo'n klein stukje was geweest, zo'n triest aandenken aan een jong leven, en omdat haar dood was toegeschreven aan een ongeluk, terwijl ik door de manier waarop het was geschreven had gedacht dat het geen ongeluk maar zelfmoord moest zijn geweest.

'Friars' Mill,' zei ik tegen Billy. 'Is daar niet kortgeleden een jong meisje verdronken?'

'Ja,' zei Billy. 'Ik ben bij de zitting over de lijkschouwing geweest. Ze was pas zestien. En ze was zwanger, maar dat heeft niet in de krant gestaan. Het leed geen twijfel dat ze zelfmoord had gepleegd, maar de jury wilde de gevoelens van haar ouders sparen en verklaarde dat het een ongeluk was geweest.'

'Zwanger en in de steek gelaten?'

'Ja.'

'Weten we wie de vader was?'

'Nee, dat was niet opgehelderd. Een vriendin van haar verklaarde tijdens de zitting dat ze in de piepzak had gezeten. Het vriendje kwam blijkbaar uit een goede familie. Hij studeerde, maar weigerde zijn studie op te geven om met haar te trouwen omdat zijn ouders het nooit goed zouden vinden. Hij wilde het niet eens overwegen.'

'Een student? Uit een goede familie?' Ik keek Billy aan.

Hij keek terug. 'Jeremy Cavendish?'

'Dat zou verklaren waarom ze het in Friars' Mill heeft gedaan. Pal onder zijn neus. Wie was dat meisje? Weet je nog hoe ze heette?'

Billy fronste. 'Amy en nog iets. Amy... Amy... Ze was een boerendochter, woonde aan de andere kant van het dorp, als ik me niet vergis. O,' riep hij geërgerd en hij sloeg uit pure frustratie met een hand op zijn bureau, 'kon ik me haar naam maar herinneren!'

Vandaag de dag zou je gewoon 'Amy zestien zelfmoord' intikken op een zoekmachine, en dan stond het hele verhaal binnen een paar seconden op je scherm.

Niet in de jaren vijftig.

Billy liep naar een plank aan de achtermuur van de redactie en begon in ingebonden oude kranten te bladeren. Hij sloeg de pagina's snel om. Intussen rende ik naar boven naar de bibliotheek. Daar stonden archiefkasten vol bruine enveloppen die knipsels bevatten. Ik vond een dikke envelop met 'Friars' Mill' erop en ik schudde de knipsels op een bureau. Er waren knipsels over tuinfeesten in The Grange, over archeologische opgravingen, over de grootste prei die iemand ooit had gekweekt, de kermis, een omgekieperde melkauto en de Vereniging van Huisvrouwen, die narcissenbollen had geplant. Maar helemaal niets over een zestienjarig meisje dat 'per ongeluk' in de rivier was gevallen.

'Rosie!' Billy stormde de trap op. 'Ik weet het weer. Ze heette Amy Littlejohn, en haar vader heeft een kleine boerderij op ongeveer drie kilometer van Friars' Mill.'

'Een boer heeft waarschijnlijk een geweer, denk je ook niet?'

'Ja. Het kan natuurlijk dat we helemaal op het verkeerde spoor zitten.'

'Natuurlijk kan dat,' beaamde ik, 'maar dat zou wel erg toevallig zijn. Wat doen we?'

'Phil heeft nachtdienst. Hij is er al. We kunnen hem erheen sturen om een kijkje te nemen. Of...' Hij grijnsde. Mijn hart maakte een sprongetje. Het was een echte Will-grijns. 'Of we kunnen zijn motorfiets lenen en zelf gaan.'

'Alleen maar om een kijkje te nemen,' zei ik.

'Uiteraard.'

'Waar wachten we nog op?'

Vijf minuten later zat ik achter op de geleende motor, mijn handen op Billy's schouders, en scheurden we ronkend weg van de binnenplaats van *The News*, op zoek naar het verhaal.

10

Het was heel lang geleden dat ik voor het laatst achterop had gezeten op een motor – niet meer sinds ik een rocker als vriendje had toen ik een jaar of vijftien was – en het is verbijsterend hoe kwetsbaar je je voelt zonder helm. En hoe ongemakkelijk je zit, als je een rok en kousen draagt. Die wind...

We scheurden rond bochten en over smalle landweggetjes, en ik wilde het liefst mijn armen om Billy heen slaan, hem stevig vasthouden, mijn hoofd tegen zijn schouder leggen. In plaats daarvan hield ik me zo losjes mogelijk vast, en ik schoof zo ver mogelijk bij hem vandaan, kaarsrecht en kuis. Denk maar aan Audrey Hepburn in *Roman Holiday*. Oké, misschien niet.

De wegen werden steeds slechter en Billy moest langzamer gaan rijden. Zoekend keek hij om zich heen in de vallende duisternis. 'Volgens mij is het hier ergens.'

We stapten af. Ik was nu al stijf en ik had het ijskoud. Billy zette de motor voor een uitrit en wees naar de overkant van de weg. 'Littlejohns boerderij is daar beneden, als ik het me goed herinner.'

Een kort, steil en modderig pad kronkelde omlaag naar een dal, en daar stond een boerderijtje. Zelfs in de schemering zag het er deprimerend uit. Het huis was ooit, lang geleden, wit geweest, maar nu was het smerig en gevlekt, alsof het een enge ziekte had. De ramen waren groezelig en de gordijnen hingen half los. Op het modderige erf lag een stapel houtblokken en er slingerde gereedschap rond, alsof iemand het lukraak had laten vallen. Alles ademde een geest van verwaarlozing en wanhoop.

We stonden er zwijgend naar te staren, en opeens hoorde ik nog geen meter van me vandaan zwaar gehoest. Ik schrok me wild en slaakte een kreet. 'Wat is dat? Wíé is dat?'

Billy grinnikte. 'Het is maar een koe,' fluisterde hij. 'Heb je nooit een koe horen hoesten?'

'Geloof me of niet, maar volgens mij niet.'

Billy was naar een hek gelopen en probeerde het open te krijgen. Het was nauwelijks een hek te noemen, het waren alleen een paar roestige ijzeren spijlen, en die duwde hij opzij. 'Kom. Hier vandaan kunnen we de boerderij beter zien.'

Hij pakte mijn hand – het was heerlijk om zijn hand rond de mijne te voelen – en voerde me mee naar het veld. Mijn voet zakte weg in een weerzinwekkende smurrie en kwam met een zuigend geluid los. 'Jakkes!' mopperde ik, rillend bij de gedachte aan wat het kon zijn geweest. Beneden ons hoorden we een hond een paar keer gesmoord blaffen.

'Kijk!' zei Billy opeens. In een van de schuren, niet te zien vanaf de weg, stond een bestelwagen, een kleine grijze bestelwagen. 'Toeval?' zei hij droog.

'Dertien in een dozijn, zei de hoofdinspecteur.'

'Misschien, misschien.'

'Wat doen we nu? Gaan we naar de politie?'

Als ik mijn mobieltje had gehad, had ik ze gewoon kunnen bellen. Fluitje van een cent. In plaats daarvan stond ik in het donker op een of ander afgelegen veld, ver van de bewoonde wereld vandaan, met waarschijnlijk een moordenaar en kidnapper vlakbij, en mijn ene voet tot aan de enkel onder de koeienstront. Leuk hoor.

Er gebeurde iets in het huis. We zagen een beweging achter het raam, en toen ging er licht aan, een zachte gloed. Van een olielamp, besefte ik. Iemand liep ermee door de kamer, en heel even zag ik twee schaduwen. Een grote en een heel erg kleine. De kleine had vlechtjes...

'O god, Billy, dat moet Susan zijn. Hij heeft haar te pakken. Wat moeten we nu doen?' siste ik.

Billy was kalm en rationeel. 'Het kan een heel gewone boer zijn, met zijn dochter of kleindochter. We hebben geen reden om te denken dat het Susan is. Alleen een aaneenschakeling van toevalligheden. Aan de andere kant, als het wél Susan is, mogen we haar niet in de steek laten. God weet waar Littlejohn toe in staat is. We moeten hulp halen. Ik heb een andere boerderij gezien, ruim een halve kilometer terug. Misschien hebben zij een telefoon. Ga erheen en bel de politie. Vertel ze het hele verhaal, dan kunnen ze zelf komen kijken.'

'Is het goed dat ik de motor neem? Als die mensen geen telefoon hebben, kan ik meteen doorrijden naar de stad.'

Billy keek me snel aan. Zelfs in het donker kon ik zien dat hij grijnsde. 'Kun je op een motor rijden?'

'Ik denk het wel.'

'Nou, wees voorzichtig, meisje. Hier.' Hij gaf me de sleutels.

Ik draaide me om en liep tegen de helling op naar het roestige hek en de weg. Weer gleed ik uit, en ik slaakte een kreet, stommeling die ik ben. De hond werd gek. Het was alsof hij zei: ik dácht al dat ik iets hoorde, en nu weet ik het zeker. Ik kon het rinkelen van zijn ketting horen. Hij blafte zo woedend en trok zo hard aan zijn ketting dat hij zichzelf zowat keelde. Het was een vreselijk geluid. Ik bad dat de ketting sterk genoeg was.

Toen werd de deur van de boerderij opengerukt. In de deuropening, van achteren beschenen door de olielamp, stond een man, een reus van een man. Hij had een geweer in zijn handen en dat richtte hij op ons.

'Wie zijn jullie?' brulde hij. 'Laat zien wie jullie zijn, anders stuur ik de hond op jullie af.'

We bleven allebei stokstijf staan, durfden geen vin te verroeren, durfden niet te ademen, hoewel mijn hart zo hard bonsde dat hij het volgens mij moest kunnen horen.

'Rennen!' siste Billy. 'Rennen!'

Ik deed een paar stappen, maar toen kwam de boer naar buiten het erf op, en hij begon tegen de heuvel op te klauteren. Voor een grote man was hij erg snel, hij kwam met grote, soepele passen de heuvel op. En nu kon hij ons goed zien.

'Niks ervan,' zei hij, het geweer op zijn schouder, klaar om te schieten. 'Blijf waar je bent, anders schiet ik.'

Ik draaide me om en liep terug naar Billy. Ik kon het vochtige gras en de koeien ruiken. En nog iets wat ik niet kon benoemen, waarschijnlijk mijn eigen angst.

De boer was vlak voor ons blijven staan. Een reus. Hij was meer dan een meter tachtig lang en bijna net zo breed, hoewel zijn kleren om zijn lijf slobberden. Zijn tweedjasje wapperde in de wind.

'Naar beneden,' beval hij, wijzend met zijn geweer. 'Naar het erf met jullie.'

Billy stak een hand omhoog, waarschuwde me om niet te pro-

testeren. We glibberden langs de helling omlaag. De boer gebaarde dat we naar binnen moesten gaan en hield ons onder
schot. De hond stoof op ons af en gromde dreigend. Het bezorgde me de rillingen.

We strompelden naar binnen. Het stonk er. Het stonk er een uur
in de wind. We stonden in de keuken, maar het grote kachelfornuis tegen de muur brandde niet. In het zwakke schijnsel van
de olielamp zag ik een stapel kranten op een stoel, en een jute-
zak en twee roestige emmers op de vloer. Een stuk gereedschap
lag in onderdelen op de smerige tafel, met een stapel patroon-
hulzen ernaast. Er stond ook een bijna lege fles whisky. En in de
hoek, net buiten de kring van licht, ineengedoken op een kist,
zat een klein meisje met vlechtjes, haar schouders schokkend van
het huilen.

'Susan?' vroeg ik. 'Susan?'

Het meisje keek me aan, met doodsbange ogen, haar armen rond
haar opgetrokken benen geslagen.

'Hou op met dat stomme gegrien!' schreeuwde de boer.

'Ze is bang.' Billy zei het op een redelijke, neutrale toon, alsof
hij een opmerking maakte over het weer.

'Ze hoeft niet bang te zijn. Ik doe haar heus niets.'

'En ze heeft het koud,' zei Billy terwijl hij zijn jasje uittrok. 'Mogen we dit om haar heen slaan? Zodat ze weer een beetje warm
wordt? Dan houdt ze misschien op met huilen.'

De boer gromde iets. Billy vatte het op als instemming en gooide zijn jasje naar mij. Zonder naar de boer met zijn geweer te
kijken – ik was doodsbang – liep ik naar de kist en ik sloeg het
jasje om Susan heen. Ze klampte zich aan me vast, en ik kwam
naast haar zitten. Ik kon voelen hoe erg ze trilde. Ik sloeg mijn
armen om haar heen, deels om haar warmte te geven en deels
om haar te troosten, zodat ze Littlejohn niet meer zou ergeren
met haar gesnik.

Om wat voor reden dan ook kwam ze tot bedaren. Ik voelde dat
ze nog steeds trilde toen ze tegen me aan kroop, maar ze huilde
niet meer zo erg. Het was voor ons allemaal een opluchting.

Billy stond daar in zijn hemdsmouwen. Hij droeg bretels. Hij
maakte een ontspannen, zelfverzekerde indruk. Zijn optreden
was indrukwekkend. 'Zo, dat is beter, vindt u niet?' zei hij te-

gen Littlejohn. 'Ze is nog zo klein. Waarom heeft u haar mee naar huis genomen? Waarom heeft u een geweer?'

De boer richtte het nog steeds op ons. Ik durfde me niet te bewegen, bleef alleen door de ruwe tweed van Billy's jasje heen over Susans rug strijken. Het was alsof ik een paard of een bange hond tot bedaren moest brengen. Ik moest niet alleen het meisje kalmeren, maar ook mezelf. Littlejohn was zo boos, zo onvoorspelbaar.

'Ze heeft me gezien.'

'Ze heeft u gezien?' herhaalde Billy, nog steeds op een kalme, u-hoeft-alleen-te-antwoorden-als-u-dat-zelf-wil-toon. 'Was dat erg?'

'Ze zag dat ik uit het bos kwam. Ze zag mijn auto. Zeg,' zei hij, en hij richtte het geweer op Billy's borst, 'wie ben jij eigenlijk? Wat doe je hier?' Hij keek Billy argwanend aan. 'Ik ken je gezicht. Ik heb je eerder gezien. Ik weet het al! Jij bent die verslaggever van *The News*. Jij was bij de zitting van de rechtbank, hè?'

'Dat klopt, Mr. Littlejohn, daar was ik bij. Het was een trieste gebeurtenis. Ik condoleer u met uw verlies.'

'Ze was een lieve meid. Zo zorgzaam. Na het overlijden van haar moeder...'

'Was dat lang geleden?'

'Amy was pas acht toen Megan overleed. Ze heeft haar best gedaan om voor haar te zorgen, ze deed haar best om voor mij te zorgen...' Hij keek nog steeds naar Billy, bleef het geweer op hem gericht houden, maar zijn ogen en gedachten waren elders. Ooit, lang geleden, had iemand geprobeerd de keuken gezellig te maken. De gordijnen, nu half losgeraakt, waren gemaakt van een vrolijke gebloemde stof. Het kussen op de kist waar ik op zat was smerig en rafelig, maar het was ooit een kleurig patchwork geweest. Hier had een vrouw gezeten, misschien naast het grote fornuis toen het nog glom en warmte gaf, en bij het licht van de olielamp had ze een bontgekleurd kussen gemaakt om de keuken van haar gezin op te fleuren.

Het buffet lag bijna helemaal vol met stukken gereedschap en oude kranten, maar aan de haken van de bovenste plank hingen nog een paar bekers. Er was een beker bij met een afbeelding van koningin Elizabeth, ter ere van haar kroning. Amy moest die beker hebben opgehangen, jaren na de dood van haar moeder, toen ze haar best had gedaan om in haar eentje het huishouden te bestieren.

'Megan had kanker,' zei de boer, alsof hij het belangrijk vond dat Billy hem begreep. 'Ze heeft er zo lang over gedaan om te sterven, vreselijk lang. Als ze een dier was geweest zou ik haar de kogel hebben gegeven om haar uit haar lijden te verlossen. Maar ik moest toekijken en ik kon niets doen.'

'Dat moet een zware tijd zijn geweest. Zowel voor u als voor haar.'

Littlejohn keek Billy scherp aan, maar Billy klonk volkomen oprecht, open en eerlijk.

'Dus toen bleven Amy en u over?' vroeg Billy, waarbij hij Littlejohn strak bleef aankijken.

'Ja, en ze heeft haar best gedaan. Aan mij had ze niets, dat weet ik. Dat meisje had haar moeder nodig. Er was te veel werk, en het was zwaar. Ze was een jonge vrouw, dat besefte ik niet.'

'Ik begrijp wat u bedoelt,' zei Billy sussend. 'Ze worden zo snel groot.'

Littlejohn knikte somber. 'En toen, op een dag, keek ik naar haar. Ze boog zich voorover om kolen in het fornuis te doen. En ze zag er net zo uit als mijn Megan toen ze in verwachting was van Amy. Toen wist ik het.'

'Dat ze zwanger was?'

Weer knikte de boer.

'Dus u was boos op Amy?'

'Nee, niet op Amy,' viel Littlejohn verontwaardigd uit. 'Ze was natuurlijk dom geweest, maar er zijn zoveel meisjes die hetzelfde overkomt. Nee, ik was niet boos op haar. Niet op haar, maar op de verwaande, laffe gozer met wie ze zich had ingelaten, dat verwende joch met zijn bekakte accent en een Oxford das. Ik was kwaad op hém. En toen hij zei dat hij niets met Amy te maken wilde hebben, dat hij niets met zijn baby te maken wilde hebben, dat hij niet wilde dat zijn pappie en mammie het zouden weten omdat ze dan van streek zouden zijn – van stréék! – toen was ik vreselijk kwaad.'

Hij sloeg met zijn ene hand op tafel, zo hard dat de onderdelen rinkelden. Susan kreunde en kroop nog dichter tegen me aan.

Ondanks deze nachtmerrie begon ik medelijden te krijgen met Mr. Littlejohn. Maar ik had nog meer medelijden met Amy. Ze was volkomen aan haar lot overgelaten geweest. Wat een tragedie dat ze uitgerekend zo'n type als Jeremy Cavendish had getroffen.

Hoe bang ik ook was, mijn nieuwsgierigheid stak de kop op. Hoe was een armoedig meisje van deze verwaarloosde boerderij in hemelsnaam in contact gekomen met de elitaire Jeremy Cavendish? Ze kwamen uit twee totaal verschillende werelden. Ik moest de vraag hardop hebben gesteld, want Littlejohn keek naar me en zei: 'The Hirings.'

The Hirings? Het duurde even voordat het muntje viel, maar toen herinnerde ik me wat ik in de oude kranten in het archief had gelezen. The Hirings was de oude naam voor de jaarlijkse kermis in de stad, die in het hele land beroemd was. Iedereen ging erheen, jong en oud, rijk en arm, en in het donker genoten de mensen allemaal samen van de muziek en de attracties. Het was niet zo vreemd dat Amy en Jeremy elkaar daar tegen het lijf waren gelopen.

'Wat gebeurde er toen?' vroeg Billy op zachte, vleiende toon. 'Ik wilde dat die Cavendish hier zou komen, zodat we van man tot man met elkaar konden praten. Ik moest weten wat hij wilde doen voor Amy en het kind in haar schoot. Maar hij weigerde te komen. Hij lachte Amy uit, zei tegen haar dat hij niets met haar soort te maken wilde hebben, en dat ze dat vanaf het begin had moeten weten. Als ze dacht dat hij met haar zou trouwen, was ze niet goed bij haar hoofd. Hij studeerde en daar wilde hij mee doorgaan. Niets mocht dat in de weg staan. Zijn boeken waren belangrijker dan mijn kleine meisje en de baby.

Ik wilde geen geld van hem. Amy hield van hem, en als zij met hem wilde trouwen, vond ik dat ze hem moest krijgen. Ik had zo weinig voor haar gedaan, ik had haar niets gegeven. Als ik hem aan haar kon geven, zou dat alles misschien een beetje goed maken...'

Hij verzonk in gepeins, staarde wezenloos om zich heen in die troosteloze keuken. Billy stond nog steeds tegenover hem, vriendelijk, een beetje bezorgd, totaal niet bedreigend. Mr. Littlejohn pakte de draad van zijn verhaal weer op.

'Ik wilde erheen toen ze me het had verteld, ook al was het bijna middernacht. Ik wilde naar dat huis gaan en hem en die lieve pappie en mammie van hem vertellen dat hij het leven van mijn kleine meisje ruïneerde. Maar Amy huilde en smeekte en liet me beloven dat ik tot de volgende ochtend zou wachten, als ik rustiger zou zijn. Dus dat heb ik beloofd.

Maar de volgende ochtend was ze weg. Ik heb haar overal gezocht en ze was nergens te vinden. Ik wist dat er iets niet klopte, dat er iets was gebeurd. En toen kwamen ze me vertellen dat ze haar in de rivier hadden gevonden.'

De tranen stroomden over zijn ongeschoren wangen. Susan en ik hielden elkaar stevig vast op die kist. En Billy bleef zo rustig. Alsof het de normaalste zaak van de wereld was dat die oude man hem dit allemaal vertelde. En de oude man bleef maar praten.

'Hij had haar hart gebroken. Dat zou ik hem nooit vergeven. Hij is niet eens op die zitting verschenen, dat weet je toch? Hij had niet eens het fatsoen om dat te doen voor het meisje dat hij zo slecht had behandeld. Hij trok zijn handen van haar af alsof hij vies van haar was en ging verder met zijn studie.

Hij was een slappeling, een nietsnut die nergens goed voor was. Ik verachtte hem om wat hij Amy en de baby heeft aangedaan. En toen zag ik hem, gisteravond. Ik was naar de Blue Bells in Barton geweest, en toen ik door Witton reed, zag ik hem. Het was al na middernacht, en hij kwam met een paar van die kakkineuze studentenvriendjes van hem uit de Lion naar buiten, lachend, vrolijk en zorgeloos, geen vuiltje aan de lucht.

En dat klopt niet, dat kun je niet maken. Je kunt niet iemands leven kapotmaken en lachen alsof er niets aan de hand is. Niet als een meisje en haar baby zijn verdronken in de rivier. En ze leek zo op haar moeder...'

Hij zweeg, en met zijn hand nog op het geweer pakte hij de whiskyfles en hij nam een lange teug.

'Ik ben hem gevolgd. Ik wist welke route hij zou nemen. Ik heb gewacht totdat hij bij het bos was, en toen heb ik hem klemgereden en van kant gemaakt. Hij probeerde zich niet eens te verzetten. Hij kermde als een hond. Ik heb hem neergeschoten, als een hond. Opgeruimd staat netjes.

Ik bleef in het bos, en ik dacht aan Megan en Amy en alles wat er was gebeurd. Toen besefte ik dat het al licht was. Ik heb nog geprobeerd hem te begraven, maar het was al te laat op de dag. Ik heb het pad door het bos genomen. Niemand maakt er gebruik van, maar toen zag dat meisje me. Ik heb haar van straat geplukt en meegenomen. Dat had ik niet moeten doen, dat weet ik best, maar ik was heel erg in de war.

Ik wilde haar geen kwaad doen,' zei hij, en ik geloofde hem. 'Ik wilde alleen niet dat ze iedereen zou gaan vertellen dat ze me had gezien. Het spijt me dat ik haar bang heb gemaakt, maar ik wilde haar echt geen kwaad doen. Er zijn al te veel slachtoffers gevallen.'

Hij keek naar mij. En ondanks alles had ik opnieuw medelijden met hem. Hij was een radeloze man en hij had uit wanhoop gehandeld. Hij knikte naar Susan, weggekropen in mijn armen.

'Haal dat kleine meiske hier maar weg. Neem haar mee naar een warme plek. Het is te koud hier en ik heb geen eten voor haar. Ze zal wel honger hebben, het arme ding. Breng haar terug naar haar moeder. Als ze een moeder heeft, zal die haar wel missen.'

Billy knikte naar me. Ik nam Susan in mijn armen en droeg haar zo ongeveer naar de deur. Het kostte moeite om de ouderwetse klink op te tillen, maar eindelijk stond ik dan buiten op het donkere erf. De hond gromde, maar probeerde niet naar me toe te komen.

Ik stond daar op dat smerige erf en kon nauwelijks ademhalen. Ik kon gewoon niet geloven dat ik weg was gekomen. En dat ik Susan mee had kunnen nemen. Ik trilde op mijn benen en mijn knieën knikten. Ik wist niet of ik wel kon lopen. Ik maakte me zorgen over Billy. Ik wilde hem ongedeerd naar buiten zien komen. Maar Susan klampte zich nog steeds aan me vast. Ik moest aan haar denken.

Wat nu?

'Oké, Susan,' zei ik zo opgewekt en bemoedigend als ik kon. 'We gaan over dat pad omhoog lopen naar de weg, en dan moeten we de motor zien te vinden. Lukt dat?'

Ze knikte zo'n beetje, maar de tranen stroomden nu over haar wangen, en wie kon het haar kwalijk nemen? We sjokten over het modderige pad naar boven, Susan nog steeds in Billy's jasje, en ze snoot haar neus in de zakdoek die ze in de zak had gevonden. Toen hoorde ik het geluid van auto's die langzaam aan kwamen rijden over de weg. De eerste kwam de bocht om, en ik griste de zakdoek uit Susans hand en zwaaide ermee, zodat de bestuurder ons zou kunnen zien in het donker. De auto's stopten. In het licht van de koplampen kon ik de opvallende vorm van politie-uniformen onderscheiden. Ik ben nog nooit van mijn leven zo opgelucht geweest om politie te zien.

'Hoofdinspecteur! Wat ben ik blij u te zien.'

'Rose Harford! Is dit Susan Williams? Godzijdank zijn jullie ongedeerd. Gaat het een beetje?'

Susan knikte, en we hielpen haar in de auto. Die rook naar leer en tabak.

'Waar is uw collega?'

'Hij is nog binnen, met Littlejohn. Littlejohn heeft bekend dat hij Jeremy Cavendish heeft doodgeschoten. Hij heeft ons tweetjes laten gaan. Hij heeft een geweer, maar ik geloof niet dat hij gevaarlijk is.'

Op dat moment klonk er een geweerschot. Een oorverdovende knal, die weergalmde rond het boerderijtje in het dal. De hond blafte wild en rende rondjes over het erf, zijn ketting ratelend. Susan greep me vast, en ik riep in paniek: 'Will!'

O lieve god, niet Will, niet Billy. Hij had het kleine meisje en mij bevrijd. Lieve god, laat hem niet dood zijn. Ik wilde terugrennen, de helling weer af, maar de hoofdinspecteur pakte mijn arm beet.

'Blijf hier!' blafte hij. 'Let op het meisje!' Hij en de andere agenten zwermden uit over de helling.

Susan zat ineengedoken op de achterbank van de auto. Ze wiegde heen en weer en maakte kermgeluidjes. Het was hartverscheurend. Maar de gedachte aan Billy was ook hartverscheurend. Hij was zo kalm geweest, zo verstandig, zo volkomen briljant. Hij móést nog leven.

Ik boog me naar voren in de auto en streek over Susans arm. 'Rustig maar,' suste ik. 'Het komt goed, wees maar niet bang. Je bent niet meer in gevaar. Je gaat zo naar huis, naar je mama. Je bent veilig, je hoeft niet bang meer te zijn.' De hele tijd probeerde ik langs haar heen te kijken naar de boerderij. Ik probeerde niet alleen haar te kalmeren, maar ook mezelf.

De hoofdinspecteur gaf bevelen, terwijl zijn mannen in de schaduw stonden te wachten. Ze hadden te maken met een gewapende man, een heel erg boze en verwarde man die al iemand had vermoord, en ze waren niet gewapend.

Gewapend?! Ze hadden niet eens kogelvrije vesten of schilden. Ze hadden helemaal niets, geen enkele bescherming. Alleen hun helmen en hun gezonde verstand. Het was gekkenwerk, maar ze hadden geen moment geaarzeld. Wat waren die mannen dapper, dacht ik. Er was enorme moed voor nodig om dit te doen.

Ik bleef proberen Susan te troosten, maar inmiddels was ik zo gespannen, zo bang dat Billy iets was overkomen, dat ik bijna niet meer kon ademhalen, laat staan praten. Wat was er gebeurd in die keuken? Lieve god, laat Billy ongedeerd zijn. Alstublieft. Toen ging de deur van de boerderij open. Een smalle streep licht waaierde geleidelijk uit over het erf. Mijn hand verstijfde op Susans arm. Ik zag een figuur in de deuropening staan, een silhouet afgetekend tegen het lamplicht. Ik kon onmogelijk zien wie het was. Mijn keel werd dichtgeknepen van angst. De figuur kwam naar voren. Hij was lang en slank, in hemdsmouwen...

Billy. Het was Billy. Bedankt, lieve Heer. Bedankt. Billy kwam uit het huis naar buiten. Hij was ongedeerd. Susan zag hem ook en ze slaakte een kreet. Ik wilde naar hem toe rennen en mijn armen om hem heen slaan, maar Susan hield me krampachtig vast. We omhelsden elkaar, allebei trillend en snikkend van opluchting.

Billy stond op het erf, omringd door politiemannen. Ik kon zien dat hij met ze praatte, en hij wees naar de openstaande deur. Zij gingen naar binnen, terwijl hij langzaam en vermoeid tegen de heuvel op liep en in de auto stapte.

Mijn ene arm lag nog om Susan heen, maar ik strekte de andere uit naar Billy. Ik moest hem aanraken, zeker weten dat hij nog leefde. Hij gaf een kneepje in mijn hand en hield toen, boven Susans hoofd, een vinger tegen zijn lippen. Hij boog zijn hoofd opzij en zei tegen haar: 'Het is voorbij, kleintje. Nu gaan we naar huis.'

De leren bekleding kraakte toen hij achteroverleunde. Hij deed zijn ogen dicht, slaakte een diepe zucht en schudde zijn hoofd alsof hij de dingen die hij had gezien probeerde te verjagen.

Er kwamen meer politiewagens aan, en de koplampen bewogen op en neer met elke kuil in de smalle weg. Een politieman bracht ons terug, eerst naar The Grange. Joyce Williams omhelsde haar dochter zo onstuimig dat ze haar ribben bijna gebroken moet hebben. Ze nam haar mee naar binnen, maar ik denk niet dat er grote vreugde losbarstte, want Jeremy Cavendish, de zoon van haar werkgeefster, was immers dood.

Toen vertelde Billy me dat Littlejohn zichzelf had doodgeschoten.

'Heb je niet geprobeerd hem tegen te houden?' vroeg ik.

'Wat? Zodat hij opgehangen kon worden?' zei Billy. 'Ik heb hem een dienst bewezen door hem zijn gang te laten gaan. Voor hem was het de enige manier om nog iets van zijn eer te redden. Anders zou het een proces en de strop zijn geworden.'

Ik dacht aan de gebloemde gordijnen, het kussen van patchwork. Twintig jaar geleden moest het een gelukkig huishouden zijn geweest. En zo was het afgelopen. Ik begon te rillen en kon niet meer ophouden. Billy sloeg een arm om me heen, vriendschappelijk en bezorgd.

Hij rook naar zweet en modder, een heel erg mannelijke geur, vreemd maar geruststellend. Hij gaf een kneepje in mijn schouder. De plek waar hij me had aangeraakt gloeide. Ik pakte zijn hand beet. Ik wilde hem het liefst omhelzen, hem tegen me aan drukken, om zeker te weten dat hij echt niets mankeerde. Ik wilde zijn gezicht tussen mijn handen houden en het met kusjes overdekken, uit dankbaarheid dat hij er was, levend en wel.

Hij glimlachte naar me, bleef me aankijken, en even meende ik te zien dat zijn ogen mijn gevoelens weerspiegelden. Maar toen trok hij zijn hand los uit de mijne, voorzichtig, vermoeid, en schoof hij bij me vandaan. Zwijgend zaten we naast elkaar op de achterbank van de politieauto die ons terugbracht naar de stad.

'Prettige avond verder,' zei de agent toen hij ons voor de krant afzette. 'Ik lees het hele verhaal morgenochtend wel in *The News*.'

'We zullen het eerst moeten schrijven,' zei Billy lachend, en hij pakte mijn hand om me te helpen uitstappen.

We liepen naar de binnenplaats, langs de bestelwagens en de goederenlift en gingen door de achterdeur naar binnen. Beneden aan de haveloze trap bleef Billy staan, en hij legde zijn handen op mijn schouders.

'Je was geweldig vanavond,' zei hij. 'Zoals je voor dat meisje hebt gezorgd en haar hebt gekalmeerd.'

'Jouw optreden was ook behoorlijk indrukwekkend,' zei ik. 'Mijn god, hij had je dood kunnen schieten! Eén verkeerd woord en... o, ik wil er niet aan denken.'

'Kennelijk zijn we een goed team, jij en ik.' Hij glimlachte naar me, en even, heel even, dacht ik dat hij zich voorover zou buigen, dat hij zijn hoofd vlak bij het mijne zou brengen... Maar nee.

'Kom op! We moeten een verhaal schrijven, en als we snel zijn halen we net nog de laatste editie.' En hij holde voor me uit de trap op. Ik sjokte langzaam achter hem aan, want mijn benen waren plotseling zwaar van vermoeidheid en teleurstelling.

Phil was nog op de redactie, als enige. Billy vertelde hem wat er was gebeurd, en schreef toen snel en efficiënt een kort verslag voor de laatste editie. Nu en dan vroeg hij me naar een woord, een zin, zodat het uiteindelijk een stuk van ons samen werd. Hij bracht de kopij naar beneden naar de eindredactie, ging toen naar het kantoor van de hoofdredacteur, en kwam terug met een fles whisky. Hij schonk voor ons alle drie een flinke scheut in de snel omgespoelde theekopjes. 'Ik vind dat we dit hebben verdiend,' verklaarde hij.

Phil luisterde geboeid naar de details die we hem vertelden. Nadat hij de laatste slok whisky achterover had geslagen keek hij ons aan. 'Twee dingen. Eén, waar is mijn motor? En twee, wat stinkt er hier zo?'

Ik keek omlaag. Mijn linkerbeen zat nog steeds onder de koeienstront.

11

De volgende ochtend wilde ik maar één ding: Billy zien, weten dat alles in orde was. Ik rende naar de krant en dribbelde de trap naar de redactie op.

Hij was er. Hij zat achter zijn bureau te typen, en toen ik binnenkwam tilde hij zijn hoofd op en glimlachte naar me.

'Goeiemorgen!' zei hij. 'Is het niet fijn om gewoon hier te zijn?' Het kon me niet schelen wat de anderen dachten. Ik liep naar hem toe en legde mijn handen op de zijne. 'Is alles goed met je?'

'Ja, natuurlijk.' Hij trok zijn handen niet weg maar draaide ze om, zodat hij zijn vingers rond de mijne kon slaan. Ik staarde hem aan. Hij zag er ook doodmoe uit, maar zijn handen waren warm en ruw. Ik maakte mijn ene hand los en legde die op zijn schouder en streek langzaam omhoog naar zijn hoofd.

'Heb je nare dromen gehad?' vroeg hij.

'Een beetje. Ik moest weten of alles goed met je was.' En ik stond daar alleen maar, genietend van de warmte van zijn hand.

'Zo makkelijk kom je niet van me af. Daar is meer voor nodig dan een dolgedraaide boer met een roestig geweer.'

'Ik vond... ik vond dat je briljant met hem omging. Je hebt een geweldige onderhandelingstechniek.' Ik probeerde te lachen.

'Jij deed het fantastisch met dat meisje. Heel rustig. Dat hielp.'

'Mooi.'

We bewogen ons niet, zeiden niets. Ik stond, hij zat, mijn hand lag nog steeds in de zijne, en we keken elkaar diep in de ogen. Zonder iets te zeggen zeiden we alles.

Toen gaf hij een laatste kneepje in mijn hand en trok de zijne weg. 'En nu aan de slag,' zei hij kordaat. 'Vergeet niet dat je nog naar het politiebureau moet om een verklaring af te leggen. Ik ben al geweest.'

De werkende wereld kwam weer tot leven. Mijn hartslag zakte terug naar een normaler ritme. Billy draaide papier met carbon in zijn schrijfmachine en begon aan een uitgebreidere versie van het korte verslag dat we nog maar een paar uur daarvoor hadden geschreven. Het was natuurlijk een lastig stuk vanwege de twee slachtoffers, een moord en een zelfmoord. Billy overlegde met mij tijdens het schrijven, en ik voegde dingen toe en deed suggesties, en samen maakten we er een dijk van een stuk van. Als ik het in de eenentwintigste eeuw had geschreven, zou het over meerdere pagina's zijn uitgesmeerd, compleet met mijn naam en foto erbij. Dit was een sober geheel, 'van onze verslaggevers', meer niet.

Na die nacht en dat verhaal leek alles opeens makkelijker te worden. Ik begon me geaccepteerd te voelen als lid van het team, en de anderen behandelden me als een van hen, en dat voelde goed. Het hielp natuurlijk ook dat die grijpgrage geilaard Gordon nog steeds ruzie had met zijn krukken en niet naar de redactie kon komen. En ik liep nog steeds met een grote boog om de kamer van de eindredacteuren heen, vergeet dat niet.

Ik maakte me niet meer zo druk over wat er aan de hand was. Waar ik was in de tijd en de ruimte – Narnia, het Wonderland van Alice, of weet ik het – was niet meer zo belangrijk.

Samenwerken met Billy werd er niet makkelijker op. Het was een marteling hem elke dag te zien en niet in staat te zijn hem vast te houden, met hem te praten, met hem samen te zijn zoals ik het gewend was geweest. Hoe vriendschappelijker we met elkaar omgingen en hoe leuker we het samen hadden, des te moeilijker het werd.

Maar die ochtend wilde iedereen weten wat er was gebeurd. Zelfs Peggy kwam los, en ze zette een kop thee voor me – met de waterkoker van de hoofdredacteur, wat een eer – terwijl ik haar het hele verhaal vertelde. Ik deed net uit de doeken hoe Billy Littlejohn had gekalmeerd – 'Littlejohn was zo kwaad, en Billy bleef heel rustig tegen hem praten, het was zo indrukwekkend...' – toen Leo binnen kwam wandelen.

Leo! Ik dacht terug aan de laatste keer dat ik hem had gezien, de dag voordat dit hele gedoe was begonnen, in de pub met Jake, arm in arm, lachend, en zo opgetogen over hun samenlevingscontract.

'Leo?' vroeg ik. 'Ben jij het?'

Hij keek me niet-begrijpend aan. Daar gingen we weer, maar dit keer had ik het min of meer verwacht.

Peggy sprong op van haar bureau. 'Hallo, Lenny!' riep ze uit. 'Ik heb een enorme stapel boeken voor je.' Ze draaide zich opzij naar mij. 'Dit is Lenny. Hij is onze boekenrecensent. Hij leest zo ontzettend veel.' Ze giechelde schalks. 'Daarom heeft hij geen tijd voor meisjes.'

'Aha,' zei ik veelbetekenend, en dat was het begin van een enorme flater. Ik bedoel, toen Peggy zei dat hij geen tijd had voor meisjes dacht ik dat ze wíst dat Leo/Lenny gay was. Waarom zou ze anders zo'n lullige opmerking maken? Tenzij het als grapje was bedoeld, al was het niet erg grappig. 'Hoe is het met Jake?' vroeg ik met mijn stomme hoofd. 'Ben je nog steeds samen met Jake Anderson? Of is dat hier ook al anders?'

Lenny keek alsof ik hem een klap had gegeven. Echt waar. Hij werd wit, toen rood, en staarde me aan alsof ik hem van kindermoord had beschuldigd.

Peggy was in de weer met een stapel boeken op de plank achter haar bureau, dus kon ze Lenny's uitdrukking gelukkig niet zien.

'Ik weet niet waar je het over hebt,' zei Lenny met een stem die trilde van angst. Gejaagd en onhandig pakte hij zijn koffertje. 'Ik moet ervandoor, Peggy. Tot kijk.'

'Wat zal ik...'

Maar Lenny was er spoorslags vandoor gegaan, alsof hij op de vlucht was.

'Wat heeft hij opeens?' zei Peggy. 'Hij is anders altijd zo aardig en gezellig. Nou ja, hij zal wel met het verkeerde been uit bed zijn gestapt. Kom, vertel me nu eens over die boer. Was je erbij toen hij zichzelf doodschoot?'

Zuchtend maakte ik mijn verhaal af.

Later, toen Billy en ik de drukproef van ons stuk bekeken, zei ik: 'Billy, mag ik je iets vragen?'

'Mmm?' Onder het lezen dronk hij een kop thee. Zijn reactie was weer zo helemaal Will. Au. Het kostte me minder moeite om Will en Billy uit elkaar te houden, maar het was nog steeds niet makkelijk.

'Vertel me eens, worden nichten hier geaccepteerd?'

Hij keek me een beetje glazig aan.'Ja, natuurlijk. Nichten, neven, dat maakt niet uit. Het is allemaal familie.'

Nu was het mijn beurt om glazig te kijken. 'Nee, dat soort nichten bedoel ik niet. Ik bedoel gay.'

Het muntje viel nog steeds niet.

'Gay, homoseksueel.'

Nu begon er iets te dagen. 'Je bedoelt, eh...' Hij was duidelijk in verlegenheid gebracht, heel schattig.

'Ik bedoel een man die van een andere man houdt.'

Bloosde hij? Een vleugje roze op die prachtig geprononceerde jukbeenderen?

'Dat je eh...' van de verkeerde kant bent?'

'Precies. Is dat acceptabel? Aan je reactie te oordelen niet.'

'Om te beginnen is het bij wet verboden.'

O jezus, natuurlijk, dat was ik vergeten. Homoseksualiteit was verboden tot, weet ik het, de jaren zestig of zo. 'Maar zelfs al is het tegen de wet...' Jeetje, er zijn zoveel dingen illegaal maar wel acceptabel, ja toch? Denk maar aan te hard rijden, joints roken, belastingontduiking. 'Maar zelfs al is het tegen de wet, kun je dan toch, je weet wel, je gang gaan?'

Billy bloosde nu echt. 'Eh... ja, er zijn mensen die, je weet wel, die... In het leger hadden we er een paar. Maar je, hoe zal ik het zeggen, je hangt het niet aan de grote klok, omdat je... dat doe je gewoon niet. Zeg, kunnen we nu gewoon verdergaan met ons stuk?'

Hij geneerde zich te pletter, arme jongen. Ik vroeg me af of hij het moeilijk vond om over homoseksualiteit te praten, of dat hij het lastig vond om er met een vrouw over te praten. Het was eigenlijk erg grappig. Maar ik wist wat ik weten wilde, en ook dat ik Leo/Lenny in een buitengewoon moeilijk parket had gebracht. Misschien moest ik Billy over de feestjes van Elton John vertellen. Aan de andere kant... misschien ook niet.

Ik glimlachte bij mezelf toen Phil, de verslaggever die avonddienst had, binnenkwam. 'Heb je je motor terug?' vroeg ik.

'Ja, bedankt. Alleen was er een jonge agent die het allemaal erg verdacht leek te vinden.'

'Is er nog veel activiteit daar?'

'Nee. We hebben er vanochtend een verslaggever naartoe gestuurd, maar volgens mij is de politie wel zo'n beetje klaar. Nu is de notaris aan de beurt.'

'Wat zou er met de boerderij gebeuren? Zijn er erfgenamen? Zo ja, dan hadden die Littlejohn moeten helpen toen hij nog leefde.'

'Waarschijnlijk was hij een pachtboer. In dat geval verpacht de eigenaar de boerderij gewoon weer aan iemand anders.'

'Laten we hopen dat die meer geluk heeft. Zeg, wat doen we trouwens met de follow-up?'

'Follow-up?' Billy en Phil keken me aan alsof ik Chinees sprak.

'Ja, de follow-up. Het was natuurlijk een schitterend verhaal, maar nu moeten we in de achtergrond van de familie Littlejohn duiken. Wat was de aanleiding voor deze tragedie, enzovoort? Hoe gaat het nu met de kleine Susan? En met haar moeder? Je weet wel: "Moeder ontvoerd meisje vertelt haar verhaal."' Ik keek hen geestdriftig aan. Ze keken wezenloos terug.

'Dat lijkt me geen goed idee,' zei Billy. 'We moeten ze nu verder met rust laten.' Hij pakte een paar papieren en liep weg, en ik voelde me behoorlijk voor joker gezet.

'Zeg, Rosie.' Nu keek Phil een beetje verlegen. 'Vanavond is mijn laatste avond in de late dienst. Morgen heb ik vrij, en dan begin ik weer met de dagdienst. Heb je zin om donderdag samen naar de film te gaan?'

Ik keek hem aan. Ik dacht nog steeds aan een follow-up, en hij vroeg me mee uit. Een date! Het was eeuwen geleden dat iemand me mee uit had gevraagd. Logisch, want ik was met Will samen. Maar hier niet. Maar ik was verliefd op... Ach, waarom ook niet? Dit was per slot van rekening een nepwereld. Ik glimlachte. 'Oké, Phil, dat lijkt me leuk. Ja, graag.'

'Mooi,' zei Phil. 'Dan zie ik je donderdag. We gaan meteen na het werk.' Hij glimlachte heel schattig naar me en begon aan de eerste telefoontjes van de avond.

Toen ik thuiskwam vroegen ze me de oren van het hoofd over de ontvoering en de moord. Ik moest het verhaal dus nóg een keer vertellen, terwijl we worstjes en grijze aardappelpuree aten.

'Het kan me niet schelen wat iedereen zegt,' zei Mrs. Brown beslist toen ze de tafel afruimde. 'Het is allemaal begonnen doordat dat domme meisje zich zwanger heeft laten maken. Als ze verstandig was geweest...'

'Maar ze is niet in haar eentje zwanger geworden, Mrs. Brown,' zei ik. 'Ze moet wanhopig zijn geweest als ze zelfmoord heeft gepleegd.'

'Ze heeft zich verdronken in Friars' Mill, hè?' vroeg Peggy zacht.

'Ja,' beaamde ik. 'Jeremy Cavendish schijnt tegen haar gezegd te hebben dat hij niets met haar of de baby te maken wilde hebben, en toen heeft ze hem te schande gemaakt door zo ongeveer op zijn stoep zelfmoord te plegen.'

'Ha! Er zijn zoveel meisjes die een man hebben vertrouwd, en kijk eens wat er van ze is geworden! Dom wicht. Ze had haar hand op haar je-weet-wel moeten houden. Het was haar verdiende loon,' bitste Mrs. Brown toen ze met het toetje terugliep naar de tafel.

En toen trok ik mijn grote mond open...

'Was ze maar verstandig geweest,' zei ik. 'Had ze maar de pil geslikt of zoiets.'

'Pil?' vroeg Penny scherp.

'Ja, je weet wel, de anticonceptiepil. Of nee, waarschijnlijk weet je dat niet. Er bestaat een pil die je slikt om te voorkomen dat je zwanger wordt. En als het misgaat, bestaat er nog een andere pil, de morning-afterpil. Die kun je slikken tot drie dagen nadat je onbeschermde seks hebt gehad...'

'Zo is het wel genoeg!' Mrs. Brown zette de schaal met gestoofde appels zo hard op tafel dat het sap over de rand op het tafelkleed liep. 'In dit huis wordt dat soort smerige taal niet gebezigd.' Beng! Een kan met vanillesaus werd ook op de tafel gekwakt, en de saus gutste over de rand.

'Ik heb nog nooit van dat soort dingen gehoord. En jij denkt dat je zulke smeerlapperij kunt spuien terwijl we met z'n allen zitten te eten. O nee, dame. Ik weet niet wat jullie in Amerika doen, maar dat soort dingen hebben wij hier niet. Ik wil niet dat er in mijn huis zo wordt gepraat, knoop dat goed in je oren.'

Ze smeet de gestoofde appels zo ongeveer in de schaaltjes en schoof die naar ons toe. Ik besefte dat ze echt van streek was.

'Het spijt me heel erg, Mrs. Brown,' zei ik berouwvol, want ze kon behoorlijk angstaanjagend zijn. 'Ik wilde u niet boos maken. Het komt gewoon doordat we het bij ons gewend zijn om heel openlijk te praten over...'

'Genoeg!'

Ik hield mijn mond en concentreerde me op de appel met vanillesaus. Lepels tikten tegen de schaaltjes, er werd gekauwd en geslurpt, maar afgezien daarvan was het doodstil. Toen sneed Mr. Brown, de schat, een belangrijker onderwerp aan.

'Het duurt nu niet zo lang meer voordat we afscheid nemen van dit huis,' zei hij.

De zitting van de gemeenteraad waarvan Alan verslag had gedaan was overschaduwd door de gebeurtenissen in Friars' Mill. De plannen voor de nieuwe rondweg en binnenring waren goedgekeurd.

'Eindelijk gaat er iets gebeuren,' vervolgde Mr. Brown. 'Het is maar goed dat we er geen nieuwe keuken in hebben gezet, zoals jij zo graag wilde.'

'Hoezo?' vroeg ik. 'Hebben de plannen gevolgen voor dit huis?'

'De hele straat wordt gesloopt.'

'O jeetje, echt waar? Weet u het zeker?'

'Deze straat, en Watergate en Fisher Quay.'

'Maar het zijn zulke mooie oude gebouwen!' Ik liep er altijd langs onderweg naar de krant, en ik vond ze fantastisch. Het was een interessante verzameling gebouwen, een allegaartje van huizen met houten vakwerk, nergens een rechte lijn te bekennen. Toegegeven, ze waren een beetje vervallen, maar het waren fraaie historische panden die uitkeken over de rivier. Ze moesten eeuwenoud zijn en maakten deel uit van het erfgoed van de stad.

'Ach hou toch op!' zei Mr. Brown smalend terwijl Mrs. Brown hem een kop thee aanreikte. 'De Quay is altijd een krottenwijk geweest, al toen ik een jochie was. Vreselijke plek, alleen maar goed voor dieven en ratten. Het is maar het beste om die doolhof te slopen. Wat mij betreft mogen ze alles slopen. Laten ze iets nieuws neerzetten, proper en modern.'

'Maar dit is uw huis! Waar moet u dan naartoe?'

'Ze hebben ons verteld dat we een nieuw huis krijgen in de wijk die nu wordt gebouwd, The Meadows. Leuke huizen zijn het, wat ik behoorlijke huizen noem. Modern en licht, met grote ramen. En je hebt niet meteen een ondergelopen kelder met ratten erin zodra het een beetje regent. Ze zijn helemaal nieuw, met een flinke tuin die niet schuin afloopt.'

'En u Mrs. Brown?' Ik deed mijn best om weer in een goed blaadje te komen. 'Zult u dit huis niet missen?'

'Geen moment. Ze mogen het hebben. Ik wil een fijn nieuw huis zonder vocht in de muren, en geen gebarsten oude kasten en planken die je niet schoon kunt houden, wat je ook probeert. En geen muizen meer, wat zal dat een opluchting zijn. En een voortuin! Ooo, wat zal ik blij zijn als ik een voortuin heb, zodat je niet pal aan de straat zit en Jan en alleman zo bij je naar binnen kan kijken.

Natuurlijk, ik heb in dit huis mijn kinderen grootgebracht, dus ik heb goede herinneringen. Maar nu wil ik op mijn oude dag eindelijk wel eens een beetje comfort en luxe. Nee, ik vind het helemaal niet erg om hier weg te gaan.'

Ik bekeek de plannen die in *The News* waren afgedrukt. De binnenring strekte zich uit over een nieuwe brug en langs de rivier. De tekening kwam me bekend voor. Natuurlijk! Zo had de stad eruitgezien tot vlak voordat ik bij *The News* kwam werken, toen de oorspronkelijke binnenring was afgesloten en er een voetgangersgebied van was gemaakt. Tegenwoordig waren er nieuwe bars en restaurants in het gebied langs het water, en er was een theater. Grappig genoeg hadden ze het Fisher Quay genoemd. Doodzonde dat ze geen van de oorspronkelijke gebouwen hadden laten staan...

In mijn tijd hadden we heimwee naar het verleden, wilden we alles wat oud was behouden, zelfs als het om zinloze of twijfelachtige dingen ging. Maar de Browns verheugden zich op de toekomst. Ze schenen te denken dat alles alleen maar beter kon worden, dat de toekomst nieuw en opwindend was, een groot cadeau dat alleen nog maar uitgepakt hoefde te worden.

En wie was ik om hen uit de droom te helpen?

12

Ik was op de terugweg naar kantoor en dook tussen de kramen van de midweekse markt door toen ik een bekende figuur in een bruine jas in het oog kreeg. Carol worstelde met een mand, een boodschappennet vol groente, en ook nog een draagtas van bruin papier. 'Kom, geef een van die tassen maar aan mij.'

'O hallo, Rosie. Bedankt. Ik heb me een beetje laten gaan met al die aardappelen en wortelen.'

Ik pakte het net van haar aan. Aarde regende op de grond. Tegenwoordig zie je bijna nooit meer groente met aarde eraan, tenzij je naar de boerenmarkt gaat.

'Heb je Libby niet bij je?'

'Nee, ze speelt bij een van de buren, dus ik heb van de gelegenheid gebruikgemaakt om even naar de stad te gaan. Ben jij niet aan het werk?'

'Jawel, ik ben net naar een tentoonstelling in het stadhuis geweest. Vreselijk saai.'

'Er kunnen niet elke dag ontvoeringen en schietpartijen zijn. Dat zou een beetje al te opwindend zijn, als je het mij vraagt.'

'Billy was geweldig, Carol, absoluut geweldig. Zo kalm en moedig. Littlejohn was zo onvoorspelbaar, hij was echt tot alles in staat, maar het lukte Billy om hem tot bedaren te brengen. Was je niet bang dat hem iets zou overkomen?'

'Nee, want tegen de tijd dat ik het hoorde was het al voorbij. En het was allemaal goed gegaan. Het heeft geen zin om je zorgen te maken over iets wat niet is gebeurd. We mogen dankbaar zijn dat die kleine meid niets is overkomen en dat ze weer veilig thuis is. Wel triest van die jongeman, maar ik heb begrepen dat hij zich nogal schofterig heeft gedragen. Een beetje dat meisje inpalmen en haar dan in de steek laten. Arm ding. Ik weet niet wat ik gedaan zou hebben als Billy me had laten zitten. Maar ach, dat heeft hij niet gedaan, dus ik hoef er niet van wakker te liggen. Zeg, ik red het verder wel in mijn eentje, als jij terug moet naar je werk.'

'Nee, het is niet erg. Het is een rustige ochtend en ze verwachten me voorlopig toch nog niet terug.'

'Heb je zin in een bakkie?'

'Lekker.'

Samen droegen we de boodschappen, en gezellig babbelend liepen we verder, door de smalle straat en de heuvel af naar dat donkere, vochtige huisje. Ik keek omhoog naar de tuin.

'Billy is gisteren de hele avond bezig geweest om het oude schuurtje op te knappen,' zei Carol toen ze de deur openduwde. 'Volgens mij verdoet hij zijn tijd, dat schuurtje is niet meer te redden. Ik hoop dat hij zichzelf een nieuwe schuur cadeau doet als we verhuizen.'

Ik probeerde me voor te stellen dat Will energie zou steken in het opknappen van een oud schuurtje. Lastig. Lang niet zo sexy als een plasma-tv.

In de keuken – de muffe lucht van vocht en schimmel sloeg me tegemoet – haalde Carol de ketel van de haard en zette die op het vuur – letterlijk op de kolen. Ze porde erin, en al snel begonnen de kooltjes te gloeien en de ketel te zingen.

'Jakkes! Wat is dat?'

In een grote kom op het aanrecht zat bloederig water met stukken rauw vlees erin, en ik meende zelfs een soort buisjes te onderscheiden.

Carol keek me verbaasd aan. 'Hartjes. Ze staan in de week voor het avondeten.'

'Hartjes? Eet je die?'

'Ja, heb jij dan nooit hartjes gegeten? Ik ga ze vullen. Erg lekker.'

Ze haalde de ketel van het vuur, goot het water op de thee en zette de theepot op tafel. Ik ging zitten, met mijn rug naar de kom met hartjes. Ondanks het halfduister was het een gezellige keuken. Op de vensterbank stond een kan met narcissen, voor de kachel lag een fleurig kleed, en er lagen leuke kussens van patchwork op de stoelen.

Op de armleuning van de stoel naast de tafel, half verborgen onder een poppenkastpop, lag een bibliotheekboek.

'Wie is *Lucky Jim* aan het lezen?'

'Billy. Hij vindt het erg leuk. Hij zegt dat ik het ook moet lezen als hij het uit heeft.'

'Het is een van Wills lievelingsboeken.'

'Vertel me eens over die Will.' Ze schonk thee in.

'Nou, hij lijkt heel erg op Billy. Sprekend. Echt onvoorstelbaar.'

'Gaan jullie trouwen?'

'Dat weet ik niet. Ik weet niet of hij er al aan toe is. Of hij zich wel wil settelen.'

'Hoe oud is hij?'

'Net zo oud als Billy.'

Carol lachte. 'Dat is toch oud genoeg. Billy en ik zijn al elf jaar getrouwd.'

'Ja, maar dat is toch anders.'

'Is hij lief voor je?'

'O ja.'

'Maakt hij je aan het lachen?'

'Heel vaak.'

'Is hij aardig en gul?'

'Beslist.'

'En is hij, je weet wel, vind je hem leuk, geeft hij je dat gevoel van vlinders vanbinnen?'

'O ja, en hoe!'

'Waar wacht je dan op, meid, sla hem gewoon aan de haak!'

'Maar stel nou dat hij niet aan de haak geslagen wil worden?'

Ik zette mijn kop terug op het schoteltje en keek Carol aan. Ik was echt benieuwd naar het antwoord.

'Onzin. Dat willen bijna alle mannen. Er zijn maar heel weinig mannen die gelukkig zijn in hun eentje. Ze doen alsof ze stoere jongens zijn die lol willen trappen met hun maten, maar diep vanbinnen willen ze gewoon een gezin om voor te zorgen. Ze willen iemand naast zich die ze kunnen vertrouwen. Je weet wat ze zeggen: "Achter elke beroemde man staat een vrouw." Ze hebben ons nodig. Zonder ons komen ze nergens.'

'Waar ik vandaan kom zijn er heel veel mannen die niet trouwen. En vrouwen. Vaak wonen ze gewoon een tijdje samen, een soort van los-vast.'

'Aha, eerst uitproberen voordat je koopt, is dat het?'

'Nee, dat bedoel ik niet. Het is meer korte termijn. Je kunt elkaar de ruimte geven.'

'Ruimte?' Ze keek om zich heen in de overvolle keuken. 'Ruimte?'

'Dat je niet al te ver vooruitdenkt. Veel vrouwen kiezen ervoor om geen kinderen te krijgen. Ze werken, en ze doen hetzelfde werk als mannen.'

'Er moet toch iemand voor de kinderen zorgen? Daarom ga ik ook op een school werken. Dan kan ik een oogje in het zeil houden. Ik wil niet dat die van mij sleutelkinderen worden.'

'Ja, maar...'

'Hoe dan ook, je wilt toch niet als muurbloempje eindigen. Als die Will van jou net zo'n soort type is als Billy, waar wacht je dan nog op?'

'Ik weet het niet meer. Ik weet het werkelijk niet. Als ik hem weer zie...' Ik probeerde me voor te stellen dat ik tegenover hem zou staan. Maar dat viel niet mee, want ik bleef hem met Billy verwarren. Ik schudde mijn hoofd om het beeld te verdrijven.

'Enfin, ik ga vanavond met Phil uit. Niets bijzonders, alleen naar de film. Niet, je weet wel... gewoon als vrienden.'

'Ooo, wat zou jouw Will daarvan zeggen? Maar ach, wat niet weet, wat niet deert. Als het maar gezellig is. Maar Phil is een aardige jongen, dus breng hem niet het hoofd op hol, want dan breek je zijn hart.'

'Dat zou ik nooit willen. Het is gewoon een avondje uit. Nou, ik moet weer eens aan het werk. Bedankt voor de thee.'

'Je bent altijd welkom. Veel plezier vanavond.' Ze trok al een schort over haar hoofd, ongetwijfeld om die berg groente en de bloedende hartjes schoon te maken.

Phil had me de hele dag veelbetekenende blikken toegeworpen, en nu en dan voelde ik ondanks alles een soort opwinding. Of nee, opwinding is te veel gezegd, maar ik verheugde me wel op de avond. En dan keek ik naar Billy en wist ik dat hij de enige man was die ik ooit zou willen, en dat het zinloos was om met iemand anders uit te gaan. Maar het was beter dan thuiszitten bij de Browns en naar die piepkleine zwart-wittelevisie staren. Dus toen Phil naar mijn bureau kwam om mijn kopij op te halen, verlegen glimlachte en zei: 'Ik ben klaar om te gaan,' ging ik naar de piepkleine wc om me op te frissen, mijn tanden te poetsen en mijn best te doen met de weinige make-up die ik had.

Opgefrist, maar niet bepaald een glamourgirl op weg naar het hipste feest in de stad, kwam ik de redactie weer binnen.

'Oho, zit dat zo!' zei Charlie de fotograaf toen we samen naar de deur liepen.

Billy tilde zijn hoofd op van zijn schrijfmachine en keek me merkwaardig aan. We maakten oogcontact, en heel even dacht ik dat hij me ging vragen wat ik van plan was en zou proberen me tegen te houden. Hij fronste zijn wenkbrauwen en glimlachte geforceerd. 'Veel plezier bij de film.'

'Dat gaat wel lukken!' riep Phil, en achter elkaar aan liepen we de chaotische smalle trap af.

Toen we eenmaal buiten stonden aarzelde hij even, een beetje onzeker. Maar lang niet zo onzeker als ik. Ben jij wel eens in de jaren vijftig met een jongen uit geweest? Nou, ik niet. Zelfs mijn ouders niet, die waren toen nog te jong. En ik had het nooit met mijn grootouders over afspraakjes gehad.

'Wat vind je ervan om iets te gaan eten in Odeon?' stelde Phil voor.

'O, kun je daar eten?'

'Ja, er is boven een café. Het is zo ongeveer de enige plaats waar je rond deze tijd nog iets kunt eten. De Copper Kettle is gesloten. Silvino heeft een achterkamer, maar die zit vol met jongelui.'

'Best. Odeon klinkt goed.'

Odeon was een prachtige oude bioscoop. Allemaal rood pluche en gouden tierelantijnen. Twee brede trappen aan weerszijden van de foyer voerden met een fraaie bocht omhoog. In het midden was een piepklein hokje met een loket, waar Phil de kaartjes kocht. De beste die er waren – 3/9 penny per stuk, nog niet eens twintig penny in modern geld. We namen een van de trappen – geweldig, die grandeur – en kwamen in het café. De ene muur had ramen met uitzicht op de straat en de andere ramen met uitzicht op de zaal, zodat je naar de film kon kijken terwijl je een hapje at, als je dat wilde.

Ik had trek in iets pittigs, met lekker veel knoflook. Ik had de laatste tijd alleen maar smakeloze kost gegeten. Ik zou een moord hebben gedaan voor ciabatta met knoflook of een Thaise groene curry. Nou ja, bij wijze van spreken dan.

Op de kaart stond gepocheerd ei op toast, roerei op toast, kaas op toast, bonen op toast, sardientjes op toast, champignons op toast, tomatensoep, of witte puntjes met ham, kaas of ei. Geweldig. Calorieën speelden geen rol.

'Wat neem jij?' vroeg ik aan Phil.

'Gepocheerd ei op toast.'

'Ik neem hetzelfde.'

'En een pot thee voor twee personen,' zei Phil tegen de serveerster, een vrouw van middelbare leeftijd in een zwarte jurk met een wit schortje.

De borden met ei en toast werden voor ons neergezet, en ik dacht verlangend aan het kleine Thaise tentje bij mij om de hoek.

'Vertel eens, hoe ben je eigenlijk in de journalistiek terechtgekomen?' vroeg Phil.

Ik vertelde hem van mijn studie en de postdoctorale opleiding journalistiek die ik had gedaan.

'Heb je gestudeerd? Alleen maar om verslaggever te worden? En daarna heb je nog een jaar lang doorgeleerd?' Phil was zo verbaasd dat de hap ei bijna van zijn vork viel.

'Eh... ja. Tegenwoordig gaat dat zo.'

'Maar dan moet je tweeëntwintig zijn geweest toen je aan je eerste baan kwam.'

'Klopt. Ik was tweeëntwintigeneenhalf toen ik bij de *Swaledale Courant* begon.'

'Jemig, toen werkte ik al zeven jaar. Acht als je de dingen die ik deed toen ik nog op school zat meetelt.'

'Wat? Schreef je op je vijftiende al voor *The News*?'

'Op mijn veertiende, om precies te zijn. Ik versloeg sportwedstrijden – niet dat er tijdens de oorlog veel aan sport werd gedaan. En ik schreef stukjes over concerten en andere evenementen om geld in te zamelen, totdat de oude Mr. Henfield me op een gegeven moment vroeg of ik officieel voor de krant wilde komen werken. Er was een groot tekort aan mensen. Hij was blij met iedereen die hij krijgen kon, dus ik deed mijn best. Ik heb mezelf typen geleerd en 's avonds een cursus steno gedaan.'

'En heb je sindsdien altijd voor *The News* gewerkt?'

'Ja, afgezien van mijn militaire dienst. Ik speel met de gedachte om naar Fleet Street te gaan, maar ik weet het nog niet zeker.

Eigenlijk zou ik het liefst naar Australië willen emigreren. Het lijkt me geweldig, al die zon.'

En hij had *Neighbours* niet eens gezien.

Ons eten was op, en ik besefte dat Phil verwachtte dat ik voor 'moeder de vrouw' zou spelen en de thee inschonk.

'Je zou naam kunnen maken in Fleet Street,' zei ik terwijl ik hem zijn thee aangaf.

'Ik had een maat in het leger. Hij werkt tegenwoordig bij *Express*. Hij zegt dat hij een baantje voor me kan regelen als ik wil.'

'Doen!'

'Vind je dat echt?'

'Natuurlijk! Een baan in Fleet Street! Daar hoef je toch niet over na te denken. Je bent jong, vrijgezel. Je bent een goede journalist. Heb je een reden om hier te blijven? Familie?'

'Mijn ouders leven nog, maar ik heb twee zussen die hier in de omgeving wonen. Ze zijn allebei getrouwd, met kinderen, dus er zijn genoeg mensen om een beetje op mijn pa en ma te letten.'

'Je wilt toch niet je hele leven voor *The News* blijven werken?'

'Nee. Ik bedoel, ik heb het er best naar mijn zin, maar er zijn nog zoveel andere kranten, ja toch? En andere soorten werk. In mijn diensttijd leerde ik allerlei verschillende soorten jongens kennen, en hier, tja, hier zie ik alleen de mensen die ik mijn hele leven heb gekend. Of kennissen van de mensen die ik mijn hele leven heb gekend. Daarom was ik zo blij toen jij bij ons kwam werken. Jij bent zo anders, je komt van de andere kant van de wereld, en je hebt andere ideeën, een andere manier om dingen te doen. Dat vind ik echt hartstikke leuk.'

O hemel, hij begon me aan te kijken. Veelzeggend. Ik wist me geen raad.

'Je zou het heerlijk vinden in Londen,' zei ik snel. 'Allemaal nieuwe mensen, al die verhalen. En een mooie kans om naam te maken. Je zou beroemd kunnen worden. Misschien ga je wel alle grote gebeurtenissen verslaan. En je kunt het. Je bent net zo goed als de landelijke verslaggevers.'

'Ik zou het kunnen proberen. Ik weet dat ik net zo goed ben als die vriend van me bij de *Express*, en hij maakt aardig furore.'

'Zie je nou wel. Ga ervoor. Het zou geweldig zijn.'

'Ja, niet gek, hè?' Hij grijnsde. 'Nou, misschien probeer ik het wel.' Hij betaalde de rekening, weigerde mijn aanbod om de helft te betalen, en we gingen naar de zaal.

Er draaide *Blackboard Jungle*, met muziek van Bill Haley.

'Ik ben benieuwd,' zei Phil. 'In sommige bioscopen hebben nozems tijdens de voorstelling de hele boel afgebroken.'

'O nee, relletjes! Maar het zou een goed verhaal zijn voor de krant, denk je niet?'

Hij lachte en liep voor me uit naar onze plaatsen.

Ik verheugde me op de film. Ik had hem ooit een keer om twee uur 's nachts gezien, toen ik thuis was gekomen van een niet zo geslaagd feestje. Het zou lastig zijn geweest om dat aan Phil uit te leggen... Maar toen begon de film, en het bleek helemaal niet *Blackboard Jungle* te zijn, maar een of andere stomme cowboyfilm. Ik wilde net tegen Phil zeggen dat we in de verkeerde zaal zaten, maar toen besefte ik dat het de voorfilm was, de B-film.

Er was een pauze en we aten een ijsje, waarna we teruggingen naar de zaal voor de hoofdfilm. Toen de titel verscheen en de muziek van Bill Haley door de zaal schalde, begon een groep jongelui vooraan te roepen en te fluiten en te swingen, maar alle anderen sisten 'ssst!' en de ouvreuse kwam door het gangpad met een grote zaklamp en zei heel luid: 'Als jullie het wagen om keet te trappen, gaan jullie ERUIT.' Braaf gingen ze weer allemaal zitten.

'Hier wordt het dus geen rel,' fluisterde Phil. 'Daar gaat onze vette kop op de voorpagina.'

'Ik weet een andere: "Ouvreuse houdt jeugdbende in bedwang met haar zaklamp,"' fluisterde ik terug. Ik kon zien dat Phil grijnsde.

'Het is maar goed dat onze scholen niet zo zijn,' zei hij een tijdje later.

Ik dacht aan het stuk dat ik over The Meadows had geschreven voordat de nieuwe directrice de leiding van de school had overgenomen. Rampzalig. Leerlingen die staakten, drugs, steekpartijen op het schoolplein. Chaos. 'Zeg dat wel,' beaamde ik.

Zodra het licht weer aanging, pakte Phil mijn hand. 'Kom op,' zei hij en we schuifelden naar de uitgang. Vreemd, dacht ik, maar toen hoorde ik een krakerige versie van het volkslied, en de mensen die niet wegliepen, zoals wij, gingen in de houding staan.

Vlak voor ons zagen we Leo/Lenny en Peggy naar buiten lopen. Ze moesten een paar rijen achter ons hebben gezeten.

'Lenny met een meisje, ik weet niet wat ik zie,' zei Phil. 'Nou ja, mensen zijn rare wezens.' Hij keek me veelbetekenend aan.

Ik glimlachte snel om te laten zien dat ik begreep wat hij bedoelde, maar na mijn zeer moeizame gesprek met Billy leek het me beter om mijn mond te houden. Het was donker buiten, en stil op straat. Er kwamen alleen een paar mensen uit de bioscoop en de pubs, op weg naar huis. De avond was afgelopen, ze riepen dag naar elkaar. Ik wilde dat ik naar huis ging, mijn eigen huis, mijn arm stevig om Will heen geslagen, nadat we heel doodgewoon naar de film waren geweest. We konden nog een slaapmutsje drinken, gezellig samen op de bank, en dan naar bed gaan...

Ik miste hem zo erg dat mijn adem bijna stokte van verdriet. In plaats daarvan was ik samen met Phil, een ontzettend aardige, fatsoenlijke jongen. Maar hij was Will niet.

Ik keek op mijn horloge. 'Hoe laat sluiten de pubs?' vroeg ik.

'Tien uur.'

Het was zelfs te laat om nog iets te gaan drinken. Misschien maar goed ook.

Eenmaal buiten het centrum hadden we de nacht en de straten voor ons alleen. Twee bussen reden weg van het marktplein, maar de auto's waren op de vingers van één hand te tellen. Het was heel vredig. Het geluid van onze voetstappen weergalmde tussen de stille huizen, totdat we bij de Browns waren.

Hoe gaat het nu verder, vroeg ik me af. 'Ik weet niet of ik je kan uitnodigen om nog even binnen te komen,' zei ik. 'Het is niet mijn huis en...'

'Het geeft niet, dat is niet nodig.' Ook Phil leek te aarzelen. 'Het was een leuke avond.'

'Heel leuk,' zei ik, en ik meende het. 'Heel erg bedankt. En je zou echt een kansje moeten wagen bij de *Express*. Ik meen het.'

'Ja, ik denk dat ik het doe, maar vertel het alsjeblieft niet aan de anderen.'

'Nee, natuurlijk niet.'

'Oké, bedankt.'

'Jij bedankt.'

'Tot morgen.'

'Ja, tot morgen.'

Hij hevelde zijn regenjas, die hij over zijn arm had gedragen, van de ene arm over naar de andere, en weer terug. 'Oké. Nou, tot morgen,' zei hij nog een keer.

'Ja.'

'Slaap lekker, Rosie.'

'Jij ook, Phil.'

Hij draaide zich om en liep weg, en ik bleef achter met de sleutel in het slot, stomverbaasd dat ik niet eens een nachtkus had gekregen...

Phil was wel een goede kameraad op kantoor. Iemand met wie je kon lachen, iemand met wie ik snel even een kop koffie kon gaan drinken. Een schat van een man, rechtdoorzee, fijn om mee te praten. Gordon was een vieze geilaard geweest. Henfield was het nog steeds. Alan negeerde me zo'n beetje, en na die eerste rampzalige avond bleef ik zo ver mogelijk bij de eindredacteuren vandaan. Mijn vriendschap met Phil was een soort van normaal en dat was een verademing.

Inmiddels had ik me aangepast aan de manier van werken in de jaren vijftig, in een compleet ander ritme dan ik gewend was. Om te beginnen stonden de telefoons niet de hele tijd roodgloeiend. Het was gebruikelijker dat mensen gewoon naar de krant kwamen, dus rende ik de trap voortdurend op en neer om met ze te praten. En we waren veel vaker op stap. Veel mensen die we interviewden hadden geen telefoon, of ze vonden een telefonisch interview niet prettig. Je sprak iedereen persoonlijk.

Nog steeds keek ik af en toe of ik sms'jes had, maar mijn mobiel bleef dood en onbruikbaar. Bovendien was er geen internet, dus je had geen e-mails, geen constant bombardement van informatie en perscommuniqués en nieuwsflitsen. Het was verbazend rustgevend. Je kon dingen doen in je eigen tijd zonder de hele tijd als een idioot je inbox te checken. Het kon lastig zijn om informatie te vergaren, maar de archiefmedewerkers op de bovenste verdieping werkten zich door dossiers en knipsels heen en vonden meestal wat we nodig hadden. Je had het alleen niet meteen. Niemand verwachtte een onmiddellijk resultaat. En ik na een tijdje ook niet meer. Al onze eenentwintigste-eeuwse speeltjes zijn bedoeld om ons tijd en energie te besparen, dus waarom was er in de jaren vijftig dan zoveel minder stress? Wonderlijk. Ik had er graag met iemand over willen praten, bij gebrek aan Will met Phil, maar ik zou niet weten waar ik moest beginnen.

'Je weet dat ik binnenkort weer naar huis ga,' zei ik op een dag tegen hem toen we waren weggeglipt om koffie te drinken. 'En jij gaat naar Fleet Street.'

Even keek hij beteuterd, een seconde of zo, terwijl zijn gedachten aan een toekomst met mij wedijverden met een toekomst in Fleet Street. Tot mijn opluchting won Fleet Street het met ruime voorsprong. 'Ik heb een map met knipsels verzameld om te laten zien wat ik kan,' zei hij. 'Die stuur ik aan die vriend van me, en hij laat ze dan aan de hoofdredacteur zien.'

'Goede zet,' zei ik.

Wat Billy betrof... ik vond het moeilijk met hem alleen te zijn. Dan vergat ik mijn manieren, begon ik me onnatuurlijk te gedragen. Soms voelde ik dat hij naar me keek, maar als ik dan mijn hoofd optilde, zat hij altijd ingespannen te typen op zijn schrijfmachine. Totdat ik op een gegeven moment sneller was en hem erop betrapte dat hij naar me keek. En hoe.

We keken elkaar aan, elk van achter ons bureau. Het was geen gewone blik. Ik voelde dat ik bloosde. Op dat moment kwam Phil binnen met een zak krentenbollen.

'Voedertijd in de dierentuin,' kondigde hij aan, 'dankzij raadslid Armstrong, de bakker in deze wijk. Hopeloos als raadslid, maar gelukkig is hij een prima bakker.'

Hij gooide een krentenbol naar Billy, die hem terugmepte met een liniaal. Instinctief stak ik mijn arm omhoog en ik ving hem, onder luid gejuich van mijn collega's.

'Goed gedaan!' riep Phil. Billy glimlachte. Een doodgewone, vriendelijke glimlach, en ik was zowel opgelucht als teleurgesteld.

Er ontwikkelde zich een soort kameraadschap. Maar de echte doorbraak kwam een paar dagen later.

Billy voerde overleg met Slijmbal Henfield. Alan was naar een zitting van de gemeenteraad, en Phil was aan de telefoon. Het was rustig op de redactie. Ik tikte een paar korte berichten uit, toen een loopjongen binnenkwam om te vertellen dat er twee jonge vrouwen in de receptie zaten die met een verslaggever wilden praten. Hup, daar ging ik.

'Actrices,' voegde de jongen er veelbetekenend aan toe.

De meisjes waren beslist theatraal. Ze waren een jaar of achttien, opzichtig gekleed en heel zwaar opgemaakt, compleet met felrode nagellak. In de sombere receptieruimte van de krant leken het net exotische vogels.

'Bent u verslaggeefster?' vroeg een van de twee. Ze nam me van hoofd tot voeten op en leek niet onder de indruk. 'Een échte verslaggeefster?'

Ik verzekerde het tweetal dat ik een échte verslaggeefster was.

'Nou, we hebben een verhaal te vertellen en we willen dat het in de krant komt. Het is schandalig wat hij doet.'

'Absoluut,' beaamde de ander.

'We zijn fatsoenlijke meisjes.'

'Het is werkelijk ongehoord.'

'Misschien,' opperde ik vriendelijk, 'is het een goed idee om bij het begin te beginnen.'

Ze heetten, vertelden ze me zonder blikken of blozen, Marcella en Loulou. Ze waren actrices bij een reizend gezelschap dat momenteel optrad in de Civic. Ik had de posters gezien en de recensies gelezen. Allemaal slechte. Volgens mij was het een soort Franse klucht.

'Wij spelen de dienstmeisjes,' vertelde Loulou, maar het had ook Marcella kunnen zijn. 'We dragen heel korte rokjes, reuze gewaagd.'

Je meent het, dacht ik.

'Maar we hebben veel tekst. We zijn actrices.'

'We kunnen ook zingen.'

'En dansen.'

'Vroeger traden we op als de Dinky Diamond Dancers, maar toen waren we nog jong. Nu werken we aan onze carrière.'

'Heel verstandig. Nou, wat is het probleem?'

'Mr. Hennessey.'

'Hij is de directeur.'

'De voorstelling loopt niet goed. Er is bijna geen publiek, zelfs al geeft hij kaartjes weg.'

'Er wordt bijna niet gelachen als hij zijn broek laat zakken.'
'En dan draagt hij nog wel een grote onderbroek met noppen.'
'Nou, en toen...' Nu begon hun brutale zelfverzekerdheid een beetje te wankelen. 'Toen vond hij dat wij...'
'Dat het beter was als niet híj zijn kleren uittrok, maar wíj.'
'Jullie moeten uit de kleren?' Met een ruk keek ik op van mijn blocnote. 'Hij wil dat jullie op het toneel uit de kleren gaan?'
'Ja. Hij zegt dat we achter een scherm staan, zogenaamd verstopt, als een van de echtgenotes opkomt.'
'Dan komt de mannelijke hoofdrolspeler het toneel op rennen en hij gooit "per ongeluk" het scherm om. Nou, en daar staan we dan.'
'Met geen draad aan ons lijf.'
'Puur natuur.'
'Mijn moeder vermoordt me.'
'Mijn vader onterft me.'
'Maar hij zegt dat we dan toeschouwers trekken. Dan willen alle mannen komen.'
'Het is onschuldig vermaak, zegt hij.'
'Maar wij willen het niet doen.'
'We weigeren.'
'We hebben principes.'
'Dus we gaan naar huis. We gaan weg bij het gezelschap.'
'Allicht,' zei ik. 'Jullie baas wil dat jullie naakt op het toneel staan en jullie willen dat niet, dus nemen jullie ontslag. Heel verstandig. Maar wat is dan het probleem?'
'Hij heeft ons niet betaald.'
'Al vier weken niet meer.'
'Hij zegt dat er geen geld is, en dat er pas weer geld binnenkomt als wij onze kleren uittrekken.'
'Geen publiek, geen geld, zegt hij.'
'En al helemaal niet waar we recht op hebben.'
'We zijn actrices, geen stripdanseressen.'
'Waarom zouden we het doen?'
Precies. Termen als 'seksuele intimidatie' en 'verkapt ontslag' flitsten door mijn hoofd, maar ik zei uiteraard niets. Niet in deze wereld.
In plaats daarvan liet ik Charlie halen om foto's te maken. De

meisjes, immers serieuze actrices, trokken hun rok tot boven de knie op en tuitten provocerend hun lippen. Ik ging naar het theater voor een gesprek met hun acterende directeur, een vies, slijmerig mannetje. Ik kon me hem met de beste wil van de wereld niet als een vrolijke vent in een onderbroek met noppen voorstellen. Hij was ook een berekenende ouwe schurk en wist hoeveel publiciteit waard was. Als de meisjes terug wilden komen tot aan het einde van de voorstellingen – nog twee weken – zou hij hun alles betalen wat hij hun schuldig was, zelfs als ze hun kleren aanhielden, en dan waren ze vrij om te gaan.

'En hoe denkt u over een schadevergoeding?'

Kwaad keek hij me aan. 'Wat bedoelt u, een schadevergoeding?'

'Ik bedoel dat de meisjes van slag zijn doordat u ze probeerde te dwingen om iets te doen wat ze niet wilden. En dan heb ik het nog niet eens over het feit dat u ze al een maand niet heeft betaald.'

'Van slag? Die twee? Die sletjes zijn spijkerhard. Ze mogen van geluk spreken dat ze werk hebben. Heeft u gezien hoe ze zich op het toneel bewegen? Het zijn net babyolifantjes. Niemand staat in de rij om die twee een baantje te geven, geloof me. En probeer mij niet wijs te maken dat ze zich nooit bloot zouden geven, ook niet als ze de kans zouden krijgen. Ze zouden naar Fanshaw's Follies gaan en rondhupsen met niets dan een paar veren en een glimlach als ze daar werk hadden kunnen krijgen. Maar ze hebben er de enkels niet voor.'

Ik dacht dat enkels waarschijnlijk de minst relevante kwalificatie was, maar goed.

Je kon zien dat de directeur een heftige innerlijke strijd voerde tussen betalen en de kans om van slechte publiciteit uitstekende publiciteit te maken. Uiteindelijk won zijn zakeninstinct. Na veel vijven en zessen spraken we af dat de meisjes al hun achterstallige loon zouden ontvangen, en dat ze een bonus zouden krijgen als ze tot het einde van de tournee bleven.

'Hoe kan ik ze betalen als er geen publiek is?'

'Het publiek komt heus wel, en dat weet u. Maar u kunt beter geen jonge meisjes meer chanteren.'

De deal was rond – misschien heb ik mijn roeping als vakbondsleider of VN-onderhandelaar misgelopen – en ik was bijzonder tevreden over mezelf. De meisjes zaten op me te wachten in Silvino, en ze hadden er ongeveer vijf seconden voor nodig om ja te zeggen, dus ik ging terug naar kantoor en vertelde het hele verhaal aan de anderen. Iedereen moest er hartelijk om lachen.

'Goed resultaat. Goed verhaal,' zei Billy. 'Maar je beseft toch wel dat ze waarschijnlijk maar al te graag uit de kleren waren gegaan als ze genoeg betaald hadden gekregen?'

'Misschien, misschien ook niet.' Ik was er eigenlijk niet zo zeker van. 'Maar als ze het doen, dan moeten ze het op hun eigen voorwaarden doen, niet omdat zo'n vieze gluiperd hen onder druk zet.'

Uiteraard wilden de mannen opeens allemaal theaterrecensies schrijven.

'Jongens, jongens, hebben jullie nou echt niets beters te doen?' zei ik. Ik had net de laatste regel van mijn stukje getikt toen Billy naar me toe kwam.

'Phil en ik gaan iets drinken in The Fleece,' zei hij. 'Heb je zin om mee te gaan?' De pretlichtjes van het lachen dansten nog in zijn ogen.

Phil kwam naast hem staan en glimlachte ook. 'Ja, ga gezellig mee, Rosie. Volgens mij hebben we wel een borrel verdiend.'

Dit, geloof het of niet, was de eerste keer dat de jongens me mee vroegen naar de pub. Sommige gingen bijna elke dag, meestal na het werk, maar ze hadden mij nooit uitgenodigd. Ik weet niet of ze het ooit aan Marje hadden gevraagd. Ze ging altijd zo snel mogelijk weg als ze klaar was met haar werk om boodschappen te doen. En ik had het gemist. Niet eens zozeer de pub, maar de kameraadschap, het gevoel dat ik bij het team hoorde.

Ik greep de kans dan ook met beide handen aan. Ik rukte het papier uit de schrijfmachine, vouwde het netjes op voor de eindredactie en griste mijn tas van mijn stoel.

'Goeiemiddag, Jack,' zei Phil toen we de kleine bar binnenkwamen. 'Twee pinten, zoals gewoonlijk, en... wat wil jij drinken, Rosie?'

'Cider graag.'

'En een halfje cider.'

Wie had gezegd dat ik een halfje wilde? Maar ik protesteerde niet. Oké, het had even geduurd, maar ik kende mijn plaats.

'En wie is de lieftallige jongejuffrouw?' vroeg de barman terwijl hij het bier tapte.

'Miss Rosie Harford, een journaliste uit Amerika die een tijdje bij ons werkt.'

'Ik kom niet...' en ik gaf het op.

Phil vroeg om een schaaltje chips en we gingen aan een hoektafeltje zitten en lachten opnieuw om het verhaal van Marcella en Loulou. We speelden een potje darts en verdeelden de laatste twee uitgedroogde sandwiches met kaas van onder een plastic stolp op de bar. Billy trakteerde op een tweede rondje, en toen de glazen weer leeg waren, stond ik op. 'Mijn beurt,' zei ik terwijl ik mijn portemonnee pakte.

De barman keek verbaasd, en Billy en Phil maakten allebei bezwaar.

'Nee,' zei ik, 'ik sta erop. Waar ik vandaan kom geven werkende meisjes ook rondjes.'

'Kunnen we dat aannemen?' vroeg Billy quasi-ernstig aan Phil.

'Nu je het vraagt,' zei Phil, net zo ernstig, net zo spottend. 'Volgens mij wel.' En ze pakten hun pinten aan.

'Proost,' zei Phil gemoedelijk.

Billy hief zijn glas. 'Op uw gezondheid, miss Harford.' Hij keek me met lachende ogen aan.

Ik leunde achterover en dronk mijn cider, en een baan stoffig zonlicht viel over mijn gezicht. Ik ontspande me. Ik voelde me bijna thuis.

Totdat ik in mijn eentje naar huis ging en Billy terug naar zijn vrouw.

13

Peggy was me voor geweest in de badkamer. Terwijl ik hielp met het afruimen van de tafel was zij weggeglipt naar boven en had ze zich achter een stevig vergrendelde deur verschanst. Ik hoorde water stromen en rook de geur van Yardley zeep en badzout. 'Ze maakt zich mooi voor haar jongeman,' kondigde Mrs. Brown aan. 'Ze ziet hem de laatste tijd heel vaak.'

'Die Lenny bedoel je?' Mr. Brown liet *The News* een eindje zakken.

'Ja. Zo'n aardige knul.'

Mr. Brown snoof. 'Veel té aardig, als je het mij vraagt,' merkte hij op, en hij dook weer weg achter zijn krant.

'Nou, hij maakt onze Peggy gelukkig, en daar gaat het om.'

'Zo gelukkig kijkt ze anders niet. Ik weet niet wat dat meisje de laatste tijd bezielt.' Hij maakte aanstalten om de krant weg te leggen en de kwestie te bespreken.

Mrs. Brown wuifde zijn bezwaren weg. 'Ach, je weet hoe meisjes zijn, vooral als ze verliefd zijn.' Ze was bezig met het opruimen van haar boodschappen. Elke keer dat ze iets uit haar mand haalde, schudde ze het papieren zakje waar het in was verpakt uit, vouwde het zorgvuldig op en legde het in de kast naast het kachelfornuis. De kast die naar boenwas en kaarsen rook.

'We zien haar bijna nooit meer glimlachen. En ze was altijd het zonnetje in huis,' hield Mr. Brown vol, maar Mrs. Brown was in de voorraadkast verdwenen.

'Rosie,' zei ze toen ze terugkwam, 'wij gaan morgenochtend vroeg weg. We gaan naar een doopfeest. Het wordt een hele reis. Een trein en twee bussen. Jij en Peggy moeten het zelf zien te rooien. Er is nog genoeg konijnenpastei over en daar kunnen jullie aardappels bij eten. En denk erom dat Peggy je niet met de afwas laat zitten.'

Ik wou dat Peggy een beetje opschoot. Phil had gezegd dat hij waarschijnlijk langs zou komen en ik wilde klaarstaan.

De klink van de achterdeur ratelde en Janice glipte door een kier naar binnen. Normaal gesproken was ze al klein en groezelig, maar vandaag zag ze er wel heel treurig uit.

'Hallo, kleintje,' zei Mr. Brown. 'Zeg, wat is er met jou aan de hand? Je ziet eruit alsof je je laatste oortje hebt versnoept.'

Janice ging naast de kachel staan, hunkerend naar warmte. Haar haar was nog slapper dan gewoonlijk, en ze zag ziekelijk bleek. Haar sportkousen waren omlaag gezakt langs haar smoezelige benen, en haar schoenen waren zo afgetrapt en vuil dat je onmogelijk kon zien wat voor kleur ze oorspronkelijk hadden gehad. Ze zag eruit als een klein bruin diertje dat beschutting zocht.

'Ze hebben Kevin en Terry weggehaald.'

'Weggehaald?' herhaalde Mrs. Brown geschrokken. 'Waarheen?'

'Parkfields.'

'Ah.'

Er viel een lange stilte. De kamer waar het net nog zo warm en gezellig was geweest, voelde opeens kil aan.

'Parkfields?' vroeg ik aarzelend.

'De inrichting,' zei Mrs. Rown.

'Het gekkenhuis,' zei Janice.

Ik besefte dat ze het hadden over het enorme victoriaanse herenhuis waar ik een keer langs was gereden met George. Het had een groot hek en hoge muren. 'Hoe oud zijn Kevin en Terry?'

'Dertien. Het is een tweeling. Het zijn de broers die altijd krijsen,' legde Janice uit.

'Wat vreselijk! Ze kunnen kinderen niet in zo'n gesticht opsluiten.'

'Ze zeggen dat mijn moeder het niet meer aankan.' Janice wreef met haar handen onafgebroken over de zijkant van de kachel.

'Het is heel zwaar voor haar geweest,' zei Mrs. Brown op begripvolle toon. 'Ik vind het een wonder dat ze het nog zo lang heeft volgehouden. En dan ook nog met de kleintjes erbij.'

'Maar het gaat juist beter met Kevin en Terry!' zei Janice fel. 'Ze doen klusjes in huis. Ze kunnen zelf eten, ze kunnen zichzelf aankleden, ze spitten in de tuin. Ze kunnen tegenwoordig van alles!'

'Ik weet het, kindje. Maar het zijn geen kleine jongetjes meer. Ze worden steeds groter, het zijn al bijna jongemannen. Je moeder moet ze in het gareel zien te houden en dat valt niet mee. En je vader... tja.'

Janice nam hem in bescherming. 'Papa werkt heel hard!'

'Ja, dat weet ik. Hij pakt al het werk aan dat hij krijgen kan. Maar juist omdat hij zo hard werkt, kan hij weinig voor de jongens doen. En na dat voorval met het raam...'

Vragend keek ik haar aan.

'Als Janice' moeder komt schoonmaken op het postkantoor moet ze de tweeling thuis laten, dus dan sluit ze hen op in hun kamer. Een paar weken geleden werden ze zo kwaad dat ze de ruit hebben ingeslagen en toen probeerden ze naar buiten te komen. Ze zaten onder de snijwonden. Overal bloed, o, wat een toestand was dat.'

'Daarna zei de dokter dat het afgelopen moest zijn. Dat ze elkaar, of mama, of iemand anders zouden vermoorden als wij niets deden. Maar dat zouden ze nooit doen, dat weet ik gewoon.'

Ik had verwacht dat ze zou huilen, maar ze was fel en beheerst.

'Wat is er precies mis met hen?' vroeg ik.

'Ze zijn niet goed bij hun hoofd,' zei Mrs. Brown, heel stellig maar niet bepaald medisch onderbouwd. 'Al vanaf hun geboorte. Er zijn een paar van dat soort gevallen in de familie van haar vader.' Onder het praten had ze een pot thee gezet en ze schonk nu een kop in voor Janice, die het aanpakte en snel weer de warmte van de kachel opzocht.

'Dit is de beste oplossing, heus,' vervolgde Mrs. Brown vriendelijk. 'Ze worden daar goed verzorgd door mensen die ervaring hebben met jongens zoals zij. En ze kunnen naar buiten in die fijne grote tuin. Daar kunnen ze cowboytje spelen. Dat doen ze toch graag?'

Janice knikte.

'En zo heeft je moeder meer tijd voor jou en je broertjes. En er is meer ruimte en rust in huis. Je hebt nog steeds vier broertjes thuis en dat is meer dan genoeg! Ze groeien als kool en ze hebben eten en kleren nodig. Je moeder heeft haar handen al meer dan vol. Het is echt het beste.'

'Ik weet wat,' zei Mr. Brown. 'Wat vind je ervan als we je schoenen eens een goede poetsbeurt geven? Zo'n slimme meid als jij moet er ook een beetje netjes bij lopen.'

Janice deed haar afgetrapte schoenen uit en verstopte zich zo ongeveer achter haar kop thee. Ik probeerde me die jongens van dertien in dat gesticht voor te stellen, en hoopte dat Janice zich een beetje getroost voelde door de vriendelijkheid van de Browns. De sombere stilte werd verbroken door een vrolijke stem van boven. 'De badkamer is vrij!'

Ik ging naar boven en raakte bijna bedwelmd door de geur van badzout, talkpoeder en de geparfumeerde zeep die Peggy in overvloed had gebruikt. Lenny zou niet weten wat hem overkwam. Ik bleef boven totdat hij aanbelde en ik hen samen weg hoorde gaan. Het leek me beter dat ik hem niet zag. Ik wilde hem niet weer in verlegenheid brengen.

Toen ik weer beneden kwam, was Janice weg.

'Het is echt het beste dat die jongens naar Parkfields zijn,' zei Mrs. Brown nog een keer. 'Ik heb geen idee hoe die vrouw het al die jaren heeft volgehouden. Die man van haar... ach, hij werkt misschien wel, maar hij is niet bepaald snugger. Baby's maken, dat is het enige waar hij goed in is. En wat heeft een mens daar nou helemaal aan? En dan dat huis! Ach, ze doet haar best, maar er is geen geld en die tweeling laat niets heel.'

'Hoe zijn de andere kinderen?'

'Nou, die zijn wel normaal, voor zover ik weet tenminste, want ze zijn nog heel klein. Maar daar zijn geen wonderen van te verwachten. Nee, de kleine Janice is de slimste in die hele familie. Jammer dat uitgerekend het enige meisje de hersens heeft. Het zou veel beter zijn geweest als een van de jongens koppiekoppie had gehad. Die hadden er tenminste iets mee kunnen doen.'

'Wie weet wat de kleine Janice kan bereiken,' betoogde Mr. Brown. 'Ze heeft zo'n goed verstand.'

'Ja, dat is allemaal goed en wel, maar later gaat ze toch alleen maar trouwen en kinderen krijgen, net als haar moeder. Een jongen had carrière kunnen maken.'

Ik haalde diep adem om te protesteren en dit argument aan flarden te rijten, maar toen ging de bel.

'Dat zal die jongeman van je zijn, Rosie,' zei Mr. Brown. 'Wat zijn onze meisjes vanavond populair. Ga jij je jas maar halen, dan doe ik open.'

Ik slikte mijn hele betoog weer in, maar kon het niet laten toch nog vriendelijk een opmerking te maken. 'En ik weet zeker dat Janice het ver zal schoppen.' Toen liep ik naar de gang, waar Phil verlegen stond te wachten.

'Ik ben met de motor, dus we kunnen de stad uit, als je zin hebt,' stelde hij voor. 'Naar een pub of zo?'

'Goed plan,' zei ik terwijl we naar buiten liepen. Ik klom achterop. Ik was niet meer zo nerveus als de eerste keer, maar ik bleef me een beetje kwetsbaar voelen zonder valhelm. Ik sloeg mijn armen losjes om Phils middel. Ik verlangde er niet naar om me aan hem vast te klampen en hem tegen me aan te voelen, niet zoals met Billy.

We reden naar de heuvels rond de stad. Naarmate we hoger kwamen, werd de weg steeds smaller, hier en daar nauwelijks meer dan een pad. Op een gegeven moment reden we langs een afgrond, met uitzicht over de hele vallei. We kwamen bij een rijtje huizen – je kon het niet eens een dorp noemen – en Phil stopte voor een kleine pub met een bankje voor de deur.

'Cider?' vroeg hij terwijl hij zijn grote leren kaphandschoenen uittrok.

'Lekker. Kunnen we buiten zitten?'

'Ja, natuurlijk. Ik dacht al dat je het uitzicht mooi zou vinden.' Het was schitterend. Je kon kilometers ver kijken. Ik probeerde de plek waar we waren in te passen op de moderne kaart, die alleen in mijn herinnering bestond. Het lukte niet echt. Hoe ik het ook probeerde, het beeld van de moderne tijd bleef buiten mijn bereik.

'Alsjeblieft.' Phil kwam terug met de drankjes, die hij op het gammele tafeltje zette, een tafeltje dat duidelijk het hele jaar buiten stond en de elementen moest trotseren.

'Bedankt.' Ik nam een slok cider, mijn blik nog steeds op het landschap gericht – het smalle pad, de steile heuvel, de stad die aan de voet van de heuvels in een soort kom lag...

'De snelweg!' riep ik opeens uit.

Phil keek me over de rand van zijn glas niet-begrijpend aan. 'Sorry. Wat zei je?'

'O, niets. Helemaal niets,' zei ik snel en verward. 'Ik bewonderde het uitzicht.'

Wat ik wilde zeggen, was dat ik het herkende omdat ik er altijd

156

langskom als ik bij mijn ouders ben geweest. Dit uitzicht duikt altijd plotseling op, vlak na het Long Edge benzinestation, en dan overvalt het je. Op dat moment weet ik altijd dat ik bijna thuis ben, bijna terug bij Will. Maar hier was helemaal geen snelweg, alleen een landweggetje met een paar huizen erlangs, en je hoorde alleen het blaten van schapen, luider nu het begon te schemeren.
'Hoe heet dit dorpje?' vroeg ik Phil.
'Long Edge.'
Ik dronk mijn cider en keek naar het uitzicht, genietend van de stilte en de vredigheid. Ik dacht aan het smalle weggetje, waar een zesbaans-snelweg overheen is gelegd. Deze kleine pub ligt nu ergens onder het benzinestation, met zijn flikkerende neonborden en het nooit aflatende verkeer en het kabaal en al die mensen. Het idee was werkelijk niet te bevatten.
'Een stuiver voor je gedachten,' zei Phil glimlachend.
'Hoe denk je dat het er hier over vijftig jaar uit zal zien?' vroeg ik.
'Waarschijnlijk niet heel anders dan nu,' zei hij. 'Het is de laatste duizend jaar nauwelijks veranderd, dus ik denk niet dat vijftig jaar veel verschil zal maken.' Hij stak een sigaret op alsof de kwestie daarmee was afgedaan.
'Leuk stukje, dat van die hond die de trein neemt,' merkte hij op. Ik had een stukje geschreven over een hond die elke dag de trein nam om zijn baasje af te halen van zijn werk. Het sloeg natuurlijk nergens op.
'Billy vindt dat je die lichte verhaaltjes heel geestig schrijft, maar zo'n groot verhaal als Littlejohn doe je ook heel goed. Hij heeft een hoge pet van je op.'
Ik kon wel een gat in de lucht springen van blijdschap. Gelukkig schemerde het, zodat Phil niet kon zien dat ik bloosde en waarschijnlijk nogal stompzinnig grijnsde. Als ik niet met Billy samen kon zijn, was het in elk geval een pleister op de wonde om over hem te praten, dus ik probeerde het gesprek gaande te houden en Phil uit te horen over hoe hij was op het werk, over Carol en zijn gezin. Dat moest ik natuurlijk zo onopvallend mogelijk doen, met als gevolg dat Phil al snel afdwaalde en verhalen vertelde over verhalen, zoals krantenmensen altijd doen als ze met elkaar zijn.

We dronken allebei nog een glas of twee en kletsten op een losse, vriendschappelijke manier over werk. Intussen dacht ik de hele tijd aan Will.

Uiteindelijk was het helemaal donker. We zaten nog steeds op het bankje voor de pub, met op de achtergrond het geluid van de schapen en het gedempte geroezemoes en het klikken van dominostenen van de paar oude mannetjes die binnen zaten. Phil sloeg zijn arm om me heen en kuste me. Niet hartstochtelijk, maar aardig. Het was een beetje een schok voor me. Niet omdat het Phil was, maar omdat het Will niet was. Verbaasd, zeg maar.

En ik kuste hem terug, een beetje afwezig, maar heel aardig en beleefd. En we stapten op de motor en reden de heuvel af door de diepe duisternis, met alleen hier en daar de lichtjes van een paar boerderijen. En ik dacht aan alle lichten en borden langs de snelweg. Het was een beetje onwerkelijk.

Toen we terug waren bij het huis van de Browns sprong ik van de motor en gaf ik Phil snel een kusje op zijn wang, voordat hij de motor op de standaard kon zetten en zijn armen om me heen kon slaan.

'Bedankt voor een leuke avond, Phil,' zei ik, en ik ging snel naar binnen en meteen door naar boven, zodat ik in bed kon kruipen en ongestoord aan Will kon denken.

Vlak voordat ik in slaap viel, vroeg ik me vluchtig af hoe Peggy's grote avond met Lenny was verlopen.

Ik lag zondagochtend nog in bed en hoorde de Browns voorbereidingen treffen voor hun dagje uit. Het ratelen van de asla. De achterdeur die dichtsloeg toen een van de twee naar buiten ging om de as weg te gooien en nieuwe kolen te halen. Het stampen van voeten, toen opnieuw de deur. Inmiddels waren het vertrouwde ochtendgeluiden. Met het oog op hun gecompliceerde reis waren ze vroeg opgestaan en ze bleven eindeloos tutten, totdat ik eindelijk de voordeur dicht hoorde vallen, gevolgd door het weergalmen van hun voetstappen in de zondagsstilte op straat.

Toen ze weg waren, ging ik naar beneden om een pot thee te zetten, en met mijn thee en de *Sunday Pictorial* van Mr. Brown installeerde ik me aan de keukentafel. Het was een roddelblad, maar er stond toch verbazingwekkend veel nieuws in. Heerlijk. Ik hoefde niet naar de kerk of bergen aardappels te schillen en groente schoon te maken voor de zondagse lunch. Ik hoefde helemaal niets te doen. Bij gebrek aan andere mensen in huis maakte Sambo een gracieuze sprong en nestelde zich op mijn schoot. Ik aaide hem afwezig, totdat ik de krant uit had en nog een tweede kop thee had gedronken.

En nu?

Ik was rusteloos en wist niet wat ik moest doen. Ik had geen vrienden die ik op kon zoeken, afgezien van Phil, en hij zou er ongetwijfeld een luie dag van maken omdat hij vanaf die avond weer nachtdienst had. Bovendien wilde ik die arme jongen geen valse hoop geven door overdreven enthousiast te zijn. Daar vond ik hem te aardig voor. Ik wilde Will en niemand anders. Maar...

Ik besloot een wandeling te gaan maken om een beetje energie kwijt te raken. Ik trok mijn rode jasje aan, krabbelde een briefje voor Peggy en ging op pad. Ik zwierf kriskras door de stad, zonder een bepaald doel voor ogen, en vond uiteindelijk het pad langs de rivier. Het was een ideale dag om te wandelen, met een vleugje lente in de lucht, nog wel frisjes maar in de zon plotseling warm. Ik genoot ervan. Het viel me op dat ik veel meer energie had dan in mijn gewone leven. Ik sliep meer, dat hielp natuurlijk. En ik dronk niet zoveel. Er moesten natuurlijk ook positieve kanten zijn.

Onder het lopen probeerde ik mijn route uit te zetten op de mentale kaart van de moderne stad zoals ik die kende, maar ik kon het een niet rijmen met het ander. Ik liep verder, blij dat ik een uitlaatklep voor mijn rusteloosheid had. En toen moest ik lachen. Wat is instinct toch verbijsterend.

Op de een of andere manier was ik om de hele stad heen gelopen en nu bevond ik me op de rivieroever tegenover Billy's huis. Daar stond het, onder aan dat smalle laantje, op de rivieroever, met de lange tuin erachter. Ik liep een paar treden op naar een bankje in de beschutting van de oude stadswal, zodat ik op mijn gemak naar de overkant kon kijken. Daarvandaan zag ik de keurige rijtjes groente die net begon op te komen, netjes in het gelid, met een strak patroon van paden ertussen. Het deed me denken aan een middeleeuwse kloostertuin, of zo'n victoriaanse merklap die heel precies in vakjes is onderverdeeld.

In het lage deel van de tuin renden twee kleine figuurtjes rond. Peter en Davy, vermoedde ik, die aan het voetballen waren. Toen zag ik Billy. Hij liep over het pad met een hark of een schoffel in zijn hand. Hij zette het gereedschap neer tegen de schuur, veegde zijn handen af aan het zitvlak van zijn broek en plukte de bal uit de lucht. Zelfs van een afstand kon ik de verontwaardigde kreten van de twee jongens horen. Ik was niet de enige die naar hen keek. Carol liep het trapje af met een dienblad en bleef staan om te kijken, samen met een klein figuurtje, Libby, dat zich vasthield aan haar rok. Een van de jongens gaf een verkeerde trap tegen de bal, die recht op hun moeder af kwam. Ik keek gespannen toe, verwachtte dat alles op het dienblad aan gruzelementen zou gaan, maar nee, Carol deed handig een stap opzij en schopte de bal terug naar de jongens. Ze zette het dienblad ergens neer waar ik het niet kon zien, en het hele gezin dromde om haar heen om, vermoedde ik, thee en koekjes te krijgen.

Het was een glimp van hun gezinsleven. Dit tafereel speelde zich in honderden Engelse achtertuinen af. Niets bijzonders. En het brak mijn hart.

Dit was een gelukkig gezin, en ik was een buitenstaander, ik had geen plek binnen dat gezin. Ik voelde me net een voyeur toen ik naar hen keek. Zij hadden iets met elkaar waar ik hevig naar verlangde, iets wat ik in mijn eentje nooit voor elkaar kon krijgen.

Beweginloos bleef ik toekijken terwijl zij hun elfuurtje gebruikten. Ik zag dat Billy zijn kopje terugzette op het dienblad, en daarna ging hij verder met zijn werk. Hij pakte een schep en spitte een hoekje van de tuin om. Het moest zwaar werk zijn, maar hij deed het snel en soepel, in een gestaag ritme. Het bewegen van zijn lichaam fascineerde me.

Dit aspect van Will had ik nooit eerder gezien. Ik had hem nooit, besefte ik, lichamelijk werk zien doen. Sport, ja, maar geen werk. Ik kreeg de indruk dat Billy veel praktische, nuttige dingen deed voor zijn gezin. Will vermaakte zich alleen maar.

De jongens begonnen een robbertje te stoeien. Billy riep iets naar hen, kennelijk een verzoek om iets voor hem te doen, want ze kwamen terug met een bos lange takken en een rol touw. Hij verdeelde de takken in kleinere bundels en bond die met touw aan elkaar. Hij ging langzaam te werk, duidelijk om de jongens te laten zien hoe het moest. Daarna mochten ze het zelf proberen, geholpen door Billy. Triomfantelijk zetten ze de takken overeind, en toen ze het bundeltje uit elkaar trokken, zag ik dat ze twee wigwamvormige frames hadden gemaakt, kennelijk bedoeld om er een groente tegenaan te laten groeien. Trots bekeken de jongens het resultaat, en toen rende Davy weg om Carol te gaan halen.

Samen bewonderden Billy en Carol het werk van hun zoons. Hij sloeg een arm om haar schouders en zij keek naar hem omhoog. Ik kon de uitdrukking op hun gezicht niet zien, maar het was duidelijk dat ze naar elkaar glimlachten. Ik kon het niet langer aanzien.

Mijn handen waren inmiddels gevoelloos, mijn vingers wit en bloedeloos en geschramd door het gesplinterde hout van het bankje. Ik was verkleumd tot op het bot, maar dat paste op de een of andere manier bij de situatie. Waren mijn emoties maar net zo verdoofd en koud.

Hoe was het mogelijk dat ik Will nog steeds wilde, terwijl hij onmiskenbaar gelukkig was met iemand anders? In deze vreselijke tijd, in deze akelige situatie, zouden Will en ik nooit samen kunnen zijn.

Ik haatte mezelf en alles wat er met me gebeurde. Deze uitdaging was te echt, te pijnlijk. In het begin dacht ik nog dat het een televisieprogramma was, maar dat leek nu een droom. Mijn hele andere leven leek net een droom. Het kostte me moeite om het me voor te stellen. Het hier en nu was de realiteit. Caz en Will, Carol en Billy. Mijn twee beste vrienden, die me letterlijk en figuurlijk in de kou lieten staan.

Ik sprong overeind van het bankje en holde het trapje af, struikelde, en landde in een vrije val op het pad langs de rivier. Ik bleef even zitten, bijna in tranen. Mijn handen en knieën waren geschramd en ik had mijn enkel verstuikt. Het kon me niet schelen. Het was niet belangrijk.

Ik had gedacht dat Will naar me zou verlangen toen we elkaar terugzagen en dat hij gewoon naar me toe zou komen. Het was zo voor de hand liggend, althans voor mij. Will en ik hielden van elkaar. We hóórden bij elkaar. Hoe kwam het dan dat hij me hier niet wilde, terwijl we in onze eigen tijd samen waren?

Toch wilde hij me misschien wel. Ik dacht aan de manier waarop hij soms naar me keek, aan ons oogcontact, aan die avond met Littlejohn, toen hij me in zijn armen had genomen... O ja, Billy voelde zich tot me aangetrokken.

Maar verder zou hij niet gaan. Will had alleen mij in zijn leven, Will en ik konden zelf beslissen of we samen wilden zijn. Billy en ik hadden die keus niet. Billy had al gekozen, had Carol gekozen. Hij had een vrouw en kinderen, en ik paste op geen enkele manier in zijn plannen.

Ik hobbelde naar huis, bijna blij met de pijn in mijn enkel.

Tegen de tijd dat ik er was stond het huilen me nader dan het lachen. Mijn hand bloedde en mijn broek was gescheurd. Ik moest de schaafwonden ontsmetten, andere kleren aantrekken en bijkomen, dus ik ging linea recta naar de badkamer. Mijn enkel was zo pijnlijk dat ik me aan de trapleuning naar boven hees. Boven aan de trap bleef ik stokstijf staan. Er was iemand in mijn kamer. Het klonk alsof iemand laden opentrok en mijn spullen doorzocht. Ik hoorde iemand stommelen...

Inbrekers. Dat kon niet anders. Er viel weinig te stelen uit mijn kamer, maar wat moest ik doen?

Beneden in de hal was een telefoon. Als ik stilletjes naar beneden liep, kon ik misschien het alarmnummer bellen. Maar stel nou dat de inbreker me hoorde?

Zo geruisloos mogelijk draaide ik me om, en mijn gezicht vertrok van pijn toen ik mijn gewicht verplaatste naar mijn snel dikker wordende enkel. Toen hoorde ik weer een geluid. Een soort gekreun, dat overging in een snik. En een vertrouwde stem zei: 'O, waar zijn ze dan?' Het was de wanhopige uitroep van iemand die in tranen was.

'Peggy?' vroeg ik aarzelend, en ik hees me weer naar boven naar de overloop. 'Peggy, ben jij het?'

Onmiddellijk kwam er een einde aan de geluiden. Ik wist dat Peggy aan de andere kant van de deur was verstijfd zodra ze mijn stem hoorde.

Ik hinkte door de gang en deed de deur van mijn kamer open.

Het was er één grote chaos. Alle laden hingen open, net als de deur van de garderobekast, en mijn kleren waren er lukraak uit getrokken en in het rond gesmeten. Ik had steeds gedacht dat ik niet zoveel spullen had, maar het was al met al toch een hele berg. Mijn handtas was omgekieperd op de glimmende groene sprei.

Peggy zat op het bed. Haar gezicht was opgezet en vlekkerig, en ze had rode ogen. Ze zag er vreselijk slecht uit.

'Peggy? Wat ben je in hemelsnaam aan het doen?' Ik hinkte naar haar toe.

'Waar zijn ze?' kermde ze. 'Waar bewaar je ze?' Ze leek wel gek geworden, eerlijk waar.

'Waar bewaar ik wat?' vroeg ik behoedzaam. Ik had geen idee waar ze het over had, maar ze was er zo beroerd aan toe dat ik haar niet nog erger van streek wilde maken.

'De pillen. De tabletten waar je me over vertelde, zodat je geen baby krijgt.'

'Tabletten? Baby?'

Ik herinnerde me ons gesprek aan de keukentafel, die keer dat haar moeder me de mond had gesnoerd.

'O Peggy, die heb ik niet bij me. Bovendien slik je die om te voorkómen dat je zwanger wordt. Er is natuurlijk ook nog de morning-afterpil...'

Aha. Opeens was het me duidelijk. 'Peggy, denk je dat je zwanger bent?'

En toen begon ze met gierende uithalen te huilen. Het ging werkelijk door merg en been, zoveel ellende en wanhoop klonk erin door. 'Zeg het niet!' krijste ze. 'Zeg het niet!'

'Hé,' suste ik op kalmerende toon, 'zo erg is het niet. Het is niet het einde van de wereld.'

'Wat weet jij er nou van?' gilde ze. 'Het gaat niet om jou, of wel soms?' Ze wierp zich met haar gezicht omlaag op het bed, hysterisch snikkend. 'Ik weet me geen raad.'

Behoedzaam stak ik een hand uit en ik streelde haar schokkende schouders. Ze bleef huilen, snotterde in mijn sprei. Ik gaf haar een van de minuscule kanten zakdoekjes die ze uit een la had gerukt en op de vloer gegooid.

'Ik heb die pillen niet bij me. En zelfs al had ik ze wel bij me, dan zou je er nog niets aan hebben,' legde ik zo vriendelijk mogelijk uit. 'Hoe ver ben je?'

'Ik heb één menstruatie overgeslagen,' vertelde ze zonder me aan te kijken, 'en gisteren had ik ongesteld moeten worden, maar ik... ik ben nog steeds niet...' Ze begon weer te huilen.

'Er is nog tijd voor een abortus.' Opeens herinnerde ik me de stoom in de badkamer, de geur van drank. Ik heb *Alfie* en *Vera Drake* gezien. 'Dus dat probeerde je die middag te doen? Een warm bad en gin... je probeerde van de baby af te komen, hè?' Ze knikte. 'Ik wist niet wat ik anders moest doen. Maar het lukte niet. Er is niets gebeurd,' snikte ze. 'Ik weet niet aan wie ik kan vragen... je weet wel. Ik heb gehoord dat er iemand is die dat soort dingen doet, maar ik weet niet wie het is. En ik ben bang.' Ze staarde me aan met een blik van paniek in haar ogen. Het leed geen twijfel dat ze bang was.

O god, het zou nog jaren duren voordat abortus werd gelegaliseerd. Wat een ellende.

Peggy staarde me wanhopig aan. 'Weet jij niemand? Jij lijkt me iemand... hoe zal ik het zeggen... iemand die dat soort dingen weet.'

'Sorry,' zei ik, 'ik kan je niet helpen.' Voordat ze weer kon gaan brullen vroeg ik: 'Zeg, eh... hoe zit het met de vader? Weet hij het? Wat vindt hij ervan?'

'Hij kan niets doen!' bitste Peggy. 'Niets! Het is hopeloos.' Ze keek me intens verdrietig aan. 'Hij is getrouwd,' voegde ze eraan toe.

'O.' Ik herinnerde me de trotse glimlach, haar aanstellerige lachje als de hoofdredacteur in de buurt was, de bus naar Middleton Parva... 'O god, Peggy, het is toch niet Mr. Henfield?' Ze snufte een beetje en knikte toen.

'Heb je het hem verteld?'

Weer knikte ze.

'Wat zei hij?'

'Hij zei dat ik me aanstelde. Dat het vals alarm was. Dat ik gewoon over tijd was. En ik hoopte... Ik dacht dat hij misschien gelijk had. Hij zei dat vrouwen altijd in paniek raakten en dat ik er snel genoeg achter zou komen dat het voor niets was. Ik dacht dat hij dit soort dingen wist. Hij is per slot van rekening

164

getrouwd. Bovendien,' hakkelde ze, 'wilde ik hem geloven.' Ze had het zakdoekje tot een prop gedraaid tussen haar vingers.

'Hoe is het je in hemelsnaam gelukt om voor hem te blijven werken?'

'Hij is er bijna nooit. En als hij op kantoor is, doet hij alsof er niets aan de hand is. Dat hebben we altijd gedaan, want niemand mag het weten...'

'Kan het vals alarm zijn?'

'Ik denk het niet. Ik ben altijd heel regelmatig.'

'Maar waarom...' Ik was nu echt in de war. 'Als je er nog met Henfield over wilde praten, waarom was je er dan zo op gebrand om met Lenny uit te gaan?'

Ze keek me aan en frunnikte zo driftig aan het zakdoekje dat het elk moment kon scheuren.

'Richard is getrouwd,' zei ze met een hikje. 'Ik wist dat hij niet met me kon trouwen, dus ik dacht...'

'Dus je dacht dat je Lenny misschien kon strikken, is dat het?'

Opnieuw een knikje.

'Maar besef je dan niet...' Ze had duidelijk geen benul van Lenny's seksuele voorkeur, en ik wist werkelijk niet hoe ik het moest uitleggen.

'Ik dacht... ik dacht dat als Lenny en ik, je weet wel, als Lenny en ik het deden, hét deden, dat ik dan misschien...'

'Dat je hem dan zo gek zou kunnen krijgen om met je te trouwen?'

Ze snufte en knikte.

'O god, Peggy, je was toch niet van plan om gemeenschap met hem te hebben en hem dan wijs te maken dat de baby van hem was?'

Ze begon weer te huilen.

'Dat betekent ja, neem ik aan. Alleen ging het niet zoals je had gehoopt?'

'Nee. Lenny... Lenny sloeg zo ongeveer op de vlucht. Hij zei dat hij geen verkering met me wilde. Dat het afgelopen was.'

En opeens voelde ik me een beetje verantwoordelijk. Héél erg verantwoordelijk. Ik had mijn grote mond opengetrokken en tegen Lenny gepraat alsof hij Leo was, ik had zelfs gevraagd of hij nog steeds met Jake samen was. Als homoseksualiteit bij wet verboden was, kon elke idioot begrijpen waarom hij niet wilde dat ze het op de krant zouden weten. Ik neem een vriendin, moet hij hebben gedacht. Het was de beste manier om roddels de kop in te drukken. Hij had er geen gras over laten groeien. Peggy was beschikbaar, wanhopig op jacht naar een man, wat voor man dan ook...

Als ik niets had gezegd, zou Lenny het niet nodig hebben gehad om zich in te dekken door met Peggy uit te gaan. Dan zou zij niet op het idee zijn gekomen hem voor haar karretje te spannen en... O hemel, wat had ik die arme mensen aangedaan?

Peggy bestudeerde het patroon van de glimmende groene sprei en probeerde het uit te leggen. 'Ik heb geprobeerd om hem eh... je weet wel, om hem te verleiden... maar hij... hij wilde niet... Hij zei alleen dat het... dat het niets zou worden, dat het geen zin had. En toen ging hij weg. Hij wist niet hoe snel hij weg moest komen. Het was vreselijk.'

'Arme meid. Ik vind het zo naar voor je,' zei ik. Het was zo'n treurnis allemaal dat ik zelfs niet besmuikt kon glimlachen bij het idee dat Peggy had geprobeerd Lenny in bed te krijgen. Het was niet grappig, het was één grote puinhoop.

'Richard gaat niet weg bij zijn vrouw. Hij zegt dat hij niet bij haar weg kán gaan. Ze hebben een dochter.'

'Ja, jij hebt straks misschien ook een dochter. Kan hij je niet financieel steunen? Als je een kind krijgt...'

'Ik kan geen kind krijgen! Dat kan echt niet!'

'Stil maar, ssst.' Ik sloeg een arm om haar heen. 'In het ergste geval krijg je een kind. Zo erg is dat toch niet? Een lief klein baby'tje?'

'Mijn moeder vermoordt me!'

Ze kromp bijna in elkaar van angst. En ik moet toegeven dat ik niet graag in haar schoenen zou hebben gestaan, met een moeder als Mrs. Brown.

'Oké, ik weet dat je moeder een dragonder kan zijn. Maar vanbinnen is ze heel lief, dat weet je. Denk eens aan alles wat ze voor Janice en haar ouders doet. Ze heeft een goed hart.'

Peggy keek me verbluft aan.

'En ik weet dat ze zich wild zal schrikken als je het haar vertelt. Dat kan niet anders. Maar ze legt zich er uiteindelijk heus wel bij neer. Ik weet zeker dat ze ontzettend lief voor je zal zijn.'

Peggy huilde nu weer. Tijd voor een koerswijziging, besloot ik. 'Hoor eens, als Henfield de vader is, dan móét hij je financieel steunen. Het is net zo goed zijn kind. Hij moet je genoeg geld geven om van te leven, zelfs al blijft hij bij zijn vrouw. Hij kan zich niet aan zijn verantwoordelijkheid onttrekken. Maar je moet het wél aan je ouders vertellen. Je moet voor jezelf zorgen, nog even afgezien van de rest. Je moet naar een verloskundige, er zijn controles nodig, dat soort dingen.'

Ik had geen idee wat er allemaal bij een zwangerschap kwam kijken, maar ik wist wel dat je een soort apk-keuring moest laten doen.

'Ik wil dood.' Peggy wierp zich languit op mijn bed.

'Onzin. Je wilt juist gezond zijn en blij dat je een kindje krijgt, echt waar. Geloof me, waar ik vandaan kom doen zoveel vrouwen het. Ze krijgen in hun eentje een kind, nergens een man te bekennen, en het gaat goed. Ze zijn gelukkig en gezond en hun kinderen ook.'

Ik probeerde niet te denken aan de dramatische statistieken die de *Daily Mail* regelmatig publiceert.

'Het kan, echt waar. Niemand vindt het erg. Er is geen stigma. Wacht maar af, over een jaar of twee valt niemand er meer over.'

En zo ging ik maar door. We zaten nog wel een uur of langer op mijn kamer terwijl ik het alleenstaande moederschap de hemel in prees. Ik groef in mijn geheugen naar voorbeelden, vertelde haar over vriendinnen die in hun eentje een kind hadden grootgebracht, en over andere vriendinnen die de dochter van een alleenstaande moeder waren. Ik geloof niet dat ze overtuigd was, maar ze hield wel op met huilen en deed haar best om naar me te luisteren.

Uiteindelijk kwam ze een beetje tot bedaren en konden we samen een soort plan bedenken. We besloten dat ze Henfield de volgende dag voor het blok zou zetten om hem zo ver te krijgen dat hij iets voor haar – hun! – kind zou doen. Dan zou Peggy, gewapend met zijn toezegging, naar huis gaan en het haar ouders vertellen. Ze sidderde nog steeds bij de gedachte, maar ik kon echt niets beters verzinnen.

'Wees maar niet bang,' suste ik. 'Ik ben er voor je.'

Het werkte averechts op Peggy. 'Waar ben je dan? Wanneer ben je er?' vroeg ze geagiteerd. 'Wat ga je doen?'

'Ik doe wat ik kan om je te helpen,' zei ik.

Ik probeerde te gaan staan en besefte dat mijn enkel zo dik was als die van een olifant. 'Jakkes,' zei ik tegen haar. 'Ik moet iets aan die schrammen en mijn enkel doen.'

'Het spijt me,' snufte Peggy. 'Dat had je eerst moeten doen, in plaats van naar mij te luisteren.'

'Het geeft niet,' zei ik, als de dood dat ze weer in tranen zou uitbarsten. 'Kom op, ga je gezicht wassen, en dan gaan we die konijnenpastei opwarmen. Je moet goed eten, en bovendien zwaait er wat als je moeder ontdekt dat we haar lekkere pastei hebben versmaad.'

Braaf ging Peggy naar de badkamer. Toen zij klaar was en naar beneden ging, hobbelde ik erheen om mezelf op te kalefateren. Terwijl ik op de rand van het bad zat, met mijn enkel onder het ijskoude water uit de koude kraan, besefte ik dat ik tijdens mijn hele gesprek met Peggy niet één keer aan Will had gedacht. Oké, niet langer dan een uur of twee, maar wel het langst dat ik niet aan hem had gedacht sinds ik hier was.

14

'Daar gaan we dan.'
'Daar gaan we dan.'
Maandagochtend, en Peggy en ik stonden voor het kantoor van *The News*. We probeerden allebei moed te verzamelen om naar binnen te gaan. Ik wist maar al te goed waarom Peggy stond te trillen op haar benen. Zij had geen idee waarom ik hartkloppingen had.
'Oké,' zei ik, 'je zegt tegen Henfield dat je hem onder vier ogen wil spreken. Je hebt recht op hulp en steun. Hij is getrouwd, vergeet dat niet. Hij wist wat hij deed en hij moet zijn verantwoordelijkheid nemen.'
'Ik weet het,' zei Peggy, hoewel ze op mij een erg onzekere indruk maakte. 'Rosie, je bent een schat,' zei ze opeens. 'Het spijt me dat ik onaardig tegen je ben geweest, maar ik dacht dat je het in de gaten zou krijgen omdat je bij de krant werkt, en dat je het mijn moeder zou vertellen. Ik besefte opeens hoe stom het was geweest om voor te stellen dat je bij ons zou komen logeren. Ik was als de dood dat het uit zou komen.'
'Nou, ik heb het in de gaten gekregen, maar het is niet erg. Het is juist goed, want nu kan ik je helpen. We vinden heus wel een oplossing. Beloofd.'
Wat wauwelde ik nou?
Peggy glimlachte, al was het nog zo zuinig, maar het was tenminste iets.
'Daar gaan we dan,' zei ze nog een keer. En we marcheerden naar binnen.
Billy zat met zijn rug naar me toe met Alan en Brian te praten, de opengeslagen agenda voor zich. 'Hé moppie!' zei hij, en hij draaide zich om en glimlachte stralend naar me. 'Leuk weekend gehad?'
'Ja, heel leuk, bedankt.'
Moest ik hem vertellen dat ik zondag op een bankje had gezeten om hem en zijn vrouw en gezin te bespioneren? Nee, dat leek

mij ook geen goed idee. In plaats daarvan zei ik opgewekt: 'Zal ik thee zetten?'

'Wat ben je toch een fantastische vrouw, Rosie,' zei Billy. Meende hij het maar...

Ik zette thee en kwam net aanlopen met de kopjes toen Marje binnen kwam zeilen, hoed, sjaal en boodschappentas in een wolk van sigarettenrook.

'O, je hebt thee gezet! Wat ben je toch een engel,' zei ze, en ze pakte het kopje dat ik voor mezelf had ingeschonken uit mijn hand.

Ik liep weg om nog een keer thee voor mezelf in te schenken, terwijl Marje een hoestbui kreeg en de rook wegwapperde met haar hand. Billy en Alan waren aan de telefoon om het werk voor die dag op poten te zetten. Ik had andere dingen aan mijn hoofd. Dit was mijn kans. Ik had Peggy beloofd dat ik navraag zou doen. En Marje was de enige die ik kon bedenken.

'Marje,' fluisterde ik op samenzweerderige toon, 'mag ik je iets vragen?'

'Ga je gang, lieverd,' zei Marje terwijl ze onder stapels vergeeld kopijpapier naar een asbak zocht.

'Moet je horen, een vriendin van me zit een beetje in de nesten...'
Meteen keek Marje me doordringend aan. 'Een vriendin?'

'Ja, ja, echt waar, niet ik...'

'En wat voor soort nesten zijn dat dan wel?'

'Eh... de gebruikelijke, ben ik bang,' fluisterde ik van achter mijn eigen bureau. 'Je weet wel, jong meisje, oudere man, en nu...'

'Nu is ze de klos?' Ze zoog de rook van haar sigaret diep in haar longen.

'Eh... ja. En ze is wanhopig. Helemaal wanhopig. Ken jij misschien iemand die...'

Ik liet de vraag in de wolk sigarettenrook hangen. Ik wilde het niet hardop zeggen, vooral niet omdat de mannen vlak bij ons zaten. Inmiddels had Marje de asbak gevonden. Ze legde haar sigaret erin, knipperde tranen van de rook uit haar ogen en kwam naar me toe. Ze legde haar handen plat op mijn bureau en boog zich over mijn schrijfmachine, totdat haar gezicht zo dicht bij het mijne was dat ik haar rokerige adem en de geur van haar poeder kon ruiken.

'Ja, dat kun je wel zeggen, ik weet iemand,' zei ze. Even dacht ik dat er toch nog hoop was voor Peggy. 'Ik ken iemand die jonge meisjes belooft te "helpen". Het arme kind bloedt als een rund, en als ze geluk heeft overleeft ze het. Heeft ze pech, dan belandt ze in het ziekenhuis. Maar er zijn ook gevallen die dát niet eens halen. Luister goed naar me, miss Rosie Harford. Een vriendin van me is door deze vrouw geholpen. Dat was tijdens de oorlog.

Het is nog gelukt om haar naar het ziekenhuis te brengen, maar daar is ze alsnog overleden. Haar man kwam terug uit de woestijn, maar zijn vrouw was toen al dood. Haar ouders hebben het nooit verwerkt.

Waarom dacht dat malle kind in hemelsnaam dat haar ouders liever een dode dochter hadden dan een levend kleinkind, wat de omstandigheden ook waren?'

Marje keek me met fonkelende ogen aan. 'Zeg maar tegen die vriendin van je dat ze heeft gedaan wat ze heeft gedaan en dat ze ermee moet leren leven. Ze is dom geweest en nu moet ze op de blaren zitten.

Het is niet het einde van de wereld. Ze kan de baby ter adoptie aanbieden en vergeten dat ze ooit een kind heeft gehad. Over een paar maanden is het allemaal achter de rug en kan ze terug naar huis, met een schone lei beginnen en in de toekomst verstandiger zijn. Ze zal niet de eerste zijn en ook niet de laatste. Maar alsjeblieft, ik smeek het je, zeg tegen haar dat ze niet in de buurt moet komen van vrouwen die aanbieden haar te "helpen". Niet als ze wil blijven leven en misschien in de toekomst meer kinderen wil krijgen.'

Na deze toespraak ging Marje terug naar haar eigen bureau, ze pakte haar sigaret weer op en verplaatste de asbak van de ene kant van haar bureau naar de andere, al was het alleen al omdat de klap waarmee ze hem neerzette haar voldoening schonk.

Billy en Alan keken allebei opzij naar ons; kennelijk voelden ze aan dat het niet een gezellig babbeltje was geweest.

'Oké, jongens,' zei Marje, zwaaiend met haar sigaret, 'zullen we nu weer gewoon aan het werk gaan?'

Een paar minuten later kwam Billy naar me toe met de agenda. Hij bleef staan, keek me half glimlachend aan en gesticuleerde onder het praten met zijn pen. Zo'n typisch Will-gebaar... Ik moest even slikken.

'We doen vandaag weer een stuk over een dorp, de aanloop naar de bloementoonstelling en de uitreiking van een cheque aan de Vereniging Vrienden van het Ziekenhuis. Kunnen jij en Marje dit onderling verdelen?'

'Best,' zei Marje. 'Ik zou het dorp kunnen doen – Somerton is misschien een leuk idee – als Rosie de bloementoonstelling en het uitreiken van de cheque voor haar rekening neemt. Maar je kunt Rosie natuurlijk ook naar Somerton sturen. Haar kennende ontdekt ze waarschijnlijk dat de plaatselijke kruidenier Jack the Ripper blijkt te zijn.'

Billy lachte. 'Ze heeft inderdaad een neus voor het vinden van verhalen. Of misschien vinden de verhalen haar wel. Toch zou ik jou graag naar Somerton willen sturen, Marje.'

Slimme Marje. Ze wist dat de cheque aan het begin van de avond uitgereikt zou worden, en ze had er een hekel aan om 's avonds te werken.

'Ik vind het best,' zei ik. Ik kon tenminste de deur uit voor die bloementoonstelling.

Maar eerst moest ik kijken hoe het met Peggy ging.

Ze zat roerloos achter haar bureau, lijkwit.

'Hoi,' zei ik zacht, nadat ik snel had gekeken of er niemand in de buurt was. 'Ik heb Marje gesproken, maar ze wil er niets mee te maken hebben, het spijt me. Ze zegt dat het beter is om door te zetten. Je kunt de baby laten adopteren. Heb je iets afgesproken met Henfield?'

Peggy keek me glazig aan. 'Hij komt vandaag niet naar kantoor. Hij heeft gebeld. Hij moest zijn vrouw ergens naartoe brengen. Ik heb gezegd dat ik met hem wil praten, onder vier ogen, en dat het dringend is.' Ze liet haar hoofd hangen. 'Hij heeft neergelegd, Rosie. Hij heeft gewoon neergelegd. Ik weet niet wat ik moet doen. Ik weet het werkelijk niet.'

'Het komt heus wel goed,' zei ik kordaat, al had ik liever willen gillen. 'Heus. We praten er vanavond wel over. Raak alsjeblieft niet in paniek. Je kunt morgen met Henfield praten. Hij móét iets doen. Ik zie je straks. Vanavond verzinnen we er wel iets op.'

Een puisterige jongeman van de advertentieafdeling klopte en kwam binnen. 'Is Mr. Henfield aanwezig?' vroeg hij opgewekt. 'Nee,' zei Peggy, en ze vluchtte het kantoor uit.

Ik was het liefst achter haar aan gegaan, maar George stond op me te wachten. Bovendien kon ik op dat moment toch niets doen. Ik pakte mijn blocnote en handtas en vertrok.

De bloemententoonstelling was een makkie. Het was hun vijftigste, dus ik babbelde met de organisator en vroeg hem een beetje naar de geschiedenis. Ik interviewde de secretaresse van een van de tuinclubs en een vriendelijk oud heertje dat tuinjongen was geweest toen de eerste tentoonstelling werd gehouden. George nam massa's mooie foto's van bloemen en tegen lunchtijd waren we terug op kantoor.

Alan en Billy gingen naar de pub. 'Zin om mee te gaan, Rosie?' vroeg Billy terwijl hij zijn jas aanschoot.

'Graag. Ik maak dit eerst even af. Kijk even of er nog een broodje kaas over is dat niet is doodgegaan van ellende.'

'Oké. Ik probeer een wonder voor je te verrichten.'

Een paar minuten later ging ik achter hen aan. Ik vond het belangrijk om niet al te plakkerig te zijn, gewoon vriendschappelijk, alsof er niets aan de hand was. In de pub ging ik naast Alan zitten, maar terwijl ik hapjes nam van mijn broodje – niets wonderbaarlijks; zelfs een wanhopige muis zou voor die kaas zijn neus hebben opgetrokken – voelde ik dat Billy naar me keek, al praatte hij met Alan. En toen Alan opstond om nog een paar biertjes te gaan halen, kon hij heel makkelijk, zonder dat het opviel, om het tafeltje heen lopen en naast me komen zitten...

Ik genoot ervan als hij dicht bij me was, maar verder zou het niet gaan, dat wist ik. Hoe graag ik ook in zijn armen en in zijn bed wilde liggen, hij had zijn hart al aan iemand anders verpand. Deze Billy was huisvader. Hij had een vrouw van wie hij hield. Hij had kinderen waar hij stapelgek op was, kinderen voor wie hij zijn best wilde doen. Daarom deed hij op zaterdag de sport. Daarom werkte hij zo hard in zijn tuin, om te zorgen dat ze gezond leefden en verse groente aten. Daarom ging hij niet zo vaak naar de pub. Hij was een rots in de branding, een betrouwbare, verantwoordelijke echtgenoot en vader. Hij was trouw aan zijn gezin en hun geluk stond voor hem voorop.

Het paradoxale was natuurlijk dat dat hem zo'n fatsoenlijke kerel maakte en ik daardoor nog meer van hem hield.

Zou Will zo zijn, vroeg ik me af, in een andere tijd, in andere omstandigheden?

Will had nooit voor iemand anders dan zichzelf de verantwoordelijkheid genomen. Dat betekende niet dat hij het niet kon... het betekende alleen dat het nog nooit nodig was geweest. Hij gedroeg zich nog steeds als een kind, domweg omdat hij het zich kon permitteren. Ik dacht terug aan onze ruzie, aan wat ik tegen hem had gesnauwd toen hij me had gevraagd of ik kinderen wilde. Ik had gezegd dat het voor hem het zoveelste speeltje zou zijn, dat hij nog te veel een kind was om vader te worden.

Maar Billy was al op zijn zeventiende vader geworden, en hij was een goede vader. Zou Will dat ook kunnen?

Mijn hoofd tolde...

'Je bent heel ver weg, Rosie,' zei Billy glimlachend, en hij keek me vragend aan.

Ik voelde dat ik bloosde. 'Ik ga maar eens terug. Ik moet weer aan het werk.'

'Ja, ik ook,' zei Billy.

Met zijn drieën liepen we terug naar de krant. Alan liep vrolijk te fluiten, en ik voelde dat Billy zo dicht mogelijk naast me liep, bijna tegen me aan. Maar misschien was dat mijn optimistische verbeelding.

Marje, terug uit Somerton, had thee gezet. Met een klap zette ze een kop voor me neer. 'Gaat het?' vroeg ze. 'Weet je zéker dat het om een vriendin ging?'

'Ja, ik...' O nee, Peggy. Ik besloot even te gaan kijken hoe het met haar was.

Ik stak mijn hoofd om de hoek van de deur. Ze was er niet. Haar jas hing aan het haakje en haar tas stond naast het bureau, net als die ochtend.

'Ben je op zoek naar Peggy?' zei een meisje van de boekhouding terwijl ze een stapel papieren op haar bureau legde. 'Volgens mij is ze naar huis. Ik heb haar sinds vanochtend niet meer gezien. De anderen ook niet. Ik heb het gevraagd.'

'Maar haar jas en tas zijn nog hier.'

'Misschien voelde ze zich niet lekker en is ze halsoverkop weg-gegaan. Ze was heel erg bleek toen ik haar zag.'

Dit was zorgwekkend. Ik ging naar het damestoilet. Niets. Ik rende de trap af naar de receptie en vroeg of de telefonistes haar hadden gezien. Ze namen hun koptelefoon af en ontwarden de gecompliceerde kluwen van draden. 'Nee, ze is al sinds halver-wege de ochtend niet meer op haar plek,' zeiden ze nijdig. 'En ze heeft ons niet verteld waar ze naartoe ging. Heel vervelend, met al die telefoontjes voor Mr. Henfield.'

Ik rende terug naar de redactie en kwam George tegen, die de foto's van de bloementoonstelling had afgedrukt.

'Wil je ze zien?' vroeg hij, en hij gaf me het stapeltje zwart-wit-foto's.

'Leuk,' zei ik, zonder ernaar te kijken. 'George, ga jij vanavond naar het uitreiken van de cheque in het ziekenhuis?'

'Ja, om zeven uur. Je weet dat Charlie na zessen niet meer werkt; hij wil voor geen goud zijn avondeten mislopen. Wil je meerijden?'

'Ja, graag. En kunnen we wat eerder weggaan? Ik moet onder-weg even langs huis.'

'Geen probleem. Ik zie je om halfzeven op de binnenplaats. Is dat goed?'

'Geweldig, George. Je bent een held.' Volgens mij bloosde hij.

Opeens voelde ik een arm om mijn schouders. Heel even hoop-te ik... Maar nee.

'Hallo, Phil,' zei ik zo opgewekt als ik kon. 'Ik moet het kort houden, ben ik bang. Ik breng nog even mijn stukje weg en dan moet ik naar het ziekenhuis voor de uitreiking van de cheque. Dat wordt een spannend avontuur.' Ik rolde met mijn ogen.

'Jij maakt van alles een spannend avontuur, Rosie,' zei hij, en het klonk niet slijmerig omdat hij echt zo'n aardige jongen is. 'Denk je dat je terug bent als ik pauze heb, om een uur of ne-gen? Dan kunnen we iets gaan drinken.'

'Misschien. Ja. Ik weet het niet. Ik kijk wel.' Ik blies hem een kushand toe, pakte de kopij van mijn bureau en zette koers naar de eindredactie. Ik wist dat Billy naar elk woord had geluisterd. Mooi.

Peggy was nog steeds niet op haar kantoor. Ze was ook niet thuis.

'Hallo, Mrs. Brown, ik kom alleen even iets halen en dan moet ik weer door met mijn werk,' liet ik haar weten.

'Ben je samen met Peggy gekomen?'

'Peggy? Nee. Ik heb haar niet gezien. Wacht eens even,' voegde ik eraan toe, dolblij dat ik inspiratie had, 'volgens mij was Lenny op kantoor.'

'O, nou, dat verklaart het dan,' verzuchtte Mrs. Brown. 'Maar ja, ze mist wel het gehakt met knoedels. Ze had toch zo attent kunnen zijn om het me even te laten weten.'

Ze liep nog steeds te mopperen toen ik de trap op stoof naar mijn kamer, eigenlijk alleen omdat ik dan in Peggy's kamer kon kijken. Ze was er niet. Waar was ze dan? Ik begon me echt grote zorgen te maken.

Het regende toen we uit het ziekenhuis kwamen, een kille, miezerige regen. In de ratelende bestelwagen reden we naar de krant.

'George, ga je die foto's vanavond nog afdrukken?'

'Ja, ze zijn voor de krant van morgen.'

Ik wilde niet terug naar binnen. Phil was er, en Billy misschien ook nog, en dan zou het allemaal hopeloos ingewikkeld worden.

'Wil je iets voor me doen, George? Wil je even naar Peggy's kantoor gaan en kijken of haar jas en tas er nog zijn?'

'Ja, natuurlijk, maar waarom? Is er iets mis? Met Peggy?' vroeg George geschrokken. Ik was vergeten dat hij een zwak had voor Peggy.

'Ik weet het niet. Wil je het gewoon voor me doen, alsjeblieft?'

Hij was binnen vijf minuten terug. 'Haar jas en tas zijn er nog. Wil je me nu alsjeblieft vertellen wat er aan de hand is?'

'Hoe lang heb je nodig voor het afdrukken van je foto's?'

'Een halfuurtje of zo.'

'Ik blijf in de auto op je wachten. Ik moet nadenken.'

'Maak je je zorgen over Peggy?'

'Kom nou maar zo snel mogelijk terug, George. Alsjeblieft.'

Hij draaide zich om en rende naar de deur, een magere, kleine gestalte die snel naar binnen glipte.

In recordtijd was hij terug. 'Wil je me nu eindelijk vertellen wat er aan de hand is?' Hij plofte neer op het gebarsten leer van de bestuurdersstoel terwijl de regen tegen de voorruit sloeg. 'En wat is er met Peggy gebeurd?'

'Ik denk dat ze in de nesten zit.'

Met een ruk draaide hij zijn hoofd opzij. 'Wat voor nesten?'

'De bekende,' zei ik en intussen probeerde ik na te denken. 'Weet jij waar Mr. Henfield woont?'

'Ja, natuurlijk weet ik dat. Hij heeft een groot huis op de heuvel, aan de andere kant van de stad.'

'Kunnen we erheen, alsjeblieft?'

George sloeg zijn armen over elkaar. 'Alleen als je me vertelt wat er met Peggy is gebeurd.'

'Het is niet aan mij om jou haar geheimen te vertellen, George. Sorry. Kunnen we nu alsjeblieft naar Henfields huis rijden?'

'Maar...'

'Alsjeblieft.'

Met tegenzin startte hij de motor en we reden naar Henfields huis. Het zou kunnen dat ze daarheen was gegaan, iets anders kon ik werkelijk niet bedenken. Hij had geweigerd met haar te praten, dus misschien was ze naar hem toe gegaan om een gesprek af te dwingen. Dat zou een dappere daad zijn, maar Peggy begon dan ook wanhopig te worden. Langzaam reden we door het donker en de regen. George tuurde ingespannen voor zich uit, want de kleine ruitenwissers konden al dat regenwater niet aan. Intussen keek ik om me heen of ik Peggy ergens zag.

'O nee,' kreunde ik. 'Haar jas hangt nog op kantoor.'

'Als ze zonder jas rondloopt, is ze nu tot op het bot doorweekt,' zei George.

Hij stopte voor Henfields huis, een mooie ouderwetse villa met een indrukwekkend gazon dat afliep naar de weg.

George tuurde door de regen. 'Er is niemand thuis.'

Hij had gelijk. Het hele huis was donker en de gordijnen waren nog open, alsof de bewoners niet meer thuis waren geweest sinds het donker was geworden. We bleven besluiteloos in de auto zitten. George gaf me een zak snoepjes aan.

'Neem een Spangle,' zei hij. 'Het zijn Hopalong Cassidy's favoriete snoepjes.'

'Hopalong Cassidy?' Ik haalde het zuurtje uit het cellofaan.

'De cowboy op tv.'

'Eten cowboys zuurtjes?'

'Hopalong wel.'

We zaten daar maar in die auto, zuigend op het zuurtje.

'Laten we in de tuin gaan kijken,' stelde ik voor. 'Misschien staat ze daar te wachten.'

Nergens brandde licht, er was geen maan en geen straatverlichting, en het viel niet mee om in het aardedonker de weg te vinden. We liepen over de oprit naar de deur, keken in het portiek en gingen naar de achterkant van het huis. Het was zo donker dat ik tegen een vuilnisbak botste. Er klonk luid gekletter, maar verder niets. Geen enkel ander geluid, geen enkel teken van een menselijk wezen.

Zo snel mogelijk liepen we terug naar de auto. Mijn haar was kletsnat.

'En nu?' vroeg George.

'Ik weet het niet.'

'Als je me nu eens vertelt wat er in vredesnaam aan de hand is, waarom we in dit beestenweer rondsluipen bij Henfields huis, terwijl een normaal mens zijn kat niet eens naar buiten zou sturen.'

Hij klonk beslist, verstandig, volwassen. En ik had zijn hulp nodig. Dus vertelde ik hem het hele verhaal. Ik moest wel. Ik weet wel dat het Peggy's verhaal was en haar geheim, maar ik wist me werkelijk geen raad.

'Arme Peggy,' zei George diep geschokt. 'Arme, arme Peggy. En die Henfield, dat is een klootzak – sorry voor mijn taalgebruik, Rosie, maar dat is hij echt.'

'Ik zal je niet tegenspreken. Maar laten we Henfield nu even vergeten. Waar kan Peggy zijn?' vroeg ik hem. 'Of vind je dat ik onnodig paniek zaai? Ze is al sinds vanochtend niet meer gezien. Ze is niet thuis geweest. Haar jas en tas zijn nog op kantoor. Ze is zwanger en radeloos. Waar kan ze naartoe zijn gegaan?'

'Nou, dat andere meisje heeft zich verdronken in de rivier bij Friars' Mill, ja toch?' zei George.

'O god, je denkt toch niet...'

Hij had de motor al gestart en keerde de auto.

Ik dacht terug aan de avond dat ik de Browns het verhaal van Amy Littlejohns zelfmoord had verteld en herinnerde me dat Peggy alle details had willen weten. Het kleine bestelwagentje scheurde door de nacht. Mijn tanden rammelden in mijn mond en George zat helemaal over het stuur gebogen, alsof hij de auto op die manier sneller kon laten gaan.

Rond Friars' Mill doemden hoge, zwarte bomen op, zodat je de tragedies die er plaats hadden gevonden moeilijk kon vergeten. George stond boven op de rem, zodat ik haast door de voorruit knalde, en reed toen heel langzaam over de weg rond de molenkolk.

'We hebben natuurlijk geen enkele reden om te denken dat ze hier is,' zei hij in een poging om verstandig en opgewekt te klinken. 'Misschien was ze wel uit met Lenny en is ze nu weer veilig thuis. Ze kan wel lekker bij de kachel zitten met een kop warme chocolademelk.'

'Je hebt gelijk,' zei ik. 'Waarschijnlijk heb ik het allemaal opgeblazen en maak ik paniek om niets. Vergeet maar gewoon wat ik je heb verteld en laten we naar huis gaan.'

'Ik rij nog door tot het eind van de weg, gewoon voor de zekerheid.'

We konden bijna niets zien door het dichte regengordijn, alleen de contouren van de bomen in de duisternis. Alleen bij de gedachte aan het water beneden ons kreeg ik het al koud.

George zat gebogen over het stuur en staarde in het donker. 'Wat is dat?'

'Wat? Waar?'

'Daar. Een lichte vlek.'

Ik draaide het raampje open om beter te kunnen zien en werd begroet met een regenvlaag die naar binnen blies. Maar ik kon inderdaad iets zien. 'Iets wits, aan de waterrand.'

'Kom op!' George sprong uit de auto en klom al over het muurtje.

Hij rende omlaag door het donker en ik strompelde achter hem aan, mijn voeten soppend in mijn schoenen, knipperend met mijn ogen tegen de regen en de boomtakken die in mijn gezicht sloegen. George spurtte over het pad omlaag in de richting van een witte vlek tussen een paar bomen aan de rand van het water.

'Peggy?' schreeuwde hij. 'Peggy?' En hij stortte zich zowat op de witte vlek. 'Ze is het! Rosie, we hebben haar gevonden!'

Godzijdank, dacht ik, goddank.

George had zijn jasje al uitgetrokken en wikkelde het om haar schouders. Peggy was nauwelijks bij bewustzijn. Haar rok en blouse, die ochtend nog zo keurig, waren gescheurd en met modder bevlekt. Zo te zien was ze haar schoenen kwijtgeraakt.

'Kom op,' zei George tegen mij, 'we moeten haar naar de auto brengen, zorgen dat ze weer warm wordt. Kom, Peggy, goed zo, je kunt het. Rosie, jij neemt haar ene arm en ik de andere, dan moet het gaan. Kom op, Peggy, het is niet ver. Wees flink.'

Met haar tussen ons in strompelden we terug over het pad, glibberend en slippend met onze last.

'Nee,' mompelde Peggy, haar ogen nog steeds gesloten en haar hoofd tegen Georges schouder gezakt, 'laat me nou... laat me met rust.'

'Geen sprake van,' zei George kordaat. 'We brengen je eerst ergens heen waar je weer warm kunt worden.'

George nam de leiding. Hij was geweldig en we waren al snel weer op de weg. 'Jullie blijven hier, dan haal ik de auto.'

Peggy was tegen me aan gezakt. Ik sloeg mijn beide armen om haar heen in een poging haar op de been te houden. 'Kom op, Peggy. Geef het nu niet op, alsjeblieft.'

Met enige moeite lukte het ons Peggy achter in de auto te hijsen en ik klom achter haar aan. Ik deed mijn jasje uit en wikkelde het rond haar benen. Toen masseerde ik haar armen om de bloedsomloop weer op gang te krijgen.

'We gaan naar het ziekenhuis!' riep George. 'Probeer haar een beetje warm te houden.'

Ik bleef over haar handen en armen wrijven, bleef tegen haar praten om haar wakker te houden, bleef hopen dat haar toestand niet al te ernstig was. We stopten voor het ziekenhuis, dat naar moderne maatstaven heel erg klein leek. Bovendien brandde er nergens licht.

'Zijn ze wel open?' vroeg ik stompzinnig.

Er was een kleine deur met een verlicht bordje erboven: NACHT-INGANG.

Ik drukte op de bel en George bonsde op de deur. We vielen zowat naar binnen toen de deur openging. In een schemerdonkere gang stond een verpleegster in een donkerblauw uniform met een gesteven witte kap.

'Ja?' Vragend keek ze ons aan. Ze beoordeelde de situatie in een oogwenk, trok een rolstoel uit een nis, duwde die naar de auto en hees Peggy er behendig in.

'Ze is de hele dag buiten in de regen geweest,' ratelde ik. 'Ze is zwanger en de vader... de vader wil het niet weten.'

'Heeft ze iets genomen? Heeft ze geprobeerd zichzelf of de baby iets aan te doen?'

'Dat weet ik niet.'

'Haar naam?'

'Peggy Brown.'

'Wacht hier, alstublieft.'

Ze verdween samen met Peggy door een gang met houten lambrisering. Ik liep achter haar aan. De verpleegster draaide zich om. 'Ik had gevraagd of u hier wil blijven wachten,' bitste ze streng, en weg was ze.

George en ik bleven wachten op een bankje. Geen koffieautomaat. Het was heel erg stil. De vloer glom. Er hing een geur van desinfectans en boenwas. Waar waren de dronkenlappen? Waar was de gebruikelijke nachtelijke chaos van de spoedeisende hulp? George stond op en begon heen en weer te lopen. 'Wordt ze weer helemaal beter, Rosie?' vroeg hij bezorgd.

'Vast wel,' zei ik, al vroeg ik me net als de zuster af of ze iets had geslikt.

'Ze is altijd zo aardig voor me.'

'Ja, dat heb je me verteld. Ze heeft je geholpen om je baan te krijgen.'

'Ja, en ze heeft me zo'n beetje beschermd toen ik net begon. Ze heeft echt een hart van goud.'

'Ja, George, ik weet het.'

We bleven wachten. Eindelijk kwam de strenge zuster terug. George en ik sprongen overeind.

'Gelukkig kan ik u vertellen dat uw vriendin niet in gevaar verkeert,' zei ze op zakelijke toon. 'Net zomin als haar ongeboren kind. Hoewel ik niet weet of ze daar blij mee zal zijn. Ze is ernstig onderkoeld en ze verkeert in shock, maar afgezien daarvan is ze ongedeerd. We zullen haar waarschijnlijk een paar dagen hier houden.'

Ik gaf haar Peggy's naam en adres.

'Geboortedatum?' vroeg ze.

'Twintig september,' zei George snel. 'Ze is op dezelfde dag jarig als ik, alleen is ze zes jaar ouder, dus ze is zesentwintig.'

'Is het niet makkelijker als haar ouders u alle gegevens vertellen?' zei ik. 'Ik weet zeker dat ze meteen zullen komen als ze horen wat er aan de hand is.'

De zuster klapte de map dicht. 'Ze kunnen hun dochter morgen tussen twee en drie uur 's middags bezoeken,' meldde ze, en ze moest de geschrokken uitdrukking op mijn gezicht hebben gezien, want ze voegde eraan toe: 'Zeg maar tegen hen dat ze morgenochtend tussen halfacht en acht uur kunnen bellen. Dan ben ik nog hier en kan ik hun vertellen hoe het gaat. Maar ik weet zeker...' Ze glimlachte bijna, '... dat ze voor het eind van de week weer is opgeknapt en naar huis kan. Goedenavond.'

Nou, dat was het dan.

Toen we weer in de auto zaten, snakte ik naar een sigaret. 'Heb je misschien iets te roken, George?'

'Nee, ik heb nooit gerookt. Ze zeiden altijd dat het me in mijn groei zou belemmeren en ik ben al zo mager.'

We moesten bijna lachen. Maar nu moest ik terug naar huis en de Browns vertellen dat hun dochter a) zwanger was, b) van een getrouwde man, c) in het ziekenhuis lag en d) pas de volgende middag bezoek mocht ontvangen.

Tegen de tijd dat George me afzette was het heel erg laat, en toen moest die arme jongen de auto nog terugbrengen naar de krant en naar huis lopen.

'Stel nou dat we haar niet hadden gevonden?' vroeg hij. Opeens zag hij er weer heel bang en heel jong uit.

'Maar we hébben haar gevonden, George, en dat komt doordat jij hebt volgehouden. Waarschijnlijk heb je haar leven gered.'

Hij leefde weer een beetje op en met een laatste 'welterusten' reed hij weg. Ik haalde heel diep adem en ging naar binnen.

'Peggy?' riep Mrs. Brown schril zodra ze de deur hoorde.

'Nee, sorry, ik ben het.' Ik liep naar de zitkamer.

Het vuur was uit, maar de Browns zaten nog steeds voor de haard. Gewoonlijk dronken ze om halftien hun laatste kop thee met een kaakje erbij, maar dat was uren geleden en ze hadden duidelijk net nog een kop genomen. Het was kil in de kamer,

maar toch waren ze opgebleven om op Peggy te wachten, dodelijk ongerust.

'Waar is ze? Waar is Peggy?' zei Mrs. Brown, boos van pure bezorgdheid. 'Vertel het me! Waar is ze?'

Ik vertelde hun het hele verhaal. Nee, niet dat van Lenny, maar
de rest wel. Ik had er onderweg naar huis in de auto over nagedacht en was tot de conclusie gekomen dat het veel makkelijker
zou zijn als ze alles wisten voordat ze naar het ziekenhuis gingen.
Als ik het hun vertelde, hoefde Peggy het tenminste niet te doen.
Het leek me voor iedereen makkelijker, althans dat hoopte ik.

Waarschijnlijk vertelde ik het niet zo goed als mijn bedoeling
was geweest. Het was laat en ik was moe, maar ik deed mijn
best om het heel voorzichtig te brengen. Toen ik vertelde dat
Peggy in verwachting was, slaakte Mrs. Brown een kreetje, met
haar hand tegen haar mond. Vervolgens deed ik uit de doeken
dat Mr. Henfield de vader was, waarop Mr. Brown zijn ene hand
tot een vuist balde en daarmee herhaaldelijk in de andere hand
sloeg, alsof hij alvast oefende voor Henfields gezicht.

Mrs. Brown werd lijkwit toen ik beschreef dat we Peggy aan de
oever van de molenkolk hadden gevonden. 'Dat domme, domme meisje,' zei ze. 'Ik had het kunnen weten, ik had het moeten
beseffen…' Er stonden tranen in haar ogen, maar haar mond was
vertrokken tot een verbeten streep.

Uiteindelijk kwam ik bij het ziekenhuis en wat de zuster had gezegd. 'Het komt weer helemaal goed met haar,' besloot ik.

'En de baby?'

'Alles gaat goed.'

Ze reageerden er niet op. Net als de zuster in het ziekenhuis wist
ik niet of dat goed nieuws was of juist niet.

Mr. Brown keek me aan. Opeens zag hij er oud uit, oud en klein.
'Zo te horen heb je onze Peggy vandaag een grote dienst bewezen. Als jij haar niet was gaan zoeken en haar niet had gevonden, zat ze nu misschien nog steeds in de regen, en wie weet in
wat voor toestand ze dan zou zijn geweest.'

Mrs. Brown slaakte nog een gesmoorde kreet, of misschien was
het meer een gesmoorde snik.

'Dus we zijn je enorm dankbaar. Heel erg bedankt, Rosie. We
mogen God dankbaar zijn dat je hier bent.'

Opeens stond Mrs. Brown op en zette de kopjes op het dienblad met het theeservies. 'Jij zult ook wel kletsnat zijn. Heb je het koud? Ik maak warme chocolademelk voor je, en dan moet je een lekker warm bad nemen, al is het nog zo laat. Dat maakt niet uit. Doe het maar gewoon.'

Ze was aan het redderen zodat ze niet hoefde te praten, concludeerde ik. Toen ze een van de kopjes op het blad zette, stootte ze het melkkannetje omver. Ik dacht dat ze in tranen zou uitbarsten.

'Kom, Doreen, rustig een beetje,' suste Mr. Brown toen hij terugkwam met een vaatdoekje. 'Gedane zaken nemen geen keer. Het is zoals het is en nu moeten we bedenken hoe het verder moet.'

Ik maakte de chocolademelk zelf, ging naar boven en trok mijn natte en groezelige kleren uit. Aangezien ik bijzondere dispensatie had, besloot ik inderdaad in bad te gaan. Ik gebruikte al het warme water, tot de laatste druppel, en genoot ervan om langzaam bij te komen van alle beproevingen. Toen ik ten slotte naar bed ging, brandde er beneden nog steeds licht. Ik kon de Browns horen praten. Waarschijnlijk zouden ze die nacht geen oog dichtdoen, en het duurde nog heel lang voordat ze het ziekenhuis mochten bellen.

15

Drie dagen later kwam Peggy thuis uit het ziekenhuis, met de bus. Haar vader haalde haar van de bushalte.

Terwijl hij weg was, ging Mrs. Brown als een razende tekeer in de keuken. Ze had het hele huis van boven tot onder schoongemaakt en extra veel aandacht besteed aan het eten. Ze had lamskoteletjes met muntsaus (de munt was met felle heftigheid fijngehakt) en appelcrumble (Peggy's lievelingstoetje) gemaakt met de appels uit de kelder. Alles was klaar, maar ze was te onrustig om te gaan zitten. Het was alsof ze een enorm belangrijke bezoeker verwachtte in plaats van haar eigen dochter.

Peggy kwam binnen, en ik dacht dat ze een groots welkom zou krijgen. Maar tot mijn verbazing zei Mrs. Brown alleen maar: 'Zo, dus je bent terug,' en toen goot ze de aardappels af.

Het gesprek verliep moeizaam, met veel stiltes. Ik kon het klikken van Mr. Browns kunstgebit horen als hij kauwde.

'Erg lekker eten, mam, bedankt,' zei Peggy. Smekend keek ze haar moeder aan, in de hoop dat ze zou reageren, dat ze zich een beetje zou ontspannen.

'Ziekenhuiseten is niet te vertrouwen,' zei Mrs. Brown en ze stond op om een schaal naar de bijkeuken te brengen. Ze kon haar dochter nauwelijks aankijken.

Peggy en ik deden de afwas. 'Ik wil het best alleen doen, Peggy, dan kun jij lekker blijven zitten.'

'Ze is niet ziek,' blafte Mrs. Brown, en Peggy haalde haar schouders op.

Zwijgend wasten we af. De atmosfeer was verstikkend. Toen werd er aangebeld.

George schuifelde naar binnen. Hij zag er nog jonger uit dan anders en hij had een bos sleutelbloemen meegenomen. Hij hield ze onhandig vast, alsof de bloemen van iemand anders waren. Zo'n gebaar was kennelijk nieuw voor hem. 'Ik heb bloemen voor je meegenomen, Peggy.' Hij bloosde. 'Ik wilde alleen even weten of alles goed met je is.'

'Bedankt, George,' zei ze, en ze glimlachte voor het eerst sinds ze weer thuis was. 'Wat aardig van je.'

'Ja, George,' zei Mr. Brown. 'Mrs. Brown en ik, we... we kunnen je niet genoeg bedanken. Ik weet niet wat er zou zijn gebeurd als jij er niet was geweest.'

'U moet Rosie bedanken, niet mij. Ik heb alleen voor chauffeur gespeeld.'

'We weten wat je hebt gedaan en we zijn je zeer dankbaar.'

'Nou, ik ben blij dat het beter gaat, Peggy.' George schuifelde met zijn voeten en probeerde te bedenken hoe hij afscheid moest nemen. 'Ik zie je wel weer op de krant.'

'Nee!' snauwde Mrs. Brown. 'Ze gaat niet terug. Nooit meer.'

'O, aha. Oké,' hakkelde hij. 'Ik wilde alleen even weten of het beter met je gaat, dus dan ga ik nu maar weer. Tot kijk.' En hij vluchtte weg.

'Je had die jongen best iets te drinken kunnen aanbieden,' zei Mrs. Brown verwijtend.

'Iets te drinken?' zei haar man. 'Volgens mij is hij daar nog te jong voor.'

Later, toen Peggy naar bed ging, legde haar moeder opeens een hand op Peggy's arm, en met tranen in haar ogen zei ze fel: 'Doe nooit meer zoiets doms.'

Of ze een zelfmoordpoging of een ongewenste zwangerschap bedoelde? Ik heb geen idee.

'Wat vind je ervan?' Carol stond in de receptie van *The News* en ze trok haar jas uit om me haar nieuwe outfit te laten zien. 'Het is een beetje dun voor dit weer, maar ik wilde het je toch even laten zien.'

Het was de stof die ze op de markt had gekocht, waar ze een rok van had gemaakt. Nu pas zag ik dat de stof was bedrukt met een tekening van een Parijse straat, met terrasjes en mensen die poedeltjes uitlieten. Een beetje vreemd, maar het effect was erg leuk. Ze droeg er een brede ceintuur van zwart lakleer bij en een nauwsluitend wit bloesje. Ze zag er prachtig uit.

'Heb je die rok zelf gemaakt?'

'Ja, natuurlijk. Hij is minder wijd dan ik eigenlijk wilde, want ik had niet genoeg stof, maar hij is toch wel leuk geworden, hè?'
'Heel leuk,' zei ik. 'Wat heb jij een handige mama,' zei ik tegen Libby, die geduldig stond te wachten naast een volle boodschappentas. Ze 'rookte' een chocoladesigaret en blies denkbeeldige rook uit.
'En wat vind je van dit bloesje?'
'Beeldig. Het staat je fantastisch.'
'Het is een oud overhemd van Billy dat ik heb veranderd.'
'Echt waar? Je kunt toveren.' Wat zou ik er niet voor willen geven om een oud overhemd van Will om me heen te voelen... 'De combinatie is echt te gek. Heb je tijd voor een kop koffie?'
Glimlachend trok ze haar versleten bruine jas weer aan, ze pakte de boodschappentas, gaf Libby een hand, en we liepen naar Silvino.
Zodra we binnen waren, moest Libby naar de wc en Carol ging met haar mee. Ik bestelde intussen koffie en krabbelde een beetje in mijn blocnote.
'Wat is dat?' vroeg Carol toen ze terugkwam.
'Mijn favoriete kleren toen ik studeerde,' legde ik uit.
Ik had een meisje geschetst – een slank meisje met heel erg lange benen, heel anders dan ik – in mijn denim minirokje, een bloot hemdje en mijn helemaal te gekke cowboylaarzen. Snel tekende ik het laatste detail en ik liet het aan Carol zien.
Ze tuurde naar het papier. 'Wat is dat?'
'Mijn navelpiercing,' zei ik. 'Een nepdiamantje.'
'In je navel? Dat meen je niet!' Ze keek oprecht geschokt. 'Deed het geen pijn?'
Glimlachend schudde ik mijn hoofd.
'En wat droeg je eroverheen?'
'Ik had een schattig spijkerjasje.'
'Nee, óver alles heen, bedoel ik.' Ze keek me met grote ogen aan. 'Zo kon je de straat toch niet op?'
'Jawel, hoor.'
'Maar... het ziet eruit als ondergoed!' riep ze uit.
Ik moest erom lachen, maar ze keek zo bezorgd dat ik besloot een minder gewaagd ensemble voor haar te tekenen.
'Dit zijn de kleren die ik vorige zomer naar de bruiloft van mijn

nicht droeg.' Snel tekende ik de knielange, wijde zijden rok met een bijpassend jasje. 'Pauwblauw, en het jasje was afgezet en gevoerd met jadegroen. En mijn schoenen, o, mijn schoenen...' Ik probeerde ze te tekenen, maar het lukte niet echt. 'Ze hadden torenhoge hakken, ik kon er bijna niet op lopen, en de hakken bleven wegzakken in het gras. Het leer had dezelfde kleur groen als de voering van het jasje, en in het midden... ' Ik maakte een patroon van puntjes, '... zaten kleine edelsteentjes. Geen echte natuurlijk, het was gewoon gekleurd glas, maar het stond erg leuk.' Carol staarde naar mijn schets en toen keek ze me aan, duidelijk stinkend jaloers. 'Ze zijn prachtig. Een sprookje,' zei ze. 'Ik wou dat ik zulk soort schoenen had.'

'Dan ben je net een prinses,' zei Libby.

'Ja, schatje, een echte prinses.'

Hongerig keek ze naar mijn ruwe schets, en ik dacht aan alle schoenen die Caz en ik hebben, en ik wilde dat er een manier was om Carol een van al die paren te geven.

Die dag was Mr. Brown naar de krant gegaan om met Henfield te praten. Jeetje, wat had ik graag door het sleutelgat kunnen kijken.

'En, hoe ging het?' vroeg ik aan Peggy. Ik was op mijn kamer om strijkgoed op te bergen. (Wist je trouwens dat stoomstrijkijzers in de jaren vijftig nog niet uitgevonden waren? En dat alles van katoen was en vreselijk kreukelde? Zodat je alles moest strijken met een natte theedoek eroverheen? Fijn.) Peggy kwam mijn kamer binnen, nadat ze had geklopt. Ik denk dat ze gewoon op de vlucht was voor de sfeer beneden.

'Hij ontkent het. Zegt dat er geen bewijs is dat het zijn kind is.'

'Dat kan hij niet maken! Je kunt een DNA-test eisen en...' Nee, dat kon waarschijnlijk helemaal niet. Nog niet. 'Wat heeft je vader gedaan? Wat heeft hij gezegd? Wat is er gebeurd?'

'Hij kon weinig doen. Hij kan wel dreigen dat hij het aan Henfields vrouw zal vertellen, maar dat zou het alleen maar erger maken. Ik weet het niet. Mijn vader zegt dat hij nog een keer met hem gaat praten, maar dit gesprek heeft in elk geval niets opgeleverd. Wat ben ik stom geweest dat ik me door hem heb laten inpalmen, echt ongelooflijk.'

'Achteraf is het makkelijk om wijs te zijn. Wat ga je doen? Wil je de baby houden?'
'Ik weet het niet. Ik weet het werkelijk niet. Het kan me ook eigenlijk niet schelen.'
De knoopjes van haar blouse spanden al. Ze keek omlaag naar de geringe maar wel zichtbare welving en legde haar handen erop. 'Ik kan nog steeds niet geloven dat het is gebeurd. Ik blijf hopen dat het allemaal een nare droom was en dat alles weer bij het oude is als ik wakker word. Het is vreselijk!' viel ze opeens fel uit. 'Niets past meer en ik blijf maar misselijk.
Ik wilde dat het allemaal achter de rug was, zodat ik opnieuw kan beginnen. Maar ik weet niet of dat kan. O Rosie, het was zo naar toen mijn vader op bezoek kwam in het ziekenhuis, hij was zo van streek. Hij noemde me steeds zijn kleine meisje, en ik voelde me... hoe zal ik het zeggen... ik had het gevoel dat ik hem heel erg teleurgesteld had.
En dan mijn moeder. Ze schaamt zich voor me. Volgens mij had zij liever gehad dat ik... dat jullie me niet hadden gevonden.'
'Onzin! Zo mag je niet denken! Je had ze maandagavond moeten zien, ze waren in alle staten. Ze hebben de hele nacht niet geslapen van de zorgen en ze moesten tot de volgende ochtend wachten voordat ze het ziekenhuis konden bellen. En toen je gisteren thuiskwam, had je moeder je lievelingseten gemaakt.'
Ik begreep er echt geen snars van. Peggy's ouders hielden van haar, dat merkte ik aan alles, en ik had gedacht dat ze zo opgelucht zouden zijn over haar 'redding' dat ze blij zouden zijn met de baby. Maar zo simpel was het niet. Vooral Mrs. Brown had moeite met het idee, bleek nu. Maar waarom nou helemaal? Het was per slot van rekening maar een baby. Zoals Marje had gezegd: Peggy was niet de eerste en ze zou zeker niet de laatste zijn.
'Mijn moeder heeft mijn tante Emily geschreven.'
'Ze wilde haar natuurlijk van de baby vertellen.'
'Nee. Of eigenlijk wel. Mijn tante woont in Londen. Mijn moeder vindt dat ik bij haar moet gaan logeren totdat... totdat de baby is geboren.'
'Maar waarom?'
'Dan kan ik daar bevallen en de baby laten adopteren. Zonder dat iemand het weet. Als ik dan weer thuiskom, lijkt alles bij het

oude. Maar niet heus. Niets wordt ooit meer zoals het was. Straks is er een baby. Waar dan ook, maar er is een baby.

O, ik wilde dat ik de klok kon terugdraaien. Ik zou zelfs niet meer bij Richard Henfield in de buurt komen. Ik wilde dat ik het over kon doen.' Intens ongelukkig liet ze zich op mijn bed zakken.

'Peggy!' schreeuwde haar moeder van beneden. 'Peggy! Ben je boven?'

'Ja mam, ik praat even met Rosie.'

'Je komt nu meteen hier.'

'Wat wil ze?' vroeg ik.

'Niets. Ik krijg het gevoel dat ze me niet uit het oog wil verliezen.' Ze ging naar beneden.

Dit was een volwassen vrouw van zesentwintig, en ze had huisarrest alsof ze een stout schoolmeisje was.

Er werd nooit over de baby gesproken. Alsof het kind ophield te bestaan als er niet over werd gepraat. Af en toe maakte Mrs. Brown een indirecte toespeling. Ze schepte Peggy een extra portie eten op en zei dan: 'Je moet goed eten.'

Het was uitgesloten dat Peggy weer aan het werk ging. In plaats daarvan nam ze geleidelijk het huishoudelijke werk over. Ze deed de was en het strijkwerk en ze kookte. Dan plofte ze uitgeput op de bank en deden haar moeder en ik de afwas. Er werd niets gezegd, althans niet in mijn bijzijn, maar de dreiging van tante Emily hing nog steeds in de lucht. Ik wist niet of Mrs. Brown antwoord had gehad op haar brief, maar we liepen allemaal op eieren.

De sfeer in huis was zo somber dat zelfs Janice wegbleef, maar op een dag glipte ze toch de keuken weer binnen.

'Ik mis de jongens zo,' zei ze treurig.

'O Janice.' Meteen sloeg Peggy haar armen om haar heen. 'Het is echt beter zo. In Parkfields worden ze goed verzorgd. En voor jou is het thuis een stuk rustiger.'

Janice knikte, maar niet overtuigd.

'En er zijn nog genoeg kinderen over, ja toch?'

Weer knikte Janice, maar toen tilde ze met een ruk haar hoofd op. 'Soms heb ik gewenst dat ze weg zouden gaan. Ze breken dingen en ze gillen en ze maken alles kapot. Soms háát ik ze.

Maar ze kunnen ook... ze kunnen ook heel lief zijn. Dan spelen ze met Dennis en de baby.'

'Ja, maar wat gebeurt er dan?' vroeg Mrs. Brown, die de keuken was binnengekomen. 'Wat is er gebeurd met de auto van Dennis die je vader voor hem had gemaakt?'

Janice zei niets.

'Die hebben ze naar Dennis gegooid, weet je nog? Hij had een lelijke hoofdwond. Hij had blind kunnen worden. Nee schatje, Parkfields is echt het beste voor ze. Voor jullie allemaal. Kom, dan krijg je een kop thee en een plakje cake.' En ze nam het kind mee naar een stoel, een arm beschermend rond haar magere schouders geslagen. Ze kon wel lief zijn voor Janice, maar niet voor haar eigen dochter. En sinds die keer kwam Janice weer elke dag met haar enorme schooltas met boeken naar de keuken.

Een paar dagen later zat Janice huiswerk te maken aan de keukentafel – ik weet niet meer of het de levenscyclus van amoeben was of Latijnse werkwoorden – en op een gegeven moment begon ze op haar potlood te kauwen en keek ze Peggy vragend aan.

'Peggy, ben je in verwachting?'

Peggy werd knalrood en liet de ketel bijna vallen. 'Waarom vraag je dat?'

'Ik kan het aan je zien.'

Ik herinnerde me dat ze zeven broers had, de meeste jonger dan zij.

'Ja, Janice, ik verwacht een baby, maar het is een geheim en je mag het nog aan niemand vertellen.'

'Je kunt het niet meer zo heel lang geheimhouden,' verklaarde Janice kalm, en ze boog zich weer over haar amoeben of Latijn of wat het ook was.

Kennelijk had Mrs. Brown dat ook al bedacht. Ze kwam met rare kleren aanzetten die Peggy moest dragen, kleren die ze van zolder had gehaald en vermaakt. Misschien waren het wel haar eigen positiekleren. Ik ben geen expert in de positiekleding van de jaren vijftig, maar zelfs naar de maatstaven van toen waren dit wel erg treurige hobbezakken. Die avond vormden ze voor Janice aanleiding om haar potlood even neer te leggen.

'Rosie, vertel nog eens over de kleren die jouw hoofdredactrice van thuis draagt,' zei ze, en ze streek een lok vettig haar achter haar oor. 'Wat maakt die zo bijzonder?'

'Nou,' zei ik, 'ze zijn altijd heel mooi gemaakt, stijlvol en eenvoudig en absoluut onberispelijk.'

Janice luisterde aandachtig, alsof ze de details uit haar hoofd moest leren voor een proefwerk, alsof ze de informatie opsloeg om er later gebruik van te kunnen maken.

Peggy bleef even naar haar kijken en toen ging ze naar boven. Ze kwam terug met een klein leren etui. 'Een cadeautje voor je,' zei ze tegen Janice. 'Het is een manicuresetje. Kijk maar, een nagelschaartje, een vijl en kleine stokjes om je nagelriemen netjes terug te duwen.'

Janice keek en haar hele gezicht begon te stralen. 'Is het echt voor mij?'

'Ja,' zei Peggy. 'Nu moet je je handen echt heel goed wassen, en dan laat ik je zien hoe je alles gebruikt. Als je je nagels mooi verzorgt, mag je volgende week een keer nagellak op.'

Janice rende naar de bijkeuken om haar handen te wassen en toen gingen ze samen bij de kachel zitten, hun hoofden gebogen over Janice' handen, geheel in beslag genomen door de manicure. Ik bedacht hoe ongelooflijk aardig Peggy kon zijn, en dat een manicure, hoe onwaarschijnlijk ook, voor hen allebei het ideale verzetje leek te zijn.

16

'Ik heb een klusje voor je,' zei Billy en hij keek met pretlichtjes in zijn ogen op van de papieren op zijn bureau.

Ik grijnsde terug, dolblij met de warmte van zijn glimlach, het gevoel dat hij en ik samen konden lachen om een geheimpje. 'Wacht, ik zet even mijn spullen neer.' Ik zette mijn tas en de lunchtrommel met boterhammen op mijn bureau. Ik was blij dat ik op kantoor was, weg bij de grafstemming in het huis van de Browns, blij dat ik samen met Billy op kantoor was, vooral omdat hij in zo'n vrolijke, open stemming was.

'Sir Howard Castleton,' zei Billy, 'is staatssecretaris.'

'Is hij niet de man die zulke belachelijke dingen heeft gezegd over vrouwen achter het stuur?' viel ik hem verontwaardigd in de rede. 'De man die beweert dat vrouwen niet veilig kunnen rijden omdat ze de hele tijd in het spiegeltje kijken om te zien of hun make-up niet is uitgelopen?' Mijn bloed ging koken van de stompzinnigheid en onwetendheid van deze man.

'Dezelfde,' beaamde Billy. Door zijn brede grijns zag hij er jong en gelukkig uit, en dat wekte bij mij het verlangen om naar hem toe te rennen en hem te kussen. Kussen? Ik had hem ter plekke kunnen verslinden, op zijn bureau. Helaas moest ik er genoegen mee nemen om in zijn grote bruine ogen te staren. 'En hij is vandaag hier. Hij opent het nieuwe testparcours waar mensen afrijden.'

'O ja? Nou, ik zou hem graag willen vertellen wat ik van hem en die achterlijke ouderwetse ideeën van hem vind. Iedereen weet dat vrouwen beter rijden dan mannen, veel veiliger, niet zo roekeloos, en ze hebben minder ongelukken. Vraag het maar aan de verzekeraars. Die zijn heus niet gek. Ze kunnen je vertellen…'

'Oké, oké,' zei Billy lachend en hij stond op om me een vel papier met de details te geven. 'Ik weet niet waarom, maar ik dacht al dat je er zo over zou denken.'

'Werkelijk, die man leeft nog in de middeleeuwen,' raasde ik vanaf mijn zeepkistje. 'En we leven nu na de Tweede Wereldoorlog. Hebben de vrouwen toen niet hun steentje bijgedragen? Ze reden in auto's en bussen en vrachtwagens, of niet soms? Als ze goed genoeg waren om in de oorlog voertuigen te besturen...' Ik hield abrupt mijn mond.

Billy stond heel dicht bij me, met een vinger tegen zijn lippen. Toen boog hij zich naar voren en legde hij zijn vinger heel zacht tegen mijn mond. Hij keek me doordringend aan, wel een, twee, drie seconden lang. Ik durfde me niet te bewegen, wilde de betovering niet verbreken. We stonden zo dicht bij elkaar, het zou zo makkelijk zijn geweest om hem te kussen. In zijn ogen las ik dat hij mij ook wilde kussen...

Maar plotseling draaide hij zich om, hij liep terug naar zijn bureau en zei zonder me aan te kijken: 'Hij wordt om tien uur verwacht. George gaat met je mee.' Hij legde een stapel papieren op zijn bureau recht en tilde zijn hoofd op.

Ik had me niet bewogen en hield het vel papier nog steeds in mijn hand geklemd.

'Je hebt een rijbewijs, neem ik aan?' vroeg hij.

'Natuurlijk,' zei ik. 'Sinds mijn zeventiende. Ik ben meteen de eerste keer geslaagd. Kort daarna heb ik mijn eigen auto gekocht. Geen ongelukken, geen bekeuringen, hoge no-claimkorting.'

'Dat dacht ik al.' Hij keek me aan en glimlachte, bijna alsof het een binnenpretje was. 'Ik had niet anders verwacht.'

Op dat moment kwam Alan binnen. Hij verfrommelde een vel kopijpapier en mompelde iets over mensen die van mening veranderden. Zo te zien moest hij een of ander verhaal herschrijven. Hij schopte de prop naar de prullenbak, maar Billy vloog overeind en schopte de prop terug. Terwijl ik mijn tas pakte en naar de deur liep, speelden zij de bekerfinale na op de redactie. Ik rende de houten trap af, en buiten in de lentezon bleef ik staan, met mijn hand tegen mijn lippen, denkend aan Billy's aanraking, de uitdrukking in zijn ogen...

Bij het nieuwe testparcours werd sir Howard Castleton door zijn helpers afgevoerd zodra hij zijn korte en saaie speech had gehouden, dus ik kreeg niet de kans hem te interviewen.

Maar dat gaf niet, want Billy had me willen kussen. Ik kon wel zingen. Billy had me willen kussen. Hij had zich naar voren gebogen en mijn lippen aangeraakt, en die blik in zijn ogen... Je moet bij de les blijven, meisje, bestrafte ik mezelf, blijf bij de les. De directeur van het testcentrum vertelde me dat hij er vrij zeker van was dat meer vrouwen dan mannen meteen de eerste keer slaagden voor hun rijexamen. Hij kon me de cijfers geven, als ik dat wilde.

'Vrouwen rijden beter dan mannen.' Het was een verhaal waar ik niet veel aan hoefde te doen, hoewel ik betwijfelde of er daardoor minder grappen zouden worden gemaakt over vrouwen achter het stuur.

Billy had me willen kussen. Ik was ervan overtuigd. Die gedachte bleef door mijn hoofd spoken en zijn aanraking brandde nog op mijn lippen. Billy...

'Wil je een lift terug?' vroeg George.

'Wat? O, graag. Bedankt.' Nog steeds in een droom stapte ik in de auto. Onderweg naar de krant viel mijn oog op de etalage van de Home and Colonial. Het kon toch niet waar zijn? Ja, ik zag het goed.

'Wacht even, George,' zei ik. 'Ik moet hier even naar binnen.' In het midden van de etalage stond een gammele piramide van flessen afwasmiddel. Afwasmiddel? Ja! De knijpfles was uitgevonden. Ik ging naar binnen en sloot aan in de rij.

Toen ik terugkwam en met twee flessen afwasmiddel triomfantelijk weer in de auto klauterde, vroeg George hoe het thuis ging.

'Verheugt Peggy's moeder zich erop om oma te worden?'

'Ik kan niet zeggen dat het een onverdeeld genoegen voor haar is.'

'Denk je dat ik welkom ben als ik Peggy wil opzoeken?'

'Ik zou wel een harnas aantrekken, als ik jou was. Aan de andere kant kun je het niet nog erger maken, dus ik zou het maar gewoon doen. Peggy kan wel een beetje afleiding gebruiken en ik weet dat ze je graag mag.'

'O ja? Echt waar?' George glunderde.

'Ja, dat denk ik echt. Bovendien heb je haar leven gered, dus ze moet je wel aardig vinden.'

Ik ging terug naar de redactie en vroeg me af of Billy er zou zijn, of hij weer op die magische manier naar me zou kijken, of hij iets zou zeggen...

Maar de redactie was verlaten, afgezien van de in een rookwolk gehulde Marje. Ze keek op van haar aantekeningen, wapperde de rook weg uit haar ogen en vroeg volkomen onverwacht: 'Heeft die vriendin van je haar probleempje opgelost?'

'Ja, eh... nee, ze heeft besloten dat ze het zo laat. Misschien wil ze de baby zelfs wel houden.'

'Mmm.' Ze krabbelde iets op haar blocnote. 'Zeg, weet jij of Peggy snel weer terugkomt?'

'Nee, nee, ik denk het niet. Ik denk...'

Officieel was ze met ziekteverlof.

'Ze was heel dik met Henfield, hè?'

'Ja, maar...'

'Wees maar niet bang. Ik zwijg als het graf. Henfields secretaresses verdwijnen wel vaker van de ene dag op de andere. Ze had het kunnen weten. Domme meid.'

'Je kunt het haar niet kwalijk nemen!' zei ik verontwaardigd. 'Henfield was haar baas, hij is veel ouder dan zij. Hij heeft misbruik gemaakt van zijn positie. Dat had hij nooit mogen doen.'

'Henfield is een goede hoofdredacteur, maar een zwijn van een man. Ze is oud genoeg om te weten wat ze deed.' Marje drukte haar sigaret uit en stond op om haar kopij naar de eindredactie te brengen.

Ik haalde mijn schouders op. Het had geen zin er verder over te praten.

Toen ik thuiskwam van mijn werk was George er. Hij zat aan de keukentafel en dronk een kop thee met Peggy. Ze waren er allebei getuige van dat ik het afwasmiddel demonstreerde.

'Kijk eens! Eén keer knijpen en alles wordt stralend schoon. Geen gedoe met groene zeep of schuurpoeder. Makkelijk, toch?'

Mrs. Brown sloeg het hele proces argwanend gade, maar nadat ze zelf de theeboel had afgewassen en terugkwam uit de keuken zei ze: 'Nou, het werkt, dat moet ik toegeven. Heel handig, maar het is vast schreeuwend duur.'

'Dat geeft niet, Mrs. Brown.' Ik voelde me net de kerstman. 'Ik beloof u dat ik het afwasmiddel zal kopen zolang ik hier ben. We moeten het leven zo makkelijk mogelijk maken.'

'O, nou, dat is aardig van je,' zei ze. 'Nog een kopje thee, George?'

George werd al snel een regelmatige bezoeker. Hij hielp Janice

zelfs met haar huiswerk. Hij wist geweldig veel van geschiedenis, zei dat het altijd al een hobby van hem was geweest.

Hoewel de sfeer in huis langzaamaan een beetje verbeterde, was
het nog steeds niet bepaald een gezellige boel. Ik ontvluchtte het
huis zo vaak mogelijk. Ik ging naar een jazzclub met Phil, in een
kelder waar het naar vocht rook. Het stond er blauw van de
rook en er waren veel leraren. Ik hou eigenlijk niet van jazz, maar
het was toch een leuke avond. Ik dronk whisky met ginger ale
en was lichtelijk aangeschoten.

Ik ging zelfs naar het theater met perskaartjes.

'Heeft iemand zin om naar het Hippodrome te gaan?' vroeg Billy op een dag, wapperend met twee kaartjes. 'Onze vaste recen-
sent kan niet. Het is een spannend stuk. Wie wil?'

'Ik graag,' zei ik. Alles was beter dan thuis zitten bij de Browns,
en Phil had weer avonddienst. 'Denk je dat Carol zin heeft om
mee te gaan?'

Billy keek verbaasd. 'Carol? Naar het theater? Ja, vast wel. Ik
zal het haar vragen en ik laat het je morgen weten. Haar moeder wil vast wel op de kinderen passen.'

'Vraag of ze er vroeg wil zijn.'

Ik had uitgekeken naar haar versleten bruine jas, dus herkende
ik Carol niet direct toen ze aan kwam lopen. Ze droeg een getailleerd jasje en een kokerrok.

'Jeetje, wat zie jij er mooi uit!' zei ik en ik was meteen bang dat
ik neerbuigend had geklonken.

'Vind je? Ik heb het zelf gemaakt en ik ben niet zo zeker van het
jasje. Billy zei dat recensenten altijd de beste plaatsen krijgen,
dus heb ik me maar een beetje opgetut,' zei ze. 'Het is eeuwen
geleden dat ik voor het laatst naar het theater ben geweest, echt
theater bedoel ik, geen pantomime.'

'Kom op. We hebben nog tijd voor een drankje.'

Boven in de foyer waren nog bijna geen mensen, dus ik werd
snel bediend. 'Gin en tonic,' zei ik tegen Carol toen ik de glazen
op ons tafeltje zette. 'Ik hoop dat je ervan houdt.'

'Te gek.' Ze pakte het glas en snoof de geur van de gin op. Het
was zo helemaal Caz dat ik opeens heimwee had naar mijn eigen leven, mijn echte leven. Heel even was dat verlangen een

scherpe, fysieke pijn – het verlangen om aan het eind van de dag met Caz in een bar te zitten en roddels uit te wisselen onder het genot van een fles lekkere chablis. O god, wat miste ik dat. Ik voelde tranen opkomen en knipperde een paar keer snel met mijn ogen.

'Sterk, hè?' zei Carol, die de gin gretig achteroversloeg.

'Ik haal er nog een, voordat het druk wordt,' zei ik. 'Van de zaak,' voegde ik eraan toe, zodat ze er nog meer van zou genieten en zich niet verplicht zou voelen om te betalen. Toen ik terugkwam – ik had opnieuw twee dubbele genomen – stootte Carol me aan en knikte ze naar een vrouw die net binnenkwam. Ze deed een zeer elegant jasje uit, en eronder droeg ze een nauwsluitende jurk met een boothals waar haar schouders en slanke hals prachtig in uitkwamen.

'Wat een kanjer!' fluisterde Carol. 'Maar zij niet.' Ze wees op een gezette matrone die zo strak in het korset was geregen dat ze nu al haar programmaboekje moest gebruiken om zichzelf koelte toe te waaieren.

Samen bestudeerden we alle mensen die binnenkwamen. Hier zag Carol een jurk die ze wilde proberen na te maken, en daar was iemand die eruitzag als een spook in een jurk van een totaal verkeerde kleur. In de foyer konden we ons vergapen aan een provinciaalse modeshow en we gaven onze ogen goed de kost.

'Hij kan ermee door,' zei Carol, kijkend naar een elegante jongeman die binnen was gekomen met een oudere dame, waarschijnlijk zijn moeder. 'Of nee, toch niet, hij heeft een snor. Dat kietelt, denk je niet?' Ze begon te giechelen. Het was aanstekelijk en toen we na de tweede gong naar binnen gingen om onze plaatsen te zoeken, stikten we allebei van het lachen.

Terwijl de lijken zich opstapelden op het toneel, zat Carol in de donkere zaal voorovergebogen op haar stoel, geheel in beslag genomen door het stuk, blij en ontspannen. Intussen dacht ik aan Billy en voelde me schuldig en ellendig. Hoe kon ik vriendinnen zijn met Carol als ik zo naar Billy verlangde? Nee, we hadden niets gedaan. Maar o, wat wilde ik het graag. En ik wist zeker dat Billy net zo naar mij verlangde als ik naar hem. De bijna-kus was het bewijs.

In de pauze bestelde ik nog een keer gin en tonic en we zaten in een hoekje te giechelen terwijl de gezette matrones ons afkeurend aankeken, zodat we natuurlijk helemaal de slappe lach kregen. Toen we aan het eind van de avond in de stroom mensen naar buiten liepen, bruiste Carol nog van enthousiasme over het stuk en de mensen die ze had gezien.

'Het was een ontzettend leuke avond,' zei ze toen we de rand van het stadscentrum hadden bereikt, waar onze wegen zich scheidden. 'Ik heb genoten. Volgens mij ben ik een beetje tipsy.' Ze keek me stralend aan. 'Het doet me goed om af en toe de deur uit te gaan en zonder de kinderen te zijn – ik zou ze natuurlijk voor geen goud willen missen, maar het is fijn om te lachen en te kletsen. Misschien kunnen we binnenkort weer koffiedrinken. Als mijn slavendrijvende man je tenminste laat gaan. De volgende keer trakteer ik.'

'Dat doen we. Leuk.' Ik glimlachte geforceerd.

Opeens hoorde ik rennende voetstappen op ons afkomen. Geschrokken draaide ik me om.

'Hallo meisjes! Hebben jullie een leuke avond gehad? Was het een goed stuk?'

'Billy!' zei Carol. 'Wat doe jij hier?'

'Nou, je moeder past toch op de kinderen, dus ben ik naar de krant gegaan om werk af te maken en daarna ben ik iets gaan drinken met de eindredacteuren. En toen leek het me een goed idee om te kijken of ik jou kon vinden, zodat we samen naar huis kunnen lopen.'

'O, wat romantisch,' zei Carol. 'Net als toen we nog verkering hadden.' Ze haakte haar arm door de zijne en trok hem naar zich toe. Het zou minder pijn hebben gedaan als ze me een klap in mijn gezicht had gegeven.

Billy keek naar haar. 'Heb je gedronken, Carol?' vroeg hij verbaasd.

'Een paar glaasjes gin met mijn vriendin Rosie, meer niet,' zei ze.

'Dan is het maar goed dat we samen naar huis lopen,' zei hij, en hoewel hij glimlachte, had zijn stem toch een scherpe ondertoon, een tikkeltje afkeurend. Hij keek naar mij. 'Vind jij het niet erg om alleen naar huis te lopen, Rosie?' vroeg hij, beleefd, hoffelijk, afstandelijk.

'Nee, natuurlijk niet. Geen probleem. Het is vlakbij,' hakkelde ik. Ik probeerde stoer te doen, trok mijn jasje om me heen en beende kordaat weg. Bij de hoek keek ik om. Billy en Carol liepen arm in arm weg door de slecht verlichte straat. Maar terwijl ik stond te kijken, draaide Billy zich om. Met Carol nog steeds aan zijn arm keek hij naar me over zijn schouder en hij bleef kijken totdat de duisternis hen opslokte. Ik rende naar huis.

Het was alsof Billy een spelletje met me speelde. Vaak betrapte ik hem erop dat hij naar me keek. Als hij achteroverleunde op zijn stoel om na te denken over iets wat hij aan het schrijven was, staarde hij naar mij. En ik kon de uitdrukking op zijn gezicht niet doorgronden. Het kwam ook voor dat hij ideeën met me uitwisselde, suggesties voor verhalen, manieren om gebeurtenissen te verslaan.

'Je Amerikaanse manier van denken bevalt me,' zei hij dan. 'Je aanpak is anders, fris. Daar kunnen wij hier in het slaperige, saaie Engeland nog wat van leren.'

Of hij vroeg me voor een bepaalde klus en dan deed hij zijn uiterste best om behulpzaam te zijn, krabbelde hij geleund over mijn bureau namen en adressen van contacten op een vel papier. Het leek heel erg op de manier waarop Will en ik samenwerkten. En hoewel ik de nauwe samenwerking enorm fijn vond, maakte zijn vriendelijkheid het voor mij steeds moeilijker met de situatie om te gaan. Stel nou dat Billy van me ging houden, wat dan? Hoe moest het dan met Carol? Met de kinderen? Er was gewoon geen simpele oplossing.

Dus deed ik wat ik altijd doe als ik in een dipje zit: ik ging winkelen.

Er waren alleen geen winkels. Er was een kleine Marks and Spencer, waar ze truien en onderbroeken en lelijke jurken hadden. Er was geen Top Shop, geen Zara, Mango, Monsoon, H&M, Jigsaw, Hobbs, River Island, Next, Principles, Gap, Laura Ashley, geen Harvey Nicks, geen Primark, geen Wallis, Warehouse, French Connection, Karen Millen, Kookai, Oasis, geen... enfin, je ziet het voor je. Een ongelooflijk treurige bedoening.

Er waren een paar kleine, chique winkels die 'prêt-à-porter' verkochten, en het duurde even voordat ik snapte wat dat was. In een van de etalages zag ik een bontjas. Ik dacht het niet.

Er was geen Debenhams, John Lewis of Selfridges. De enige winkel die een beetje in de buurt kwam van een warenhuis was Adcocks, een soort samenraapsel van verschillende kleine winkeltjes, maar er stond zowaar een spijkerbroek in de etalage. Oké, weliswaar in een etalage aan de zijkant, onder een handgeschreven bordje met de tekst TIENERMODE!, maar het was een begin. Ik ging naar binnen.

Ik had nauwelijks twee stappen gezet of een vrouw van middelbare leeftijd in een zwarte jurk zeilde op me af. 'Kan ik u helpen, mevrouw?'

'O ja, graag. Ik zag in de etalage dat u jeans verkoopt.'

'Jeans? Aha, de denim pantalon.' Ze trok haar neus op alsof ze iets smerigs rook. 'Miss Marshall zal u verder helpen. Miss Marshall!'

Een andere vrouw trippelde naar me toe en ze nam me mee door een warnet van kamers, trapjes op, trapjes af, totdat we in een kleine ruimte kwamen met een etalagepop in een spijkerbroek en een soort boerenblouse. Een leuk ding.

'Kunt u me de spijkerbroeken laten zien?'

'We hebben alleen deze, mevrouw.'

'Dit is het enige model dat u verkoopt?'

'Ja, mevrouw. Wilt u de broek passen? Welke maat hebben we?'

Ik wilde zeggen: Ik heb maat zesendertig, en daar pas jij van z'n levensdagen niet in, snoes, maar ik hield me in. 'Maat zesendertig,' antwoordde ik braaf. 'En ik wil die blouse ook graag passen.'

Ze keek me aan en snoof. Ze wees me een piepkleine paskamer met een gammele stoel en bracht me even later de kleren.

Ik begon met de blouse en stak mijn armen in de mouwen. Probeerde mijn handen omlaag te duwen. En ik gaf het op. Ik zat vast. Mijn armen pasten gewoon niet helemaal in de mouwen. Ik was tot halverwege gekomen, maar verder ging niet.

Even voor alle duidelijkheid. Mijn armen zijn niet zo pezig en mager als die van Victoria Beckham, maar ze zijn niet dik. Ik durf te zeggen dat ik heel aardige armen heb, eerlijk waar. Ik kan blote truitjes dragen zonder me te schamen voor mijn armen. Maar nu zaten mijn armen muurvast in die strakke mouwen. Ik leek wel een vogelverschrikker. Ik probeerde de mouwen omlaag te trekken. Dat lukte niet, want toen ik mijn ene hand naar de andere mouw probeerde te brengen, voelde ik de katoenen stof zó strak spannen rond mijn rug dat de blouse elk moment kon scheuren. Geen goed idee. Misschien kon ik de mouwen achter mijn rug omlaag schuiven…. Ik hield allebei mijn armen gestrekt achter me, in de hoop dat ik me eerst uit de ene mouw kon wurmen en dan…

Nou, daar stond ik, mijn armen achter me als een opgebonden kip, een knalrode kop, mouwen als een dwangbuis, toen de verkoopster zonder aankondiging het gordijn van het pashokje opentrok.

Het valt niet mee om cool en hooghartig te zijn als je knalrood bent en gevangenzit in een te kleine blouse. 'Welke maat is dit?' vroeg ik nijdig.

'Maat zesendertig, mevrouw, zoals u had gevraagd,' zei ze ijzig terwijl ze de mouwen omlaag stroopte. Ik wreef over mijn armen. Er liepen nu twee felrode striemen over mijn huid. 'Deze past waarschijnlijk beter.' Ze gaf me een andere blouse aan. Maat tweeënveertig. Tweeënveertig! Ik heb nooit maat tweeënveertig. Ik trok de blouse aan. Hij paste. Ik weet wanneer ik me gewonnen moet geven. Ik probeerde de broek in maat zesendertig niet eens en pakte meteen de maat tweeënveertig. Zelfs die zat vrij strak en de pasvorm was abominabel, maar het was een spijkerbroek en dat was al iets. De maten in de jaren vijftig waren duidelijk heel anders. Ik gaf de kleren aan de onuitstaanbare verkoopster en liep door het warnet van ruimtes achter haar aan naar de kassa.

'Ik denk dat het de melk is, mevrouw,' zei ze.

De melk?

'Ik heb begrepen dat Amerikanen veel melk drinken. Daarom bent u doorgaans groter en… beter gebouwd dan wij. Wij hebben per slot van rekening de oorlog meegemaakt, de voedseltekorten… Het viel ons allemaal op toen de Amerikaanse soldaten hier waren in de oorlog. Zulke stoere jongens…' Haar gezicht kreeg een dromerige uitdrukking.

Daar zat ik echt helemáál niet op te wachten. Ik griste mijn jeans en blouse van de toonbank en vluchtte weg. Opeens voelde ik me net een reus, en nog veel misplaatster in deze vreemde wereld.

Zodra ik thuiskwam, knipte ik de labels uit de kleren. Maat tweeënveertig... nooit.

17

Phil kwam op een zonnige zaterdagochtend langs en vroeg of ik
zin had om een dagje naar de kust te gaan. Ik was er meteen
voor in. Het was een kans om mijn nieuwe kleren te dragen, ideaal voor op de motor. Daar dacht Mrs. Brown echter anders
over. Toen ik beneden kwam in mijn nieuwe jeans keek ze me
aan en vroeg: 'Wordt dat in Amerika soms fatsoenlijk gevonden?'
Mr. Brown lachte. 'Reken maar,' zei hij. 'Dat is een cowboy-
broek. Zo zien cowboys eruit.'
'Onzin,' snoof zijn vrouw.
'Dit is een spijkerbroek voor meisjes, Mrs. Brown,' zei ik en ik
wiegde met mijn heupen. Ik voelde me meteen schuldig omdat
Peggy erbij stond in een vormeloos oud hemd, het enige dat ze
nu nog paste, hoewel waarschijnlijk niet lang meer.
'Veel plezier,' zei ze. Ik las de afgunst in haar ogen, maar deed
alsof mijn neus bloedde.
Het was bijna vijftig kilometer rijden naar de kust. Een behoorlijk lange rit op hobbelige wegen achter op een motor, maar ik
genoot ervan om me vrij te voelen. Eindelijk was het dan echt
lente. De zon scheen en de wind blies door mijn haar, dus ik
vond het zelfs niet erg dat ik af en toe een vuiltje in mijn oog
kreeg.
Er stonden vrij veel auto's, maar wij konden zo doorrijden naar
de promenade en lieten daar de motor achter. Ik voelde me net
een kind, wilde het liefst omlaag hollen over het zand.
'Waarom niet? Wie het eerst bij het water is!' We stoven naar
beneden. Ik trok mijn schoenen uit en voelde het zand tussen
mijn tenen en de kabbelende golfjes rond mijn enkels.
'Oei! Wat is het koud!'
Phil lachte. 'Het is nog vroeg in het jaar.'
We liepen helemaal naar het einde van de baai en trokken onze
schoenen weer aan om over een pad omhoog te klauteren naar

de top van een klif. Daar stond een soort keet van golfplaat, met op de zijkant in grote witte letters: THEE.

Phil ging naar binnen en kwam een paar minuten later weer naar buiten met een blikken dienblad, met daarop een blikken thee-pot, een melkkannetje en twee dikke witten koppen met scho-tels en een paar compact ogende scones. Hij liep ermee naar de top van het klif waar ik in het gras zat en uitkeek over het licht-roze waas van bloemetjes die in bloei stonden langs de paden.

'Mooi hè?' zei Phil.

Ik knikte. En barstte vervolgens in tranen uit. Ja, ik weet dat het stom van me was. En ik weet zelfs niet waarom het juist op dat moment gebeurde. Misschien omdat ik me eindelijk begon te ont-spannen.

Phil keek me geschrokken en bezorgd aan. 'Wat is er?'

'Ik wil naar hui-uis,' blèrde ik. Zielig, of wat?

'Oké, best. Dan breng ik de thee nu meteen terug.'

'Nee, niet mijn thuis hier. Mijn echte thuis. Waar ik vandaan kom.'

Phil grabbelde in zijn zakken en vond een grote schone witte zak-doek, die hij aan mij gaf. 'Het is begrijpelijk dat je af en toe heim-wee hebt.'

'In het begin had ik vreselijke heimwee, maar ik was er inmid-dels een beetje aan gewend. De laatste tijd dacht ik niet meer zo vaak aan huis,' zei ik snuffend.

Dat was ook zo. Ik had me ingeleefd in de jaren vijftig. Soms leek thuis – mijn échte thuis – net een droom. Dat leven stond steeds verder van me af. En misschien was dat wel het probleem. Ik was bang dat ik zou vergeten waar ik vandaan kom, waar ik thuishoor, wie ik werkelijk ben...

Toen was het hek van de dam.

'Alles is hier zo anders. Ik wil mijn huis en mijn vrienden en mijn comfortabele kleren en een lekkere douche, en ik wil 's avonds uitgaan met vrienden en grote televisies en computers en mijn telefoon en sms'en en zachte handdoeken en knoflook en curry en zacht pleepapier en auto's en het internet. Ik wil dat alles licht en zonnig en wit en schoon is, niet grauw en groezelig en muf. Ik wil crèmes en shampoo en doucheschuim en bodylotion en mascara waar je niet eerst op hoeft te spugen en mijn laarzen en mijn dekbed en mijn iPod. Ik wil... o, er zijn zoveel dingen die ik wil, maar ik wil vooral mensen zoals Caz en mijn ouders. En Will, naar hem verlang ik het meest.'

Ik hield alleen op omdat ik niet tegelijk kon praten en huilen. Als dit Narnia was, zou Aslan me natuurlijk beschermen. Of een elfje of een sprekend paard. Ik zou in elk geval een flesje tover- drank hebben waarmee ik dingen leuker kon maken, of een ma- gische jachthoorn waarmee ik om hulp kon roepen. Maar dit was Narnia niet, en ik had alleen mezelf. En Phil, zo'n beetje dan.

Ik dacht weer aan die hymne: 'Bewoners van tijd en ruimte'. Op de een of andere manier was ik in de ruimte en de tijd de weg kwijtgeraakt. De deur naar waar ik hoorde te zijn was dicht. Ik wilde naar huis en wist niet hoe ik er moest komen. Niets klop- te. Niets was zeker. De wereld stond totaal op z'n kop. Paniek welde op in mijn keel, dreigde me te verstikken. Er moest een manier zijn om thuis te komen. Dat móést!

Phil was geweldig. Hij sloeg een arm om me heen en schonk thee voor me in. 'Kom, drink,' zei hij. 'Daar knap je van op.'

O god, ik ben verdwaald in de tijd en deze man denkt dat een kop thee helpt. Maar het was wel zo, in zekere zin. Phil was echt een schat van een man.

'Je gaat heus weer naar huis. Geloof me. Wees maar niet bang. Ze blijven thuis gewoon op je wachten.' Zijn stem was zacht, hypnotiserend, en hij bleef zijn geruststellende woorden herha- len.

Ik begon een beetje te kalmeren. Haalde een paar keer diep adem. Concentreerde me op zijn arm rond mijn schouders, op zijn mur- melende stem, zijn sussende woorden.

Ik keek uit over de zee en vroeg me af of het dezelfde zee was die ik vaker had gezien. Iemand had ooit eens tegen me gezegd dat je nooit twee keer in dezelfde rivier zwemt. Daar dacht ik over na, maar het zei me niets. En opeens wilde ik niet eens meer proberen het te snappen. Wekenlang had ik mijn best gedaan er- achter te komen waar ik was en waarom. Ik kon gewoon niet meer, ik was moe gestreden.

In elk geval griende ik niet meer. Ik snufte, veegde mijn ogen en neus af en rilde een beetje. 'Het spijt me, Phil. Wat een scène. Je neemt me mee voor een gezellig dagje uit en ik kan alleen maar janken.'

Phil, de schat, keek opgelucht nu ik weer min of meer normaal praatte.

'Je hoeft echt geen sorry te zeggen. Ik begrijp je, het is normaal,' zei hij vol medeleven. 'In het leger heb ik het zo vaak meegemaakt. Jonge kerels die gewoon hun werk doen, geen probleem. En dan slaat opeens de heimwee toe, zomaar, zonder reden, zonder aanleiding. Ik weet nog dat ik me een keer vreselijk heb bezat omdat ik mijn hond opeens zo miste – mijn hónd, nou vraag ik je! En omdat ik er doodziek van was in een houten hut te slapen met negentien andere snurkende en stinkende jongens, en altijd en eeuwig voor alles in de rij te staan, voor eten, voor de douche, voor de plee... Je snapt wel wat ik bedoel. Je kunt er donder op zeggen dat het een keer gebeurt. Je bent ook maar een mens. Zit er maar niet over in. Hier.' Hij gaf me een scone aan.

Ik pakte hem aan en knabbelde eraan.

'Hoe lang blijf je nog hier?'

'Dat is het probleem. Ik weet het niet. Ik heb echt geen idee. Het is ingewikkeld. Ik kan het niet echt uitleggen. Ik geloof dat ik niet zo heel lang blijf.'

'Nou, dat is dan maar goed ook,' concludeerde Phil opgewekt. 'Als je niet zo lang blijft, moet je er gewoon het beste van zien te maken. Slaap er een nachtje over en je kunt er morgen weer fris tegenaan. Misschien vind je het dan nog leuk ook. Sommige dingen in elk geval. Zo zijn de meeste jongens door hun militaire dienst gekomen. Het is de beste manier, eerlijk waar.'

Hij glimlachte naar me. Hij was zo ongecompliceerd en positief ingesteld. Er stond medelijden te lezen in zijn lichtblauwe ogen, en ik wilde echt dat ik van hem kon houden.

'Kijk eens om je heen,' zei hij. 'We zitten hier in de stralende zon met een schitterend uitzicht over zee. Laten we hier nou gewoon van genieten en niet piekeren over wat er morgen gaat gebeuren, oké?'

Het klonk goed en een beter plan had ik niet. Ik voelde me al een beetje belachelijk over mijn uitbarsting. Ik kon zelfs voorzichtig naar hem glimlachen. We dronken onze thee en voerden

krant drukte vijf verschillende edities – de eerste was voor de verste uithoeken van het verspreidingsgebied, de laatste voor de stad en de buitenwijken. Tegen de tijd dat de laatste editie ter perse ging, om een uur of drie 's nachts, werd de eerste editie in grote bundels in bestelwagens geladen, die wegtuften door de grote poort zodra ze vol waren, het donker tegemoet.

Buiten begon het al te schemeren en er drong maar zo weinig licht door de groezelige ramen van de redactie, die bovendien half schuilgingen achter stapels kranten en mappen, dat het binnen al behoorlijk donker was. Ik had een kleine bureaulamp, en de atmosfeer op de redactie was knusser, intiemer dan overdag.

Ik tikte een bevredigend 'einde' onder mijn stukje, trok het papier uit de schrijfmachine, haalde het carbon tussen de vellen papier vandaan en kriebelde op elk van de drie vellen een paar correcties in potlood. Tegenwoordig deed ik het bijna automatisch. De gedachte aan een computer met spellingcontrole en een razendsnelle verbinding met de eindredactie leek héél erg ver weg. Misschien had ik het zelfs wel gedroomd.

Ik kon voelen dat Billy naar me keek. Snel tilde ik mijn hoofd op, vluchtig, en ik zag dat hij aan zijn bureau kopij zat te lezen. Maar ik wist dat hij er met zijn hoofd niet bij was. Hij wachtte ergens op. Wachtte op mij. Nee. Nee, dat kon niet.

Ik controleerde de correcties en vouwde de vellen kopijpapier dubbel, met de tekst naar buiten, allemaal met brede gebaren om duidelijk te laten zien dat ik klaar was.

'Ik neem je kopij wel mee naar de eindredactie, als je wilt,' bood Billy aan terwijl hij zijn eigen kopij verzamelde.

'Bedankt.' Ik keek hem expres niet aan. Dit moest ongedwongen lijken, toevallig.

En ja, ik had mijn jasje kunnen pakken en in hooguit dertig seconden buiten op straat kunnen staan. Het was al laat. Ik was klaar. Ik kon naar huis. Maar dat was niet zo. En dat deed ik niet.

In plaats daarvan pakte ik mijn jasje en legde het op mijn bureau – iedereen kon zien dat ik nog in het gebouw was maar op het punt stond om weg te gaan – en daarna ging ik naar de wc en waste ik mijn handen. En ik wachtte.

Billy zou een paar minuten bezig zijn op de eindredactie. Als ik mijn oren spitste kon ik heel in de verte hun stemmen horen, waaronder die van Billy. Vijf minuten, dacht ik bij mezelf. Vijf minuten moest ongeveer kloppen. Is het niet treurig? Maar ik begon wel te tellen, staand voor dat gebarsten wastafeltje met een grijze handdoek ernaast en een stukje harde groene zeep erop: '300, 299, 298, 297...' Toen ik bij 129 was – nog meer dan twee minuten te gaan – was ik geneigd het op te geven en terug te gaan naar de redactie, maar ik moest van mezelf blijven wachten.

En met succes. Nadat ik in stilte triomfantelijk 'één!' had geteld, haalde ik diep adem, duwde de deur open en liep door de gang terug naar de redactie, precies tegelijk met Billy. Hij liep naar de kapstok en pakte zijn jas. Het was niet meer dan normaal dat we samen naar beneden gingen en naar buiten liepen. Heel gewoon twee collega's die toevallig tegelijkertijd weggingen.

We kwamen op het marktplein, waar het heerlijk fris en rustig was in vergelijking met het kantoor van *The News*. We praatten over mijn verhaal, lachten erom. Dit soort gesprekken hadden we vaak genoeg gehad als we met Phil of Brian waren. Maar dit was anders. Er hing spanning in de lucht, een verrukkelijk soort spanning waar zelfs mijn tenen van tintelden, een gevoel dat alles mogelijk was... precies zoals toen ik Will net had leren kennen. Alleen was ik er destijds niet zeker van of hij wel de ware voor me was. Dit keer wist ik het wel. Ik was nog nooit van mijn leven ergens zo zeker van geweest. De hele tijd dat we met elkaar stonden te praten was ik me er scherp van bewust dat we met z'n tweeën waren. En hij ook, dat voelde ik. Het gesprek stokte, raakte beladen.

'De redactie is wel veranderd sinds jij bij de krant bent gekomen.'

'Is het beter of slechter geworden?' (Was het nou echt nodig om naar een complimentje te hengelen?)

'O, veel beter. We hadden nooit eerder een vrouwelijke verslaggever gehad.'

'Billy! En Marje dan? Is zij soms geen vrouw?'

'Natuurlijk wel, maar zij is, nou ja, ouder. Jij bent anders. Je kijkt op een andere manier tegen de dingen aan. Je denkt anders. Dat is verfrissend. Het is de Amerikaanse manier, denk ik.'

(Ik had het allang opgegeven uit te leggen dat ik niet uit Amerika kwam. Het was per slot van rekening een makkelijke manier om een hele hoop dingen te verklaren.)

Hij glimlachte naar me. 'De dingen waar je over praat... eerlijk gezegd heb ik soms geen idee waar je het over hebt – computers, en telefoons die je in je zak kunt stoppen, en informatie die je uit de lucht kunt plukken. Het klinkt als iets uit een film, maar ik vind het leuk om je erover te horen praten.

En je ideeën voor de krant spreken me aan. Je maakt het interessanter. Je kijkt vooruit, niet de hele tijd naar het verleden. Het is goed aan de toekomst te denken. Ik vind het heerlijk je erover te horen praten. Sterker nog...' Hij zweeg en draaide zich naar me om. 'Sterker nog, ik vind het gewoon heerlijk je te horen praten.'

Zijn woorden bleven hangen in de avondlucht. En zoals hij naar me keek... reken maar dat hij niet aan het werk dacht. Ik hield mijn adem in en keek hem aan, nieuwsgierig naar wat hij nu zou gaan zeggen.

'Rosie. Moet je nu meteen naar huis? Zullen we... zullen we iets gaan drinken?'

Hij keek me vol verwachting aan, nerveus, en ik wist dat het meer was dan een snelle borrel na het werk met een collega.

'Waarom niet?' zei ik. 'Waar?'

En op dat moment klonk er een kreet. 'Pap! Pápa!'

Een klein figuurtje op een rammelende fiets stoof uit een smalle zijstraat het marktplein op. O nee, over timing gesproken...

'Davy! Hola, wees een beetje voorzichtig!'

Kennelijk werkten de remmen van de fiets niet al te best, want het jongetje was tot stilstand gekomen door met zijn voeten over de grond te schrapen. Om zijn middel droeg hij een nepleren cowboyriem met holsters, elk met een speelgoedpistool erin. Hij zat schrijlings op zijn fiets, met een knalrood hoofd, haar dat alle kanten op piekte en een brede grijns op zijn gezicht. 'Hoi pap! Ik dacht al dat jij het was,' verkondigde hij voldaan.

Billy was natuurlijk overrompeld, maar hij kon al snel weer lachen. 'Hé, als dat Two-Gun Tex niet is!' zei hij. *'Howdy pardner!'* Hij keek op zijn horloge en schakelde direct over op zijn rol van bezorgde vader. 'Jij hoort nu al thuis te zijn, knul. Mama zal wel bezorgd zijn.'

'Ja, ik weet het. Ik was bij Kevin. Maar als ik met jou ben is het toch niet erg?'

Billy probeerde streng te kijken, maar dat lukte niet echt. 'Oké, dan kunnen we beter zo snel mogelijk naar huis gaan. Kom op, cowboy.'

Hij draaide zich om naar mij. 'Leuk je even gesproken te hebben, Rosie. Tot morgen!'

En weg was hij. Zijn ene hand lag op Davy's schouder, en hij nam lange, soepele stappen om zijn fietsende zoontje te kunnen bijhouden. Ik staarde hem na, barstend van machteloze frustratie. Wat was Billy van plan geweest? Het was duidelijk dat hij met me alleen wilde zijn. Waar had het toe kunnen leiden? Wat er ook van was gekomen, zijn zoontje had roet in het eten gestrooid. Ik leunde achterover tegen een kersenboom en een wolk van roze bloesem regende neer op mijn schouders. Net confetti. Wat een ontzettend gemene grap.

Ik verlangde ernaar met Billy samen te zijn, maar aan de andere kant was ik blij, opgelucht misschien, dat Davy net op dat moment aan was komen fietsen. Ik denk...

Ik liep zo snel mogelijk naar huis, met grote passen, om te voorkomen dat ik zou gaan huilen. Mijn plan om Billy even voor mezelf te hebben was jammerlijk mislukt, verijdeld door een groezelige deugniet op een fiets. Maar het was natuurlijk Billy's groezelige deugniet. Zijn zoontje.

Ondanks de magie tussen ons, die onmiskenbare vonken, kon niets het feit verhullen dat hij echtgenoot en vader was. Op kantoor konden we samenwerken, maar verder paste ik op geen enkele manier in zijn leven.

En Carol? Ze was mijn vriendin. Hoe kon ik haar man van haar afpakken? O! Ik kon wel gillen van woede en frustratie.

In plaats daarvan probeerde ik aan andere dingen te denken, wat dan ook, zolang ik maar niet aan Billy of zijn gezin hoefde te denken. Ik vroeg me af welke culinaire lekkernijen Mrs. Brown voor me in petto had, ongetwijfeld in half uitgedroogde staat, onder een omgekeerd bord warm gehouden in het onderste deel van de oven. Ik meende me te herinneren dat ze iets had gezegd over een kliekje van het zondagse gebraad. Waarschijnlijk opgebakken met het restje aardappelen en gestoofde kool van de vorige avond. Geen maaltijd om vrolijk van te worden.

Maar toen ik de achterdeur opendeed en de keuken binnenkwam, wist ik meteen dat er iets aan de hand was. Mrs. Brown was druk in de weer met haar mooiste serviesgoed, wit porselein met blauwe bloemetjes, en het hele huis gonsde van de opwinding. 'O, Rosie, je bent precies op tijd! Loop maar door.'

Op tijd voor wat? Geïntrigeerd hing ik mijn jas aan het haakje achter de keukendeur, ik zette mijn tas neer en liep door naar de zitkamer.

Wat een tafereel! Mr. Brown zat in zijn vaste leunstoel met een biertje, een verwarde uitdrukking op zijn gezicht. George zat op de bank, ook met een flesje bier, onderuitgezakt alsof hij zich volkomen thuis voelde, en Peggy zat naast hem, met een gespannen glimlachje.

Mrs. Brown kwam binnen met een dienblad vol lekkers: sandwiches in keurige driehoekjes, een enorme fruitcake en een mokkataart met toefjes slagroom. Jeetje. Het moest wel een heel bijzondere gelegenheid zijn als er een taart was gekocht. Ze zette het dienblad op tafel en liep naar het buffet, haalde er een fles Harvey's Bristol *cream* sherry uit en drie glaasjes met een gouden rand. Behoedzaam zette ze de glaasjes neer en ze schonk sherry in. Peggy en ik kregen allebei een glaasje.

'Het lijkt wel Kerstmis!' zei Peggy giechelend.

'Is het feest? Wat vieren we?' vroeg ik, verbaasd dat de grimmige sfeer die zo zwaar over het huishouden van de Browns had gehangen opeens was opgetrokken.

'Een dronk,' zei Mrs. Brown. 'Zal ik het doen, vader, of doe jij het?'

Mr. Brown gebaarde naar haar met zijn hand. Hij was zo verbluft dat hij geen woord kon uitbrengen.

'Een dronk? Waar drinken we op?'

'Op George en Peggy,' zei Mrs. Brown gewichtig en ze hield haar glas in de lucht. 'Op hun toekomstige geluk!'

De sherry had mijn lippen nog niet eens bereikt en nu verslikte ik me al. 'Hun geluk? George en Peggy? Bedoelt u...'

'Ja,' zei George en hij straalde van trots. 'Ik heb Peggy ten huwelijk gevraagd en ze heeft ja gezegd.' Hij pakte Peggy's hand.

Hij zag er jong en trots uit en er kwamen een miljoen vragen bij me op, zoals: Weet je wel wat je doet? En: Weet je het zeker? Mogelijk gevolgd door: Ben je gek geworden?

Maar hij keek zo zelfvoldaan en zo blij dat ze allemaal in mijn keel bleven steken. Ik hief mijn kleine glaasje en riep: 'Gefeliciteerd! Ik wens jullie alle geluk van de wereld!'

En George bloosde en leek opeens weer een jaar of veertien. Nu pas kon ik de stemming in de kamer voor mezelf benoemen. Het was geen opgetogenheid, behalve misschien bij George. Het was geen feestelijkheid. Het was zelfs geen geluk. Nee, het was opluchting, pure, onvervalste opluchting. Er was een enorm probleem opgelost, dankzij de jonge George.

Peggy had een man gevonden. Een vader voor haar baby. Het fatsoen en de reputatie van de Browns waren gered. Geen wonder dat ze zo in hun nopjes waren. Net toen alles inktzwart had geleken, had George zich als redder in de nood opgeworpen. Ik begon te begrijpen hoe belangrijk het was.

Het deed er niet toe dat George zes jaar jonger was dan zijn aanstaande bruid. Dat ze nooit verkering hadden gehad. Dat George in Peggy's ogen nooit iemand anders was geweest dan een jonge knul op kantoor leek totaal irrelevant. Hij had naar de rol van echtgenoot gesolliciteerd en hij was ter plekke aangenomen. Zwanger raken en dan in de steek worden gelaten was een onbeschrijflijke schande die geen enkel keurig opgevoed meisje mocht overkomen. En haar kind zou een blijvende herinnering zijn. Zolang het kind er was en de moeder alleen was, zou niemand ooit vergeten dat ze een gevallen vrouw was die zichzelf te goedkoop had verkocht. Voor de rest van haar leven zou ze als lichtzinnig of dom gebrandmerkt zijn, en haar kind zou worden nagewezen. Een enkeling zou misschien medelijden met haar hebben omdat ze te goedgelovig was geweest en de man in kwestie veroordelen, maar de meeste mensen zouden er schande van spreken dat zij zich te gemakkelijk had gegeven en niet voor een goede vader voor haar ongeboren kind had gezorgd.

En dan was er natuurlijk de praktische kant: wie zou haar en de baby onderhouden? De bijstand bestond geloof ik al, maar veel kon het niet zijn.

Maar zwanger zijn en trouwen, ja, dat was een héél ander verhaal. Twee jonge mensen die zó verliefd waren dat ze niet hadden kunnen wachten. Niet ideaal wellicht, maar begrijpelijk, vergeeflijk. Alleen was de baby niet van George...

Ik moest het hem vragen, dus nam ik hem apart terwijl de anderen het druk hadden met bordjes en sandwiches en zoeken naar het grote mes om de taart te snijden. 'Weet je het wel zeker?'

'Ik ben nog nooit ergens zo zeker van geweest. Ik hou al van Peggy sinds ik een jaar of veertien was, ik heb haar altijd leuk gevonden. En toen ik in militaire dienst zat,' zei hij met een snelle zijdelingse blik op Peggy, 'nou, toen droomde ik van haar. Voor mij is ze altijd de ware geweest en nu ben ik voor haar ook de ware.'

'Maar... je bent pas twintig.'

'Binnenkort word ik eenentwintig. Daarom heeft mijn moeder meteen toestemming gegeven voor ons huwelijk. Ze zei dat ik het snel genoeg kon doen zonder het eerst aan haar te vragen, dus dat ze me dan net zo goed meteen haar zegen kon geven.'

Ik fronste mijn wenkbrauwen. 'Zegen?'

'Ja, omdat ik nog geen eenentwintig ben. Maar dat betekent niet dat ik niet weet wat ik doe. Het komt goed, we worden heel gelukkig met elkaar,' zei hij beslist. Nu al had hij een andere uitstraling, zelfverzekerd, vastbesloten. Hij leek warempel... volwassen.

Het werd een echt feest. De mannen dronken nog een paar biertjes en Mrs. Brown schonk nog een glaasje sherry voor ons in. De sherry was mierzoet en steeg me onmiddellijk naar het hoofd. O hemel, ik voelde me net mijn oma... Ten slotte stapelde Mrs. Brown de bordjes op en zette alles op het dienblad.

'O, ik moet Stephen snel schrijven en hem vertellen dat hij er een broer bij krijgt. En dat hij oom wordt. Help je me even om alles naar de keuken te brengen, Rosie?' zei ze. 'Dan kunnen de tortelduifjes even met elkaar alleen zijn.'

Tortelduifjes?

Het leek erop dat Mrs. Brown de hele scène in een fractie van een seconde had herschreven. Dit was geen bruiloft uit wanhoop, haastig gepland om de naam en reputatie van haar dochter hoog te houden. Nee, George en Peggy waren opeens omgetoverd in twee trouwe geliefden, giechelende jonge dingen die je alleen moest laten zodat ze elkaar ongestoord beter konden leren kennen.

Hoe lang duurt het nog, vroeg ik me af, voordat ze zichzelf ervan weet te overtuigen dat de baby, die nu zichtbaar groeide, van George is en Henfield uit dit knusse huiselijke plaatje wordt geknipt?

Ik ging vroeg naar boven en zat in bed voor de zoveelste keer *Pride and Prejudice* te lezen – hoe zou Will eruitzien met bretels en een nat overhemd? – toen Peggy op mijn deur klopte en binnenkwam. Ze aarzelde even en ging toen op het bed zitten.

Ik zei niets. Ik wachtte af.

'Ik kon het niet in mijn eentje,' zei ze. 'Jij hebt me verteld dat je massa's vriendinnen hebt die het in hun eentje doen, maar ik kan het niet. Ik kan het gewoon niet.

En ik kan het ook niet weggeven, dat weet ik nu al. Ik dacht dat ik het zou kunnen, maar nu niet meer.' Ze legde haar handen op haar bolle buik; nu al beschermde ze haar ongeboren kind. 'Ik weet dat het leven nooit meer hetzelfde zal zijn, wat ik ook doe. Dus dit is de beste manier.'

Ik zei nog steeds niets.

'Ik weet dat George een stuk jonger is, maar hij is... hij is altijd een beetje verkikkerd op me geweest. Het is een aardige jongen, een goeie knul. Ik ben dol op hem.'

Het ging niet. Het lukte me niet om mijn lippen nog langer stijf op elkaar te houden.

'Hoor eens, als George je een halfjaar geleden mee uit had gevraagd, zelfs zes weken geleden, zou je er niet over hebben gepiekerd. Je zou hem hebben uitgelachen om zijn brutaliteit. En nu wil je met hem trouwen. Trouwen is voor altijd, Peggy. Jij en George.' Ik herinnerde me iets wat Carol had gezegd. 'Als Gregory Peck morgen langs zou komen, zou je moeten zeggen: "Sorry, ik ga met George trouwen."

En George zelf? Is dit wel eerlijk tegenover hem? Hij verdient nauwelijks genoeg om zelf van rond te komen en jij zadelt hem op met andermans baby. Stel nou dat er ergens een meisje op hem wacht? Een leuk jong meisje met wie hij een paar jaar gewoon lol kan hebben voordat ze zelfs maar aan baby's gaan denken? Heb je daar wel aan gedacht?'

'Natuurlijk heb ik daaraan gedacht!' snauwde Peggy. 'Ik heb zoveel nagedacht dat mijn hoofd er pijn van doet! Ik weet alleen dat dit voor mij het beste is. En ook voor mijn ouders. En voor de baby. Wat George betreft...

Ik weet nog heel goed hoe het was... toen ik daar bij de molen was, toen jij en George me hebben gevonden. Ik weet nog heel goed hoe ik me toen voelde. Alles was zwart, het was het einde, ik zag geen uitweg, ik kon me niet voorstellen dat het leven ooit weer de moeite waard zou zijn. Zelfs toen ik in het ziekenhuis lag kon ik niet zeggen dat ik blij was dat ik leefde. Ik was niet blij. Diep vanbinnen wilde ik toen nog dat George en jij me niet hadden gevonden, dat jullie me gewoon dood hadden laten gaan. Nee, luister alsjeblieft naar me. Ik ben niet ondankbaar, echt niet. Want toen ik in het ziekenhuis lag bleef één ding telkens bovenkomen, Georges stem die tegen me zei: "Kom op, Peg, je kunt het. Alles komt goed." En ik dacht aan zijn arm om me heen toen jullie me naar de auto droegen. Jij en George hebben mij en mijn baby gered, terwijl ik niet gered wilde worden. En nu ben ik zo blij en zo dankbaar dat jullie me hebben gevonden. Nee, ik ben niet stapelverliefd op George, maar hij heeft me weer tot leven gewekt. Ik weet dat hij van me houdt. Hij heeft altijd van me gehouden. En ik begin van hem te houden. Echt. En als hij voor mij en mijn baby zorgt, zal ik voor hem zorgen. Hij is een goede man – en hij is een man, al is hij pas twintig – en ik ga mijn uiterste best doen om hem gelukkig te maken. Dat beloof ik. Hij verdient het. En dat zal ik nooit vergeten.'

Ze tilde haar hoofd op en keek me aan. 'Het is de beste oplossing, Rosie, een betere is er niet.'

Ik kroop onder de deken vandaan en sloeg mijn armen om haar heen. Wat kon ik anders doen?

Billy negeerde me. Niet op een nare of nadrukkelijke manier, maar hij negeerde me wel degelijk, geen twijfel mogelijk.

Het had ermee te maken dat hij me bijna had geprobeerd te versieren, dat wist ik. O god, ik zou zo graag willen weten wat er gebeurd zou zijn als Davy niet net langs was komen fietsen. Billy had duidelijk spijt van het weinige dat hij had gezegd. Hij praatte nauwelijks tegen me. En als hij iets zei, was het kortaf en zakelijk. Volmaakt beleefd, maar hij vermeed oogcontact. Toch wist ik dat hij soms naar me keek. Als ik aan mijn bureau zat, voelde ik soms zijn ogen op me gericht. Dan draaide ik me om en ving ik nog net een beweging op, maar dan zat Billy over zijn schrijfmachine gebogen, of over de agenda, of over zijn blocnote.

Het was fantastisch dat hij op me viel, dat hij hetzelfde voelde als ik. Maar hij was niet van plan er iets mee te doen. Ik wist dat hij het wilde, maar hij zou zich inhouden omdat hij getrouwd was en vader van drie kinderen.

Dat bewonderde ik. Daardoor hield ik nog meer van hem. Ik vond het zo bijzonder, die trouw aan zijn kinderen, de dingen die hij met hen deed, alle dingen die hij hun leerde. Hij probeerde niet te doen alsof hij zelf nog een kind was; hij was hun vader en dat nam hij serieus.

Maar ik hield vooral van hem vanwege zijn trouw aan Carol. Hij viel op me, maar hij verzette zich ertegen, uit trouw aan zijn vrouw. Daar bewonderde ik hem oprecht om, zelfs al maakte het mij diep ongelukkig.

Ik zat op de redactie en tikte een ontzettend saai verhaal over heitje voor een karweitje (kleine jongetjes die bij mensen op de deur klopten en aanboden klusjes te doen. De droom van elke pedofiel, of wat?) en moest me bedwingen mijn hoofd niet op mijn schrijfmachine te leggen en in tranen uit te barsten, toen George binnenkwam, bruisend van enthousiasme.

'Je komt donderdag toch wel, hè Rosie?' vroeg hij stralend, en hij kreeg een koor van commentaar van de mannen op de redactie.

Het nieuws van de bruiloft had zich als een lopend vuurtje verspreid en iedereen versteld doen staan – niet verbazingwekkend, aangezien George en Peggy zelfs nooit met elkaar uit waren geweest. Marje had het verhaal geraden, maar ik wist dat ik erop kon vertrouwen dat ze haar mond zou houden, dus iedereen nam aan dat Peggy's baby van George was. Vandaar dat hij niet alleen felicitaties kreeg, maar ook schuine opmerkingen.

'Hé George, ik heb gehoord dat je zonder laarzen bent gaan pootjebaden!' riep een van de loopjongens die net langskwam.

George liet het allemaal over zich heen komen en bleef grijnzen. Ik kreeg de indruk dat hij echt blij was dat hij met Peggy ging trouwen. Ik hoopte dat ze hem gelukkig zou maken.

Het was allemaal haastje-repje. Er moest zelfs een speciale ontheffing komen.

'Het is niet zo,' zei Mrs. Brown die avond met haar mond vol spelden, 'dat we iedereen uitnodigen. We hoeven eigenlijk niets te organiseren.' Ze deed haar best een jurk te vermaken voor Peggy, tornde naden open en verzette knopen. 'Ik had niet gedacht dat mijn enige dochter op deze manier zou trouwen. Helemaal niet zelfs.'

'Mijn vriendin Kate droeg een beeldige jurk toen ze trouwde, zelfs al was ze zes maanden zwanger,' vertelde ik toen ik ze een dienblad met thee bracht. 'Je kunt prachtige positiejurken krijgen, zelfs bruidsjurken.'

Mrs. Brown verslikte zich bijna. 'Daar heb ik nog nooit van gehoord! Positiekleding voor als je gaat trouwen! Nou vraag ik je!'

Ik had haar erop kunnen wijzen dat Peggy zeker niet het enige meisje was dat zoiets nodig had, maar vermoedde dat het aan dovemansoren gezegd zou zijn.

De plechtigheid zelf zou uiterst sober zijn, alleen bij de burgerlijke stand, in bijzijn van de Browns, de moeder van George en Derek, Georges beste vriend en zijn getuige. Het klonk allemaal nogal stiekem, niet bepaald feestelijk.

'Ziezo!' Mrs. Brown gaf de jurk aan Peggy, en die trok hem aan. Eerlijk is eerlijk, haar moeder had er iets moois van gemaakt. De jurk, van lichtblauwe zijde, was chic en flatteus.

'Wat trek je erbij aan?'

'Ik weet het niet. Mijn jas, denk ik.'

O hemel. Er was niets mis met haar jas, maar die was zeer getailleerd. Ze kreeg haar jas al een hele tijd niet meer dicht.

'Het is onzin om voor die ene dag iets nieuws te kopen,' bitste Mrs. Brown. 'Er zijn genoeg andere dingen waar je geld aan moet uitgeven.'

Zo kwam ik op een idee...

In de etalage van Adcocks had ik een erg leuk jasje gezien. Ik had het zelf willen hebben maar het niet gekocht omdat ik eigenlijk niets had waar ik het bij kon dragen. Het was blauw, kort en wijd, en het sloot van voren met een grote knoop. Het was jeugdig en grappig. Het zou heel goed staan bij Peggy's vermaakte jurk, heel modieus, en het was wijd genoeg om over haar dikke buik te passen. Ik besloot het voor haar te kopen.

Ik had graag samen met haar willen gaan om het uit te kiezen en te passen, maar tot aan de bruiloft had Peggy een soort huisarrest, ze mocht de deur bijna niet uit totdat ze die trouwring aan haar vinger had en weer fatsoenlijk was. Ik ging dus alleen naar Adcocks en miss Zuurpruim en paste het jasje. Het zat een beetje strak rond de schouders, zoals Zuurpruim opmerkte, maar Peggy had smallere schouders dan ik, dus dat kwam wel goed. En het was zo wijd dat het losjes over de buik viel. Ik telde er een week salaris voor neer en nam het mee naar huis.

Janice zat aan de keukentafel met haar huiswerk (spoorwegen in Canada en longfuncties). De keuken rook naar het prutje van uien en cornedbeef dat sudderde op het fornuis. Peggy zat in de stoel van haar vader te naaien, omringd door stapels oude lakens die vele malen waren versteld en opgelapt. Ze zag er gespannen en moe uit, helemaal niet als een bruid een paar dagen voor haar bruiloft.

'Wat ben je aan het doen?'

'Ik maak lakentjes voor de wieg. Dit zijn alle oude lakens van mijn moeder die ze bewaart om er theedoeken van te maken, maar ik denk dat ik er wel een paar lakentjes uit kan krijgen.'

'Gut,' zei ik, 'zijn lakentjes dan zo duur?'

Peggy lachte. 'Je kóópt geen lakentjes voor een wieg. Weggegooid geld. Maar ik denk wel dat ik in mijn slaap nog steeds lakens aan het zomen ben. Zeg, wat heb je daar?'

Ik schoof de oude lakens opzij en zette de grote doos met veel vertoon op tafel. 'Voor jou.'

'Voor mij?'

'Ja. Maak maar open,' zei ik grijnzend.

Peggy giechelde, en ze zag er meteen jaren jonger uit. Zorgvuldig stak ze de naald in het lakentje en legde het op tafel. Ze stond op om pluisjes van haar kleren te strijken en pakte de doos. 'Van Adcocks!'

'Ja.'

Ze maakte het touwtje los en opende de doos. Behoedzaam legde ze de wolk van vloeipapier op tafel, die later opgevouwen zou worden voor hergebruik. 'O! Het is een jasje!'

'Ja, het is een jasje. Je kunt het dragen op je trouwdag. Ik hoop alleen dat de kleur goed is.'

Aarzelend haalde ze het jasje uit het vloeipapier en ze bekeek het. O help, dacht ik, ze vindt het niet mooi... Integendeel. 'Wat is het mooi!' riep ze uit.

'Trek het eens aan.'

Zelfs over het oude vest en het vormeloze hemd dat ze droeg stond het goed. We namen het mee naar boven en hielden het tegen de jurk.

'Dat past heel mooi bij elkaar,' zei Janice, die ons naar boven was gevolgd. Ze streek over het jasje en keek bewonderend naar de grote knoop en de zijdeachtige voering. 'Het is echt beeldig,' zei ze, diep onder de indruk. 'Heel bijzonder.'

'Kom Janice, trek jij het eens aan,' zei Peggy en ze hielp haar erin.

Janice droeg een overgooier en een versleten vest, dus het jasje stond als een vlag op een modderschuit. Ze bekeek zichzelf in de spiegel en zette grote ogen op. Haar handen, zag ik, waren smetteloos schoon en haar nagels roze en goed verzorgd. Ze had Peggy's nagellak wel verdiend.

'Wat zou het fijn zijn om altijd van dit soort kleren te dragen. Net een sprookje, toch?' zei Janice. Na nog een lange blik in de spiegel gaf ze het jasje plechtig terug aan Peggy, die bijna in tranen was.

'O Rosie, ik heb nog nooit zo'n chic kledingstuk gehad. Het moet een vermogen hebben gekost. Dank je wel.'

'Het is je trouwdag. Je verdient iets nieuws. Het is een bijzondere dag.'

'Ja, het is een bijzondere dag,' herhaalde ze dapper. 'Het is het begin van mijn nieuwe leven. Met George. Het wordt een goed leven, Rosie. Ik beloof je dat ik mijn best zal doen. Het is een feestje waard.'

Dat vond Mr. Brown kennelijk ook. Toen hij later die avond thuiskwam, vertelde hij dat hij voor na de plechtigheid een tafel had gereserveerd in The Fleece.

'Ik wilde gewoon hier iets doen,' protesteerde Mrs. Brown.

'Het is de bruiloft van onze enige dochter. We doen het zoals het hoort, in elk geval zo veel mogelijk,' verklaarde hij beslist.

We hadden naar het kantoor van de burgerlijke stand kunnen lopen, maar Mr. Brown had een auto gehuurd om ons erheen te brengen. Toen Peggy beneden kwam in de vermaakte jurk en het nieuwe jasje liep hij naar haar toe en nam haar in zijn armen. 'Mijn kleine meisje,' zei hij. 'Je ziet er beeldig uit.'

Dat was ook zo. Echt beeldig. Het jasje was een schot in de roos, al zeg ik het zelf. Ik was zo blij. Het beste was nog wel – vanuit Mrs. Browns oogpunt – dat je niet echt kon zien dat Peggy zwanger was, vooral als ze haar boeket voor haar buik hield.

'Iets ouds, iets nieuws – dat zijn de jurk en het jasje,' zei Mrs. Brown. 'Iets wat je hebt geleend. Wat heb je geleend? Snel, Peggy, je moet iets lenen!'

'Hier,' zei ik meteen, 'leen mijn zakdoekje!' Het was een van de kleine kanten gevalletjes die ik op de dag van mijn komst in de koffer had gevonden.

'Bedankt, Rosie. Nu heb ik alles wat geluk brengt.' Ze stak het zakdoekje in haar zak. 'En iets blauws, dat zijn mijn jurk en mijn jasje weer. En,' fluisterde ze giechelend, 'mijn nieuwe onderjurk.'

Op dat moment reed de auto voor, en we stapten allemaal snel in, terwijl de buren uit het raam gluurden of op de stoep van hun huis stonden te zwaaien. 'Veel geluk, meisje!'

Het kantoor van de burgerlijke stand was niet in het stadhuis, maar in een notariskantoor. Het was een kamer met een groot ouderwets bureau en stoelen en rijen in leer gebonden boeken, maar ze hadden wel hun best gedaan. Het rook er naar boenwas en er stonden vazen met bloemen in de vensterbanken. George droeg een nieuw pak, een pak dat paste, in tegenstelling tot de kleren die hij naar kantoor droeg. Hij was duidelijk nerveus, maar toen Peggy binnenkwam lichtte zijn hele gezicht op. En zo begon de plechtigheid om Margaret Elizabeth Brown en George Arthur Turnbull in de echt te verbinden. Ik besefte dat ik niet had geweten wat Georges achternaam was. Turnbull. George Turnbull. Peggy was dus nu officieel Margaret Turnbull. Margaret Turnbull... Margaret Turnbull... Er was iets met die naam. Het bleef aan me knagen. Om de een of andere reden was het een naam die ik hoorde te herkennen...

Het was een korte plechtigheid. Er werden handen geschud en felicitaties uitgewisseld, en toen was het allemaal voorbij en stonden we weer buiten.

'Kom, Mr. en Mrs. Turnbull,' zei Derek, de getuige, een jongeman met een vriendelijk gezicht, een opgewekte grijns en haar dat met vet naar achteren was gekamd. 'Het is tijd voor het eerste drankje van jullie getrouwde leven!' Hij ging ons voor naar The Fleece, nog geen vijftig meter lopen. Toen we de lounge binnenkwamen wist ik het opeens weer.

Margaret Turnbull.

Zij was de vrouw die ik zou gaan interviewen toen ik flauwviel en in het huis van de Browns terecht was gekomen. Dat was het begin geweest van deze krankzinnige weken, het begin van mijn reis terug in de tijd. Ik keek naar Peggy, die glimlachte en er gelukkig, jong en stralend uitzag. Ik dacht terug aan de glimp die ik had opgevangen van een oude dame die opstond uit haar stoel om de voordeur open te doen.

'Jeetje! Ben je niet lekker?' Derek keek me bezorgd aan.

'Ga zitten!' beval Mrs. Brown. Ik liet me in een van de leunstoelen bij het vuur zakken. 'Je bent zo wit als een doek. Frank! Haal eens een brandy voor Rosie.'

De brandy was een opkikker en de warmte verspreidde zich door mijn lichaam. Margaret Turnbull. Peggy. Het was te toevallig. Ik probeerde de boel op een rijtje te krijgen, maar mijn hoofd vulde zich met mist en watten. Hoe de vork ook in de steel zat, dit was niet het moment of de plek om erover na te denken.

De brandy en het vuur misten hun uitwerking niet. Ik zag niet opeens het licht of zo, maar kreeg in elk geval wel weer wat kleur op mijn wangen en ik kon tenminste aan de feestelijkheden deelnemen. Ik wilde de trouwdag van George en Peggy niet verpesten.

'Dat is beter!' zei Mrs. Brown goedkeurend.

Peggy lachte. 'Gaat het een beetje, Rosie? We hoeven toch geen plannen te maken voor een tweede bruiloft, hè?'

Iedereen lachte met haar mee. En op de een of andere manier werd het toch een echt feestje. We zaten in een alkoof naast de grote eetzaal, dus we hadden een zekere mate van privacy doordat we niet tussen de lunchende zakenmannen en oude dametjes zaten. Maar goed ook. Georges moeder raakte aardig tipsy van een paar glaasjes sherry. Het was een lief oud mensje. Ze bekende me dat ze zich grote zorgen maakte omdat George zo plotseling in het huwelijksbootje was gestapt, maar ze kon wel zien dat Peggy uit een nette familie kwam.

Er lag een klein stapeltje kaarten en telegrammen, en na het dessert ging Derek staan om ze voor te lezen. De jongens van de krant hadden een kaart gestuurd met de tekst: 'Nooit geweten dat je het in je had!' en Stephen had een telegram gestuurd vanaf Cyprus: 'Wel een beetje op de kleintjes letten!' Deze teksten veroorzaakten allebei grote hilariteit.

Ik dacht aan Peggy, zoals ze half bewusteloos in het natte gras bij het water van Friars' Mill had gelegen, aan de grafstemming in het huis erna, en ik kon het grappige er werkelijk niet van inzien. Maar de anderen waren vrolijk en daar ging het om.

Er waren ook kaarten van vrienden en vriendinnen van George en Peggy, waaronder een erg schattige met de tekst: 'Ik wens jullie alle geluk, met hartelijke groet, Lenny.' Iedereen riep 'Aah!' en Mrs. Brown zei: 'Ik dacht echt dat hij de ware zou zijn.' Mr. Brown en George wisselden een blik van verstandhouding en Mr. Brown trok een gek gezicht, wat betekende dat hij Lenny doorhad.

De meisjes van de krant hadden kaarten gestuurd en de moeder van Janice ook.

'Wat aardig,' zei Peggy. 'Heel attent.'

De laatste kaart zag er groot en dik en duur uit. 'Deze is van een deftige persoon,' zei Derek vrolijk en hij scheurde de envelop open.

Een lawine van bankbiljetten regende neer op het linnen tafelkleed, tussen de nog niet afgeruimde borden en schalen en glazen.

Mrs. Brown verzamelde het geld. 'Dat is honderd pond! Zoveel geld heb ik nog nooit bij elkaar gezien!' Haar ogen waren zo groot als schoteltjes.

'Van wie is het?' vroeg de moeder van George, maar alle anderen wisten het al.

'"Met de beste wensen, Richard Henfield."'

Er viel een korte stilte.

'Ik wil zijn geld niet,' zei Peggy zacht.

'O ja, dat wil je wel, meisje,' zei haar moeder. 'Met honderd pond kun je een hele hoop babyspullen kopen.'

'Of je zet het apart voor het collegegeld,' opperde ik lachend.

'Het collegegeld?' Georges moeder staarde me met open mond aan.

'Waarom niet?' zei George stralend en hij sloeg een arm om Peggy heen. 'Onze kleine kan naar de universiteit als hij wil. Of zij... Een student met een grote tas vol boeken en een toga en zo'n lange gestreepte das.'

Iedereen lachte en de feeststemming was hersteld.

'Die Mr. Henfield had kennelijk een hoge pet op van Peggy,' fluisterde de moeder van George tegen me.

'Zeg dat wel,' fluisterde ik terug. 'Ze was zo'n uitstekende secretaresse. Zonder haar wist hij zich geen raad.'

Hoewel ze wellicht nog steeds achterdochtig was, leek ze in elk geval enigszins gerustgesteld.

'Zesentwintig,' verzuchtte ze, kijkend naar Peggy. 'Zo oud was ik toen ik weduwe werd.' Ze begon steeds sentimenteler te worden.

'Zeg dat maar niet te vaak!'

'Dat zal ik niet doen, moppie. Het lijkt me zo gezellig een baby in huis te hebben. Ik zie ernaar uit. Ik vind het fijn dat ze bij mij komen wonen. Ik zou niet graag in mijn eentje willen zitten. Maar ik ben wel blij dat we binnenkort gaan verhuizen.'

Ik herinnerde me dat Georges huis tegen de vlakte zou gaan om plaats te maken voor de nieuwe binnenring. Zij hadden ook een huis in The Meadows aangeboden gekregen. Het leek wel of de hele stad naar de nieuwbouwwijk ging verhuizen. Intussen deed ik een rekensommetje. Als Georges vader bij Duinkerken was gesneuveld toen zijn moeder zesentwintig was, dan moest zij nu... hemel, pas tweeënveertig zijn. En ik had gedacht dat ze een jaar of zestig was.

De gerant kwam aanlopen met een hoge bijzettafel, die hij naast onze tafel zette. Even later was hij terug met een emmer vol ijsblokjes en een fles. 'Uw wijn, meneer,' zei hij tegen Mr. Brown. 'Champagne!'

'Bijna,' zei Mr. Brown. 'Er zit in elk geval prik in.'

'O, ik had nooit gedacht dat ik ooit nog eens champagne zou drinken,' zei Peggy giechelend, duidelijk een beetje aangeschoten. 'Wat zijn we deftig!'

Georges moeder bleef maar zeggen: 'Champagne, wel heb je ooit.'

Mijn blik viel op het etiket. Geen champagne, asti spumante. Ach ja. De ober bracht van die wijde champagnecoupes en opende met een luide plop de fles. We gingen staan en klonken op de goede gezondheid en het geluk van Mr. en Mrs. Turnbull.

'Prik!' kirde Peggy. 'De belletjes komen in je neus! Ik weet niet wat me overkomt!'

Terwijl we de prik dronken – één fles voor zeven personen – boog ik me naar voren om de kaarten en telegrammen van tafel te pakken. Ik bekeek ze stuk voor stuk. Veel kaarten hadden een afbeelding van versmolten harten, roze, glanzende, schattige harten, alsof de liefde simpel en puur en ongecompliceerd was.

Ik dacht aan Peggy en Henfield, het tafereel in Friars' Mill, Amy, die zelfmoord had gepleegd, en Peggy, die een eind aan haar leven had willen maken. Ik dacht aan Will, van wie ik hield, en aan Billy, die van zijn kinderen hield en ook min of meer van Carol, hoewel hij stiekem naar mij verlangde.

Liefdesharten waren niet mooi en schattig als gesuikerde snoepjes. Nee, ze leken meer op de hartjes die ik bij Carol in een kom op het aanrecht had zien staan: vormeloos en bloederig, drijvend in troebel water.

Toen werd het tijd dat het jonge stel naar het station ging om hun trein te halen. Ze zouden bij tante Emily in Londen gaan logeren om de toeristische attracties te bekijken. Een beetje anders dan het reisje dat nog maar een paar weken geleden voor Peggy op het programma had gestaan.

Peggy en ik stonden in de wc naast elkaar onze handen te wassen. Ik keek naar haar spiegelbeeld. Ze zag er blozend en knap uit. Straalde ze van geluk of had het meer met de sherry en de mousserende wijn te maken? Allebei waarschijnlijk. Ze droogde haar handen af aan een nattige handdoek op een rol. Met haar rug naar me toe, en afgewend van de spiegel, zodat ze zelfs mijn spiegelbeeld niet kon zien, zei ze: 'Heel erg bedankt, Rosie. Bedankt voor alles wat je hebt gedaan. Voor... je weet wel. En voor het jasje. Voor alles eigenlijk.'

Ik hield mijn handen in de lucht om ze te laten drogen. 'Het was een leuke dag,' zei ik. 'Heb je een beetje genoten?'

'Ja, heel erg. Echt waar. Stel je voor, ik ben in The Fleece en ik drink champagne met mijn man! En stel je eens voor... Ach, het had allemaal zo anders kunnen zijn. Enfin, ik wil alleen maar...'

'Peggy!' Mrs. Brown kwam binnen. 'Je moet een beetje opschieten, meisje, anders mis je de trein!'

Peggy glimlachte snel naar me en ging braaf met haar moeder mee.

We brachten het bruidspaar naar het station. George had nu al het zelfverzekerde air van een getrouwde man, met de verantwoordelijkheid voor treinkaartjes en de bagage. Derek had een kaartje met PAS GETROUWD aan Georges koffer gebonden, en wat George ook probeerde, het lukte hem niet om alle knopen uit het touwtje te halen.

'Dan heb je tenminste iets te doen als het straks bedtijd is!' riep Derek toen de conducteur op zijn fluitje blies en de trein in beweging kwam.

George en Peggy hingen uit het raampje van hun coupé, en we zwaaiden allemaal totdat ze in een grote stoomwolk verdwenen.

'Ziezo,' zei Mrs. Brown op de toon van iemand die een grote klus heeft geklaard. 'Dan gaan we nu naar huis om een lekker kopje thee te drinken.'

Ik stond in de Boots en staarde somber naar de schappen, denkend aan alles wat nog uitgevonden moest worden: extra volume *styling* mousse... en intensief voedende handcrème... en *high definition lipliner*... en *summer beauty* bodylotion... en wimpers verlengende waterproof mascara... en zwartgrijze oogschaduw... en huidserum... en *whitening* tandpasta... en *longlasting* lipstick, en lipgloss, en *concealer*, en... o... alles eigenlijk.

'Hoi Rosie!'

Ik draaide me om en stond oog in oog met Carol, die een klein doosje in haar hand had. 'Doe-het-zelfpermanent,' legde ze uit. 'Ik ga mijn moeders haar doen.'

'O. Eh... leuk.'

'Hoe gaat het met jou, Rosie? Heb je het nog steeds naar je zin bij *The News*?'

Wat moet ik zeggen? Zeg ik: Hallo Carol, ik ben verliefd op je man en ik denk dat hij mij ook leuk vindt? Of: Ik zou het er pas echt naar mijn zin hebben als ik de hele dag met je man kon samenwerken, Carol, en hem diep in de ogen zou kunnen kijken en hem zogenaamd per ongeluk zou kunnen aanraken als we samen de agenda bekijken?

Nee, je hebt gelijk, dat zei ik dus niet.

'Ja, hoor.'

'Ik heb gehoord dat Peggy met George is getrouwd.'

'Ja, een paar dagen geleden.'

'Jeetje, over stille waters gesproken. Ze hebben er nooit iets van laten merken. Ben je naar de bruiloft geweest?'

'Ja. Het was alleen voor intimi, maar erg gezellig.'

Ik voelde me verscheurd. Ik verlangde ernaar om koffie te gaan drinken met Carol, om lekker te roddelen en haar alle details te vertellen, zoals ik met Caz zou doen. En ik wilde weten hoe zij erover dacht. Niet dat ik iets over Henfields betrokkenheid zou loslaten. Het leek me onwaarschijnlijk dat iedereen er net zo zuur op zou reageren als de Browns. Carol was prettig gezelschap, aardig en geestig. Ik wilde haar als vriendin.

En ik wilde haar man. En als dat verlangen zo sterk was, hoe kon ik dan bevriend zijn met Carol? Ze glimlachte naar me. Ze had dan wel vaalblond haar en scheve tanden, maar het was en bleef de ondeugende grijns van Caz, en ik miste haar.

'Heb je tijd voor een kop koffie? Kijk dan, geen kinderen!'

Ach, waarom ook niet?

Ik liet elke hoop dat ik iets van mijn gading zou vinden varen en liep samen met Carol de winkel uit. We nestelden ons in een box bij Silvino.

'Kom op,' zei Carol, 'vertel me over de bruiloft. Ik wist niet eens dat Peggy verkering had met George. Ze moet zes of zeven jaar ouder zijn dan hij.'

'Zes.'

'Nou,' zei ze grijnzend, 'kennelijk weet hij van de hoed en de rand. Nooit gedacht dat Peggy zo'n jonkie aan de haak zou slaan. Hij zal haar wel uit haar slaap houden! Nou, vertel op. Hebben ze een etentje gegeven?'

'Ja, in The Fleece.'

'Gut, wat deftig.'

Ik vertelde haar over Peggy's jurk en het jasje, en over het diner en de 'champagne'.

'O,' zei Carol een beetje afgunstig, 'wat zijn die lui chic, zeg. Toen Billy en ik trouwden hadden we alleen sandwiches en taart bij mijn moeder. En Billy's oma keek de hele tijd alsof iemand iets smerigs onder haar neus hield.'

'Was ze het er niet mee eens?'

'Nee, ze vond dat het allemaal mijn schuld was. Maar zoals mijn vader altijd zegt, walsen doe je met z'n tweeën... Toch is het allemaal goed gekomen en zelfs Billy's grootmoeder heeft me inmiddels geaccepteerd. En ze is helemaal weg van Libby, ze verwent haar tot en met.'

Ze lepelde een paar hapjes schuim van haar koffie. 'Gaan ze op huwelijksreis?'

'Ja, ze zijn een paar dagen naar Londen. Een tante van Peggy woont in Londen, en ze gaan de attracties bekijken, maar ze komen morgen weer terug. George moet maandag gewoon weer werken.'

'Waar gaan ze wonen?'

'Bij de moeder van George. Ik weet niet precies waar ze nu woont, maar het huis moet worden gesloopt voor de nieuwe binnenring, dus straks verhuizen ze naar The Meadows. Het lijkt wel of iedereen naar The Meadows gaat.'

'O, leuk. Ik mag Peggy graag. Het lijkt me gezellig in dezelfde buurt te wonen. Trouwens... tada! Mijn jurk is af!'

De jurk. De jurk die ze had gemaakt voor het bal van de burgemeester, waar ze samen met Billy naartoe zou gaan.

'Geweldig. Is hij mooi geworden?'

'Ja, ik ben heel tevreden. Uiteindelijk moest ik ermee naar mijn moeder om hem af te maken, want bij ons thuis was er gewoon niet genoeg licht.'

Het kleine donkere huis zonder elektriciteit, waar het naar aarde en vocht rook.

'Vindt Billy hem mooi?'

'Hij heeft hem nog niet gezien. Ik wil dat het een verrassing is. Ik heb al helemaal bedacht hoe ik het ga doen. Mijn moeder komt bij ons om op de kinderen te passen, maar we gaan eerst bij haar eten, zodat ik in bad kan en mijn haar kan wassen, dan hoef ik tenminste niet in een tobbe voor de kachel, zoals bij ons thuis. Ik neem Billy's pak mee, dus dan kan hij meteen na het voetballen komen en ook een bad nemen, en dan gaan we van mijn moeders huis rechtstreeks naar het bal. Zie je wel, alles is geregeld. Ik verheug me er zo op.'

'Het wordt vast een leuke avond.'

'Het is zo jammer dat jij niet kunt komen, Rosie. Er is een echt dansorkest en alles.'

'Ik ben niet uitgenodigd. Ik ken niet de juiste mensen.'

'En aan het eind schijnt er een groot net met ballonnen omlaag te komen van het plafond. Lijkt het je niet enig?' Haar ogen schitterden.

Ik dacht aan Caz. Caz zou het verschrikkelijk vinden om naar het bal van de burgemeester te gaan. Je zou haar er met stokslagen nog niet naartoe krijgen. Maar voor Carol was het een geweldig evenement, het hoogtepunt van het jaar. Ik wilde dat ze ervan zou genieten. Ik probeerde te vergeten dat ze er met Billy naartoe ging en hoopte gewoon dat ze een fantastische avond zou hebben.

'O, ik verheug me er zo op om straks in The Meadows te wonen, met onze eigen badkamer. Dan ga ik elke avond in bad, met bergen schuim, net als een filmster.'

Ik lachte.

'Wat is er zo grappig?' vroeg Carol.

'Mijn vriendin Caz, de vriendin die zo op jou lijkt. Ze geniet ervan om te ontspannen in bad, en het grappige is dat ze dan het licht uitdoet en allemaal kaarsen op de rand van het bad zet.'

'Waarom zou je kaarsen aansteken als je elektrisch licht hebt?'

'Het is romantischer.'

Carol snoof. 'Ze zou het een keer in de tobbe voor de kachel moeten proberen, met tocht die onder de achterdeur door giert en muizen die langstrippelen. Ik weet niet of ze het dan nog zo romantisch zou vinden. Nou ja, op deze manier komt er niets uit mijn handen. Ik moet er eens vandoor.' Ze bukte zich om haar boodschappentas te pakken.

'Misschien kan Phil wel aan een uitnodiging voor het bal komen, dan kunnen jullie met mij en Billy mee. Zou dat niet leuk zijn?'

'Ja, misschien,' zei ik, maar ik meende het niet. Ik moest Phil een beetje op afstand houden, want volgens mij begon hij ideeën te krijgen. Ik wilde vriendschap, meer niet.

'Zie je Phil dit weekend?'

'Nee. We hebben tenminste niets afgesproken.'

Hij had me voor zaterdagavond mee uit gevraagd en ik had hem met een vaag smoesje afgewimpeld. Daar had ik nu spijt van. Zonder Peggy voelde het huis behoorlijk leeg.

'Potverdikkie! Het regent en ik heb geen plu!' Staand in de deur van het café trok Carol een sjaal uit haar jaszak en knoopte die om haar hoofd. Toen dook ze met haar hoofd gebogen naar buiten. 'Doei Rosie! Misschien zie ik je volgende week.'

Ik trok mijn jas dicht om mee heen en ploeterde door de plassen naar huis.

Er hing geen etenslucht, zelfs niet van eten dat stond uit te drogen in de oven. Mrs. Brown maakte een gejaagde, afgematte indruk. 'We eten vanavond gebakken eieren met spek en aardappelpuree. Ik ben begonnen met Peggy's kamer.'

'Begonnen met wat?'

'De verhuizing komt eraan. Ze zijn bijna klaar met de laatste fase in The Meadows. Frank heeft van zijn vriend Les gehoord dat de behangers maandag aan de slag gaan en dat is het laatste wat er nog gebeuren moet. Ik verwacht dat de woningen binnenkort worden toegewezen. Ik denk niet dat wij al in de eerste ronde aan de beurt zijn, maar waarschijnlijk wel in de tweede, als ze ons tenminste op tijd weg willen hebben om aan de nieuwe ring te beginnen. Kortom, er moet een hele hoop gebeuren.'

Ik besefte dat ze een oude koffer in haar hand had. De rits was kapot en de ceintuur van een kamerjas was eromheen gebonden. 'Dit zijn allemaal kleren voor de liefdadigheidsbazaar. Ik zet hem in de bijkeuken en als er iemand langskomt, zoals de padvinders, geef hem dan gewoon mee, wil je? Waar blijft Frank? Hij is laat vanavond. Maar goed ook, want ik heb het toch te druk.' Ze zeulde de koffer door de keuken naar de bijkeuken.

Net op dat moment kwam Mr. Brown thuis. Hij stampte de regen van zijn schoenen.

'Wat ben je laat, Frank,' zei zijn vrouw.

'Ja, en daar heb ik een goede reden voor.'

Het werd stil.

'Ga je me niet vragen wat die reden is?'

'Nou, vooruit dan maar,' zei Mrs. Brown zonder hem aan te kijken. Ze legde aardappelen in de gootsteen en draaide de kraan open. 'Waarom ben je zo laat?'

'Ik heb een auto gekocht.'

Met een bevredigend gekletter viel het aardappelmesje in de gootsteen. 'Wát heb je gedaan?'

'Ik heb een kleine auto gekocht, een Morris Minor,' vertelde Mr. Brown glunderend.

'Een auto! Wij?'

'Waarom niet? Ik speelde al sinds dat doopfeest met het idee. We zijn er een hele dag mee bezig geweest om er te komen en de halve nacht om terug te komen. Als we toen een auto hadden gehad, zouden we er in een uurtje zijn geweest.'

'Kunnen we dat wel betalen?'

'Ik had wat geld opzijgezet voor Peggy's bruiloft en... nou ja, het heeft uiteindelijk minder gekost dan ik had gedacht, dus wilde ik het uitgeven aan iets waar we veel plezier van zullen hebben.'

'Heb je dan verstand van auto's? Heb je wel een rijbewijs?'

'Natuurlijk heb ik een rijbewijs. Ik heb in het leger leren rijden.'

Ze bombardeerde hem met vragen over merk, kleur en kosten.

'Ben je nu al met de auto gekomen?' Ze stoof naar de voorkant om te zien of er een auto voor de deur stond.

'Nee, nee. Het duurt een paar dagen om alle papieren in orde te maken en de auto op mijn naam te zetten.'

'Asjemenou,' zei Mrs. Brown toen het idee eindelijk tot haar doordrong. 'Denk je eens in. Een nieuw huis, een baby en een nieuwe auto, allemaal tegelijk. Zo komen we toch nog hogerop.'

'Als je het zo wilt noemen,' zei Mr. Brown zelfvoldaan. 'Nou, waar blijft mijn eten?'

Mrs. Brown haastte zich naar de bijkeuken en begon in hoog tempo aardappelen te schillen.

Terwijl we gebakken eieren met spek aten, waarbij we de aardappelpuree in het eigeel doopten, droomde Mrs. Brown nog steeds van alle nieuwe mogelijkheden die de auto zou bieden.

'We kunnen straks naar de kust rijden. En we kunnen ritjes maken op het platteland. O Frank, we kunnen met vakantie, een autovakantie. Je leest er wel eens over in de krant, in de bruiloftsreportages. "Het echtpaar gaat op huwelijksreis naar West Country, waar ze een rondreis per auto zullen maken." Dat kunnen wij ook doen, een rondreis maken in onze nieuwe auto.'

Ze ruimde de tafel af en serveerde een plakje fruitcake als toetje. 'Cornwall, daar heb ik altijd een keer naartoe gewild. Ze zeggen dat het er zo schilderachtig is. Gaan we een keer naar Cornwall, Frank?'

'Waarom niet?' Hij straalde als een welwillende suikeroom.

Later kwam Janice. Ze kreeg het laatste stukje fruitcake en boog zich over haar huiswerk. ('Beschrijf op welke wijze Shakespeare bloed als beeldspraak gebruikt in *Macbeth*.') Ze was diep onder de indruk toen ze hoorde van de nieuwe auto.

'Vergeet niet, Mr. Brown,' zei ze ernstig, 'dat we na de verschrikkingen van de oorlog eindelijk de wereld kunnen verkennen.'

Mr. Brown lachte. 'Nou moppie, ik heb met Montgomery al een woestijn verkend, maar je hebt gelijk, we hebben nu de vrijheid om zelf op verkenning uit te gaan.'

21

Het had de hele dag en de hele nacht geregend. Vanaf het moment dat Carol en ik op zaterdagmiddag weg waren gegaan uit Silvino was het onafgebroken blijven regenen, ook de hele zondag. George en Peggy waren er zondagavond door naar binnen geblazen, hun wangen gloeiend, hun ogen glinsterend van opwinding. Kwam het door het weer of door de huwelijksreis, vroeg ik me af.

'Ik kan niet lang blijven, mam,' zei Peggy. 'Georges moeder zit op ons te wachten. Maar ik kom morgenmiddag langs, als jij klaar bent met je werk, en dan vertel ik je alles over Londen. We hebben het heerlijk gehad. We hebben Buckingham Palace gezien en het wisselen van de wacht, en we hebben voor de Houses of Parliament gestaan – het ziet er precies zo uit als op het sausflesje!'

Onder het genot van een snelle kop thee en een plak van de citroencake die Mrs. Brown 's ochtends had gebakken, gaf Peggy haar moeder een klein sierbord met een afbeelding van Buckingham Palace. 'Een cadeautje voor jou, mam.'

Mrs. Brown glimlachte en zette het op het buffet, pontificaal in het midden. 'Ik zet het hier neer, dan kan iedereen het zien,' zei ze trots. 'En dan kan ik zeggen dat mijn dochter en schoonzoon het hebben meegenomen van hun huwelijksreis in Londen.'

Ook nu bleek dat het verhaal van hun huwelijk nog steeds werd herschreven.

Nadat Peggy haar ouders had omhelsd, dook het jonge paar de regen weer in. In zijn ene hand hield George hun koffertje en met de andere hield hij beschermend Peggy's arm vast.

'Ik weet het niet, het is zo vreemd dat ze hier niet meer woont,' verzuchtte Mrs. Brown. Ze stond voor het raam van de zitkamer en tuurde naar buiten om hen na te kijken, maar door de regen kon ze waarschijnlijk niet veel zien.

'Ze is nu een getrouwde vrouw,' zei Mr. Brown. 'Haar plaats is bij haar man.'

Mrs. Brown verzamelde de kopjes en bordjes en liep ermee naar de keuken. Ik had kunnen aanbieden haar te helpen maar vermoedde dat ze het liefst even alleen wilde zijn.

De hele nacht bleef het plenzen. De wind gierde door de straten en rukte de bloesem van de bomen. De bloemetjes dobberden wild op de golfjes in de plassen. Ik zat aan de keukentafel mijn pap te eten, blij met het stevige warme ontbijt, en de regen striemde woest tegen het keukenraam. Het oude raam rammelde in de sponningen en de buitenwereld was niet meer dan een koud en nat waas.

'Het lijkt verdikkie wel winter in plaats van lente. Ik hoop dat Peggy zich goed inpakt als ze vanmiddag langskomt.' Mrs. Brown trok rubberlaarzen aan en bond een sjaal stevig rond haar hoofd. 'Een paraplu heeft geen zin op een dag als vandaag. Hij zou binnenstebuiten waaien voordat ik goed en wel buiten ben.'

'Als de auto er eenmaal is, kan uw man u een lift geven naar uw werk,' zei ik.

Haar handen bleven in de lucht steken nadat ze de punten van de sjaal had gestrikt. 'O nee, dat zou ik nooit doen. Daar kunnen we de auto niet voor gebruiken. Al denk ik dat Frank het misschien wel zou doen. Nee, ik gebruik gewoon de benenwagen. Maar goed, ik moet nu echt gaan. Doe je de deur goed achter je dicht als je weggaat? Stel je voor dat de wind de hele deur eruit blaast.'

Ik at mijn pap op, deed de afwas en maakte me op voor de keukenspiegel – poeder, lippenstift en een beetje spuug op de mascara. Bijna even goed ingepakt als Mrs. Brown trok ik de voordeur open en stortte ik me in de storm.

Au! De regen sloeg in mijn gezicht, blies mijn rok omhoog en trok aan de punten van mijn sjaal. Het was een gevecht om over de drempel te stappen en het was nog veel erger om de straat uit te lopen. Wat miste ik mijn auto, mijn fijne, warme, veilige, dróge autootje... Ik had wel met de bus willen gaan, maar er was geen rechtstreekse verbinding tussen het huis en de krant. Ik zou een taxi hebben genomen als er zoiets te vinden was geweest. Sterker nog, als ik de melkboer en zijn paard had gezien zou ik hem om een lift hebben gevraagd. Bij gebrek aan enige vorm van vervoer moest ik wel lopen, met mijn handen diep in mijn zakken, mijn hoofd gebogen tegen de wind en de regen die in mijn gezicht striemde.

Tegen de tijd dat ik de krant had bereikt, was ik drijfnat. Mijn voeten sopten in mijn degelijke schoenen en de regen was zelfs door de schoudernaden van mijn degelijke regenjas gesijpeld.

'Heerlijk weer voor eendjes,' zei de receptioniste opgewekt toen ik binnenkwam, druipend als een verzopen kat.

Binnen rook het naar natte kleren en natte schoenen, een geur die weerzinwekkend veel leek op de stank die natte honden verspreiden. En dat dan vermengd met de geur van oude kranten en sigarettenrook. Ik zou het liefst meteen weer naar buiten zijn gegaan, maar één blik op de regendruppels op de ramen, die ratelden in de wind, en ik wilde niets liever dan binnenblijven, met of zonder de stank van natte honden.

Ondanks het vocht en de onaangename walm liep ik met een gevoel van opwinding de trap op, met die vlinders die je in je buik voelt als je iemand op wie je verliefd bent elk moment kunt zien. Alleen was dit veel meer dan een ordinaire verliefdheid. Mijn doornatte schoenen kletsten op de traptreden, maar desondanks ging ik met veerkrachtige tred naar boven.

'Beetje nat geworden, meis?' vroeg Billy toen ik druipend langs hem liep, mijn gezicht knalrood van de regen en de wind.

Ik grijnsde. Als hij me in mijn eigen tijd, in mijn echte leven, 'meis' had genoemd, zou ik het waarschijnlijk vreselijk hebben gevonden, maar hier was het geweldig, een teken van kameraadschap, van genegenheid bijna... Ik schudde mijn hoofd zodat de druppels in het rond vlogen en neerregenden op de opengeslagen agenda en rende toen snel weg.

Billy schudde zogenaamd kwaad met zijn vuist. 'Als straf,' zei hij streng, 'stuur ik je op pad om huis aan huis met mensen te gaan praten.'

Ik moet beteuterd hebben gekeken, want hij begon te lachen.

'Nee hoor, wees maar niet bang. Ik zou in dit weer een hond nog niet naar buiten sturen. Hoewel...' voegde hij er met een grijns over zijn schouder aan toe, 'ik vrees dat Alan eraan moet geloven. Marje heeft vandaag vrij, dus zou jij alsjeblieft de vrouwenpagina kunnen doen, Rosie? O ja, en we hebben een stukje nodig voor de kinderrubriek.'

Ik kreunde, maar in elk geval hoefde ik niet naar buiten. Het begon in de loop van de ochtend zo mogelijk nog harder te regenen. Rond lunchtijd zat ik nog steeds driftig te tikken op mijn schrijfmachine. Tegen die tijd kwam Alan terug. De regen droop van de rand van zijn hoed en zo te zien was hij tot op zijn huid doorweekt.

'De rivier staat heel hoog,' kondigde hij aan terwijl hij zijn doorweekte regenjas uittrok en over de rug van een stoel hing. 'Ik heb sergeant Foster gesproken en hij maakt zich grote zorgen. De burgerbescherming is opgeroepen en ze zijn zandzakken aan het vullen. Het ziet ernaar uit dat ze in actie moeten komen. De situatie is kritiek.' Hij keek naar Billy. 'Misschien wil jij even gaan kijken hoe het met je huis…'

Maar Billy trok zijn regenjas al aan. 'Alan, kun jij het tijdelijk van me overnemen? Ik moet kijken hoe het met Carol en de kinderen is. Als de rivier buiten zijn oevers treedt, staat mijn huis straks onder water.'

'Met alle plezier,' zei Alan.

Billy wachtte zijn antwoord niet eens af. Ik hoorde hem met grote sprongen de trap af rennen in zijn haast om bij Carol te komen. Daarmee ging voor mij alles in rook op, te beginnen met het beetje genegenheid dat hij had getoond. Daar zat ik dan met mijn verwachtingen, de vlinders in mijn buik, het blije gevoel waarmee ik de trap op was gelopen omdat ik me erop verheugde hem weer te zien. Hij was getrouwd en dat niet alleen, hij was getrouwd met iemand voor wie hij met sprongen de trap afliep, hij had een vrouw en kinderen die hij moest beschermen.

'Zou jij thee willen zetten, Rosie?' vroeg Alan terwijl hij met een zakdoek zijn gezicht afdroogde en het werk bekeek dat op Billy's bureau lag.

Gedesillusioneerd stond ik op om water op te zetten. Ik kende mijn plaats.

Het bleef regenen. Ik at mijn brood zittend aan mijn bureau. De vrouwenpagina was af ('Snelle maaltijden voor drukke moeders') en ik legde net de laatste hand aan de kinderrubriek ('De wedstrijd van deze week: Hoeveel woorden kun je maken met "donder en bliksem"?'), toen de elektriciteit uitviel. Het was zo donker dat we het licht aan hadden, hoewel het midden op de dag was.

Alan vloekte, stak een sigaret op en rommelde op de tast in een kast totdat hij een paraffinelamp had gevonden. Hij maakte een plekje vrij tussen alle rommel en stak de lamp aan. Na een paar vergeefse en rokerige pogingen begon de lamp eindelijk te branden. Het licht wierp een knus schijnsel over de redactie, hoewel ik mijn hart vasthield voor wat er zou gebeuren als iemand de lamp omver stootte te midden van al dat papier.

Inmiddels stonden de telefoons roodgloeiend. Verslaggevers van andere kantoren meldden nieuws en inwoners van de stad belden om naar de situatie te informeren. Alan praatte al in twee telefoons tegelijk toen de derde ging. Ik nam op. Het was Billy. 'Is alles in orde thuis?' vroeg ik.

'Nog wel, maar het ziet er niet goed uit. We hebben zo veel mogelijk spullen naar boven gebracht en Carol is naar haar moeder gegaan met de kinderen. Meer kunnen we niet doen.'

Dat huisje rook al naar vocht. Hoeveel erger zou het nu zijn?

'Zeg Rosie, geef me Alan even. We moeten de straat op. De rivier is buiten zijn oevers getreden en ik verwacht dat er mensen gered moeten worden. Dat zijn mooie verhalen. Ik heb George en Charlie gezien, maar ik wil nog een verslaggever inzetten.'

'Ik kom wel!' zei ik.

Het bleef even stil aan de andere kant van de krakende lijn en er welde hoop op in mijn hart. 'Alan is net weer een beetje droog en hij kan beter op de winkel passen dan ik,' betoogde ik. Met ingehouden adem wachtte ik af.

Ik kon de wind en de regen horen aan de andere kant van de lijn, en ik kon Billy bijna hóren denken. Hij had er een seconde voor nodig om een beslissing te nemen.

'Oké. Ik ben nu bij de oude kade, dus ik wil graag dat jij naar Watergate gaat om te zien wat daar gebeurt. Maar wees alsjeblieft voorzichtig! Geef me Alan nu nog even.'

Ik onderbrak Alans twee telefoontjes, gaf hem de hoorn aan en maakte dat ik wegkwam.

Overstromingen! Een echt verhaal! Dat ik nat zou worden telde niet meer. En Billy had gezegd dat ik voorzichtig moest zijn. Misschien gaf hij toch wel om me. Adrenaline en blijdschap golfden door me heen.

Ja, ik weet dat iedereen altijd zegt dat journalisten blij zijn met slecht nieuws, maar het is nu eenmaal een feit dat het dramatische verhalen oplevert. Als verslaggever heb je het gevoel dat je deel uitmaakt van de gebeurtenissen. Je bent zo'n groot deel van je tijd bezig met routineklusjes – 'belangrijke' verhalen over concerten en zittingen van de gemeenteraad – dat je hunkert naar iets anders. Slecht nieuws betekent spanning en avontuur, en bovendien heb je het gevoel dat je je nuttig maakt voor de maatschappij. Winst dus op alle fronten. En als klap op de vuurpijl weet je dat een hele hoop mensen de volgende dag de krant zullen kopen.

Als de generator van The News het tenminste bleef doen...

De receptioniste zette grote ogen op toen ik de trap af kwam. 'Je gaat in dit weer toch niet naar buiten, hè?' zei ze, en toen ze zag dat ik dat wel degelijk van plan was, voegde ze eraan toe: 'Doe dan tenminste iets verstandigs aan je voeten. Heb je geen kaplaarzen?'

'Nee. Weet jij waar ik die hier in de buurt kan krijgen?"

'Bij Woolies natuurlijk.'

Dat was gelukkig aan de overkant. Ik stoof erheen en kocht een paar kaplaarzen – het laatste paar in mijn maat, volgens de verkoopster – en dikke sokken. Ik ging terug naar de krant en liet mijn natte schoenen achter in de receptie. Toen ik in de richting van Watergate beende had ik in elk geval warme en droge voeten, maar dat was dan ook wel het enige. Ik hield mijn tas voor mijn buik, zoals oude vrouwtjes doen, en marcheerde door het noodweer.

Bij Watergate trof ik een chaos aan. De rivier stroomde al over de kade en de straat begon te verdwijnen. Bij een lage oude brug gutste een stroom omlaag in de rivier. Het water stond tot aan de boog van de brug en de kolkende stroom voerde takken en andere wrakstukken mee. Nog even en de brug zou onder water staan.

Ik liep door, maar het was eerder waden dan lopen, want het water kwam nu al tot aan de bovenkant van mijn kaplaarzen en het bleef snel stijgen. Ik sloeg een zijstraat in naar het hoger gelegen marktplein en het water leek me te volgen.

Een politieman in lieslaarzen stond midden op straat om het verkeer te regelen, tot aan zijn knieën in het water. Een trekker met aanhanger ploegde door het water en veroorzaakte grote golven, maar toch waadden er mensen naartoe, met huisraad en kinderen in hun armen. Een kleine dikke man waggelde naar de aanhanger, diep gebukt onder het gewicht van een enorme kartonnen doos met papieren. Ik vreesde dat de doos uit elkaar zou vallen door de regen en dat de wind de papieren weg zou blazen voordat hij de aanhanger had bereikt, maar hij haalde het. Nét. Hij zette de doos erop en waadde terug naar zijn kantoor om meer spullen te halen.

Je kon het water zien stijgen. Een vrachtwagen bracht een lading vrijwilligers met zandzakken en een brandweerman gaf aanwijzingen. Hij schreeuwde, maar zijn stem ging verloren in het rumoer van de regen en de wind.

Bij dit soort gebeurtenissen ren ik normaal gesproken als een idioot in het rond om met mensen te praten en grijp ik elke kans om een citaat te scoren aan. Maar het is lastig om rond te rennen als je kaplaarzen draagt en door een centimeter of dertig water moet waden. Het was hard werken. De politie en de brandweer hadden het te druk om te praten, maar ze waren zo aardig om links en rechts met opmerkingen te strooien. Ik vermoedde dat zij het ook allemaal erg spannend vonden. Er zwaaide iemand uit een raam. Een brandweerauto stopte voor het huis en de brandweermannen zetten een ladder tegen het raam. Het leek een doodenge operatie in dit noodweer.

Een brandweerman met een gele helm en een groot en ongetwijfeld loodzwaar uniform, nog zwaarder door het gewicht van de regen, klom naar boven en pakte een bundeltje aan van de vrouw bij het raam. Het bundeltje krijste. Het was een baby. De brandweerman nam de baby mee naar beneden langs de ladder en het bundeltje ging van hand tot hand naar een vrachtwagen die in ondieper water stond te wachten. Hierna volgde een iets grotere bundel, een klein meisje van een jaar of twee.

Op dat moment kwam George er net aan, hoera! Hij schoot een paar mooie plaatjes en ik liep plassend door het water naar de vrachtwagen om de namen van de moeder en haar kinderen te vragen.

Ik probeerde een aantekening te maken in mijn blocnote, maar het was hopeloos. Met moeite ploeterde ik naar een overdekte steeg aan de achterkant van een rij haveloze huizen. Snel krabbelde ik de namen van de mensen met wie ik had gesproken in mijn blocnote, ik scheurde het vochtige vel papier eruit en stopte het diep weg in mijn tas, zodat er een kans was dat het niet nog natter zou worden.

Het was vochtig in de steeg, maar ik stond in elk geval niet in de stromende regen. En het was er stil. Ik had niet beseft hoe rumoerig het was op straat. Ik leunde tegen de muur en haalde diep adem. Er klonk een vreemd ritselend geluid...

Een rat. Het beest glipte vlak langs mijn voeten de steeg in. Ik slaakte een kreet en ging terug naar de regenachtige straat.

De kleine dikke man met zijn kartonnen dozen schreeuwde tegen de politieman, die hem niet nog meer spullen op de aanhanger wilde laten zetten, want die was al zwaar beladen en de trekker stond op het punt te vertrekken. 'Mijn zaken! Mijn papieren!' tierde de man.

Hij had vast en zeker nog uren zo door kunnen gaan, daar ben ik van overtuigd, alleen begon zijn kartonnen doos nu echt uit elkaar te vallen, en met de doos als een baby tegen zijn borst geklemd rende hij naar een van de vrachtwagens.

Ik moest me inmiddels terugtrekken. De straat was opgeslokt door de rivier, die met elke seconde breder werd. Een groepje jongens van een jaar of veertien, vijftien kwam eraan. Ze hadden hun schoenen om hun nek gebonden en hun broekspijpen opgerold.

'Jullie komen als geroepen!' brulde de politieman met de lieslaarzen. 'Maak jezelf nuttig en ga naar de huizen aan het eind. Kijk of iemand hulp nodig heeft met het naar boven brengen van hun spullen. Als mensen weg willen uit hun huis, zwaai dan met iets uit een raam, zodat wij het kunnen zien. En wees voorzichtig!'

De jongens waadden weg door het diepe water, een groepje opgewonden en hulpvaardige avonturiers.

Mijn eigen gevoel van avontuur begon beslist te verbleken. Ik was drijfnat en ik had het koud. Het was een lange dag geweest en ik had heel lang heen en weer gelopen door diep water. Mijn beenspieren deden zo'n pijn dat ik wel kon gillen. Mijn voeten waren nat en waarschijnlijk kreeg ik blaren. Het was tijd, vond ik, om terug te gaan naar kantoor. De agent schreeuwde naar

me dat ik uit de weg moest gaan, en toen zag ik opeens een roei-
boot aankomen door wat voorheen de straat was geweest, maar
die nu onder een meter water stond.

Het was een felrood bootje met het nummer tweeënveertig op
de zijkant geschilderd. Ondanks de wind en de regen en de stro-
ming lukte het de man in het bootje om bedreven en zelfverzekerd te roeien, en met regelmatige slagen stuurde hij zijn vaar-
tuigje om een lantarenpaal heen en langs een telefooncel.

'Wil je een lift?' schreeuwde hij naar mij. Het was Billy.

Hij roeide het bootje zo ver mogelijk naar me toe en ik waadde
erheen en klom erin. Het bootje wiebelde vervaarlijk, maar Billy hield het in evenwicht en hielp me erin. 'Wat vind je ervan?'
vroeg hij grijnzend. 'Ik heb het gevorderd van de botenverhuurder aan het meer.'

'Geweldig!'

'Ja, die vent wilde er vijf pond voor – vijf pond! – maar ik heb
gezegd dat de pers in geval van een nationale ramp geholpen moest
worden bij het uitoefenen van hun beroep en in naam van hare
majesteit een bootje geëist. Tegen zoveel autoriteit kon hij niet op,
maar ik heb natuurlijk wel beloofd dat ik er voorzichtig mee zal
zijn en dat ik het terug zal brengen als het water weer is gezakt.'

Ik bleef zijn arm een fractie langer dan noodzakelijk vasthouden
en kwam tegenover hem zitten. Het was een piepklein bootje en
onze knieën raakten elkaar.

'Waar gaan we heen?'

'Heb jij een beetje behoorlijk materiaal?'

'O ja, baby's die worden gered, een klagende zakenman, jongens
die de handen uit de mouwen steken, oude dametjes die politiemannen omhelzen. Alles.'

'Mooi. Ik heb ook genoeg. Toch wil ik nog een rondje maken
om te zien wat er aan de hand is.' Hij grijnsde naar me en opeens had ik het niet koud meer.

Het was zo raar om door de straten te roeien. De halve stad was
ondergelopen. Ik vermoedde dat de Browns weinig problemen
zouden hebben omdat hun huis hoog boven de rivier lag, maar
de kelder was waarschijnlijk wel ondergelopen.

Het water stroomde snel en in stroomversnellingen dreigde het
bootje soms te kapseizen voordat Billy het kon stabiliseren. We

waren in de hoofdstraat tussen het marktplein en Watergate toen er plotseling een kolkende stroom kwam opzetten. Billy probeerde het bootje op koers te houden, maar uiteindelijk was het makkelijker ons te laten meevoeren door een smal paadje dat omlaag liep naar de rivier, een van de vele in Watergate.

De gebouwen waren somber en lelijk. Opeens kon ik begrijpen waarom Mr. Brown vond dat de hele handel beter gesloopt kon worden. Ze waren smal en donker en vervallen, en ik vermoedde dat de meeste door de overstroming zouden instorten. Er brandde nergens licht hoewel het buiten donker was, al was het pas eind van de middag.

'Gaat het een beetje?' vroeg Billy.

Ik hield me vast aan de zijkanten van het bootje en riep terug: 'Beter dan ooit!'

En terwijl ik antwoord gaf, zag ik een gezicht achter een raam boven hem.

De ruit was gebroken en gedeeltelijk dichtgestopt met oude lappen, en een duidelijk doodsbange vrouw keek naar buiten. 'Help me! Help me alsjeblieft!' schreeuwde ze.

Het lukte Billy het bootje te keren en het touw vast te binden aan de speervormige punt van een hek, het enige dat nog boven het water uitstak.

'De brandweer moet komen!' zei ik tegen Billy. 'Wij kunnen haar nooit uit dat huis krijgen.'

'Ik zou niet weten hoe de brandweer hier zou kunnen komen, zelfs als we ze op tijd kunnen waarschuwen,' zei hij.

Hij klom uit het bootje, dat wild deinde toen hij zich afzette, en hees zichzelf omhoog aan een trapleuning, met zijn ene hand rond de arm van een lamp die al minstens tien jaar buiten werking moest zijn.

'Geef me eens een roeiriem aan, Rosie,' schreeuwde hij.

Dat deed ik, en nadat hij tegen de vrouw had gezegd dat ze achteruit moest gaan, sloeg hij de ruit in. Niet dat er veel voor nodig was. Het kozijn was half weggerot. Hij trok de oude lappen uit een van de ontbrekende ruiten en legde die op de vensterbank om de vrouw tegen glassplinters te beschermen.

'Luister goed,' zei hij tegen de oude vrouw. 'Ik wil dat u op de vensterbank gaat zitten, met uw benen naar buiten.'

'Dat kan ik niet! Dat durf ik niet!' krijste de vrouw. Zo te zien was ze in lompen gehuld en plukken haar waren losgeraakt uit een vettig, rommelig knotje.

'Jawel, natuurlijk kunt u dat,' zei Billy sussend. Hoewel hij moest schreeuwen om zich verstaanbaar te maken boven het geluid van de wind en de regen en het kolkende water, klonk zijn stem toch vriendelijk en geruststellend. Zonder zijn evenwicht te verliezen pakte hij de benen van de vrouw en tilde hij haar omlaag uit het raam.

'Rosie, trek zo hard mogelijk aan het touw! Het gaat allemaal goed,' zei hij tegen de vrouw. 'Kunt u nu in het bootje springen? Het is niet ver, niet meer dan een grote stap.'

'Nee, dat durf ik niet! Echt niet!' gilde ze en ze klampte zich nog steviger aan Billy vast.

Met één snelle beweging sprong Billy omlaag, met de vrouw in zijn armen. Ze landden met een plof en een gil en het bootje slingerde heen en weer. Ik wist zeker dat het zou omslaan en wierp mezelf tegen de zijkant in een poging om het gewicht beter te verdelen. Het hielp in elk geval een beetje. Het bootje wiebelde nog wel, en de vrouw lag kreunend in het midden ervan, maar ze had gelukkig genoeg gezond verstand om stil te blijven liggen.

'Gaat het een beetje, omaatje?' vroeg Billy.

'Ik kan wel zingen van pret,' mompelde ze, zodat we wisten dat het allemaal wel meeviel.

Het rode bootje was niet gebouwd op drie volwassenen. De vrouw lag op het bankje in het midden, zodat Billy en ik aan de voor- en achterkant tegen de rand moesten zitten. Het bootje was ondiep en maakte snel water.

'Kom op!' riep Billy. Hij gaf me een roeiriem aan en maakte het touw los. 'Roeien!'

Zodra we los waren, werd het bootje meegevoerd door de stroom. Billy zat op zijn knieën aan de voorkant en ik op het kleine bankje aan de achterkant, en zo peddelden we door het water, onze roeiriemen plassend in een perfect synchroon ritme, koortsachtig op zoek naar droog land. Onder de zware bewolking was het al bijna helemaal donker, en het was nat, koud en een beetje eng, maar het was ook ontzettend spannend. Ik zat samen met Billy in een klein bootje en we werkten samen als een echt team. Ik peddelde verder en Billy paste zijn ritme aan het mijne aan, en ons zwaar beladen pleziervaartuigje leek te zingen over het water.

De slonzige vrouw staakte haar gekreun en keek ons argwanend aan. 'Godallemachtig,' zei ze, 'ik ben gered door een stelletje indianen!'

Billy en ik lachten luidkeels.

Al snel bereikten we hoger terrein en de onderkant van het bootje schraapte over het plaveisel. Er stond een vrachtwagen met een paar vrijwilligers van de burgerwacht erin.

'Waar brengen jullie mensen naartoe?' riep Billy.

'Naar de kerk,' schreeuwde een van hen terug. 'Daar krijgen ze broodjes en soep.'

'O,' zei onze haveloze passagier, en ze kwam enthousiast overeind. 'Ik doe een moord voor een kop soep.'

'Spring dan maar aan boord!' riep de vrijwilliger.

De vrouw trok haar lompen tot boven de knie omhoog en stapte uit het bootje. 'Bedankt voor de lift,' zei ze tegen ons, en toen boog ze zich samenzweerderig voorover naar mij. 'Hou hem maar lekker vast, moppie. Hij kan ermee door. Ik zou het niet erg vinden om nog een keer in zijn armen te springen.'

En daar ging ze, terwijl Billy en ik lachten, allebei een beetje in verlegenheid gebracht. Toen liepen we weg, spetterend en plassend, en we trokken het bootje achter ons aan.

'Nou, meis,' zei Billy, 'we beleven heel wat avonturen, jij en ik, vind je niet?'

Mijn hart maakte buitelingen. 'Zeg dat wel. En het is heel wat interessanter dan snelle recepten bedenken voor drukke huisvrouwen. Nu ik het er toch over heb, we kunnen beter teruggaan naar kantoor. Ik moet een heel lang stuk schrijven.'

'Hoe laat is het?'

Ik schoof mijn kletsnatte mouw omhoog en keek op mijn horloge. 'Vijf voor zes.'

'In dat geval heb ik een beter idee, maar dan moet ik wel eerst even bellen.'

Hij verdween in een telefooncel terwijl ik buiten bleef wachten, met het touw van het bootje in mijn hand. Ik kon niet verstaan wat Billy zei, maar het was duidelijk dat hij iemand instructies gaf, gesticulerend met zijn handen en armen. Precies zoals Will. Caz zegt altijd dat Will geen woord meer zou kunnen uitbrengen als hij zijn armen brak.

'Ziezo,' zei hij toen hij uit de telefooncel kwam en het touw van me overnam. 'Kom, we gaan.'

Wadend door ondiep water kwamen we bij de steile trap die naar de oude stadswal voerde. In mijn eigen tijd was daar een tapasbar, herinnerde ik me. Will en ik waren er een paar keer geweest. Maar nu zat er een pub. De stadswal strekte zich uit in de duisternis, en ik waande me in de middeleeuwen.

'Kijk eens aan, Bert heeft de open haard aangestoken,' zei Billy. Het kleine café werd verlicht door kaarsen en de gloed van het vuur. Ik liep er meteen naartoe en binnen een paar seconden begon mijn kletsnatte jas te dampen.

'O, ben jij het,' zei een stem uit het halfdonker achter de bar. 'Ik had kunnen weten dat alleen een verknipte bedelaar zich in dit weer buiten zou wagen. Zelfs de hond is niet zo stom.'

Als om het te bewijzen sprong een kleine terriër omlaag van een stoel en hij snuffelde aan mijn kaplaarzen.

'Jij ook goedenavond, Bert,' zei Billy. 'Bier, graag, een grote en een kleine. En heb je een paar kaarsen voor dat tafeltje bij de haard? We hebben werk te doen.'

'Pak ze maar,' zei Bert. 'Geef een gil als jullie meer bier willen of als er nog meer idioten binnenkomen. Ik ben achter.'

'Is goed,' zei Billy. 'Op de krant gaat alles goed. Phil is er nu om Alan te helpen en de anderen zijn terug. Het leek mij een goed idee onze stukjes hier te schrijven en ze dan door te bellen. Veel gezelliger, vind je niet?'

'Zeker. Véél gezelliger.'

We zaten elk aan een kant van het tafeltje en werkten in de warme gloed van de kaarsen en het vuur. Alleen wij tweeën in deze vreemde kleine wereld aan het einde van een vreemde dag. Er ging een steek door mijn hart toen ik zag hoe Billy werkte, want het was natuurlijk dezelfde manier waarop Will werkte. Hij bladerde in zijn blocnote, maakte aantekeningen in de kantlijn, onderstreepte bepaalde citaten. Ik genoot ervan naar hem te kijken, naar zijn gefronste wenkbrauwen als hij nadacht, de manier waarop zijn ogen begonnen te glinsteren als hij iets had gevonden wat hij goed kon gebruiken, de snelle bewegingen van zijn hand als hij iets opschreef.

'Zo, ik ben klaar,' kondigde hij aan.

'Maar je hebt nog niets geschreven!'

'Jawel. Ik heb in elk geval de inleiding en een paar kleine stukjes. De rest doe ik wel telefonisch.'

'O.'

Ik bewonder het als mensen in staat zijn een verhaal uit hun mouw te schudden, vooral als ze het dicteren aan iemand anders. Ik schreef mijn hele verhaal uit, zorgvuldig maar wel snel. Ik wilde zeker weten dat ik niets was vergeten en dat het er stond zoals ik wilde. Billy ging naar buiten om zijn stuk door te bellen, en ik concentreerde me volkomen op mijn werk. Er waren zoveel verschillende verhalen, allemaal goed. Uiteindelijk maakte ik er verschillende stukjes van, die overal ingepast konden worden. Mijn hand vloog over het papier.

'Oké, jouw beurt met de telefoon. De stenografe zit op je te wachten.' Kennelijk hield Billy niet eens rekening met de mogelijkheid dat ik niet klaar zou zijn. Dat was een soort compliment, neem ik aan. 'Vergeet deze niet.'

Ik keek. Het was een zaklantaarn, of eigenlijk een fietslampje.

'Je moet kunnen lezen wat je hebt geschreven.'

Kijk, dat noem ik nou op alles voorbereid...

Ik wurmde me weer in mijn natte regenjas, dook de regen in en holde naar de telefooncel onder aan de trap. Daar dicteerde ik mijn verhalen aan het meisje aan de andere kant van de lijn, een eindeloos proces.

'Jeetje,' zei ze. 'Wat opwindend allemaal.'

Toen ik terugkwam in de pub had Billy net nog een paar biertjes besteld.

'Jullie hebben zeker niets te eten, hè?' vroeg ik. 'Ik rammel van de honger.'

'Ik heb chips,' zei Bert.

'Tja, en wat nog meer?'

'Eieren in het zuur.'

'Eieren in het zuur? Reuze bedankt, maar ik denk dat ik mijn beurt voorbij laat gaan.'

'Doe niet zo mal,' zei Billy. 'Het is een plaatselijke delicatesse, die mag je niet missen. Twee zakjes chips en twee eieren graag, Bert. Ik trakteer.'

'Bedankt. Denk ik,' zei ik behoedzaam.

Bert pakte twee zakjes chips en maakte die open. Toen schroefde hij het deksel van een grote glazen fles met een onheilspellende inhoud op de toog. Met zijn vingers – zijn vingers! – viste hij er twee eieren uit en die legde hij boven op de chips.

'Alsjeblieft, meis.' Billy gaf me een zakje chips met ei aan. '*Bon appétit*, zoals ze in het Frans zeggen. Of tast toe, dat past er beter bij.'

Ik moet bekennen dat een zuur ei bij mij niet in de categorie delicatessen valt. Het was eerlijk gezegd behoorlijk smerig én het vocht maakte de chips slap. Ik was ook al geen grote fan van bier, maar het paste op de een of andere manier bij de omstandigheden. Ik at en ik dronk en ik koesterde me in de warmte van het vuur en in stilte was ik zielsgelukkig dat ik met Billy alleen was.

Ik dacht terug aan die eerste dagen en hoe wanhopig ik er toen naar had verlangd met hem alleen te kunnen zijn, ervan overtuigd als ik destijds was dat het een realityshow was en dat we moesten winnen. Inmiddels wist ik dat dit geen tv-programma was. De regen van die dag kon bijvoorbeeld onmogelijk een stunt uit de koker van de studio zijn. Zelfs Cecil B. DeMille had dat niet voor elkaar gekregen.

Als je al het andere hebt geëlimineerd, moet dat wat overblijft de waarheid zijn... Bewoners van tijd en ruimte...

Om de een of andere reden kon het me niet meer zoveel schelen. Ja, om drie uur 's nachts misschien nog wel, maar verder begon het leven in de jaren vijftig aardig te wennen. Leef met de dag en geniet van het moment, had Phil gezegd. Hij had gelijk. En ik genoot er beslist van om samen met Will in deze knusse gelagkamer te zijn.

'Je hebt vandaag goed werk gedaan,' zei hij. 'Even goed als een mannelijke verslaggever.'

Hij bedoelde het als een compliment, maar voor iemand uit mijn tijd was het domweg een seksistische kutopmerking. Ik moest me bedwingen om hem geen klap te geven.

'Dat oude omaatje had gelijk,' zei hij lachend. 'Je peddelde als een indiaan. Een heel erg natte indiaan.'

'Woonde ze daar in dat huis?'
'Ja. Er wonen allerlei soorten mensen. Het is een huurkazerne en waarschijnlijk ben je er niet erg veilig. Maar je hebt een dak boven je hoofd en dat is beter dan niets.'
We begonnen ons te ontspannen, genoten van de warmte van het vuur en praatten over de gebeurtenissen van die dag. We hoopten natuurlijk dat we niet voor niets al die ontberingen hadden doorstaan en dat onze verhalen de volgende dag prominent in de krant zouden staan. En ik keek naar zijn gezicht in de gloed van het vuur, zijn jukbeenderen, de holtes en de schaduwen.
Hij vertelde me wat hij wist van de situatie in de omgeving; het was overal erg maar wij waren veruit het zwaarst getroffen. En ik keek naar zijn handen, die hij rond zijn bierglas had geslagen. Handen die zwaar werk deden, eeltig waren, maar met keurig verzorgde nagels. Billy had niet een hele plank vol schoonheidsproducten, zoals Will, maar hij vond het net zo belangrijk om goed verzorgd voor de dag te komen.
We praatten over de regen en hoe lang het nog zou doorgaan, over de schoonmaakoperatie, over de mensen die waren opgevangen in de kerk. En ik keek naar zijn haar, dat kleine krulletjes vormde in zijn nek nu het opdroogde.
We dronken nog een biertje. En mogelijk nog een.
We praatten over Gordon en wanneer hij terug zou komen, over Alan en wat een aardige kerel hij was. En zelfs in het kaarslicht kon ik zijn lange wimpers en donkerbruine ogen nog zien.
We praatten over de plannen voor de volgende dag, hoe het verhaal zich zou ontwikkelen. En ik keek naar de schaduw van zijn bovenlichaam op de muur en de contouren van zijn brede schouders. En ik wilde mezelf het liefst in zijn armen begraven, en vroeg me af wat er zou gebeuren als ik het deed. Alleen wij tweetjes in deze kleine gelagkamer, met de geur van bier en de gloed van het vuur en de kaarsen. Alleen Will en ik, en hij bleef me strak aankijken, schoof dichter naar me toe...
'Zeg, jullie daar! Hebben jullie soms geen huis of hoe zit dat?'
Bert deed iets met het vuur, de dingen die je aan het eind van de dag doet als je afsluit. Hij bracht onze lege glazen en een van de kaarsen terug naar de bar.
'Oké Bert, we begrijpen de hint,' zei Billy. 'Ik heb een bootje

vastgebonden onder aan je trap. Ik kom het later wel halen.'
'Boten aan mijn trap. Het moet niet veel gekker worden,' mompelde Bert terwijl hij een lap over de bar haalde.
We gingen naar buiten bij het licht van het fietslampje. Ik wilde de trap weer af lopen, maar Billy hield me tegen. 'Laten we een eind over de muur lopen. Waarschijnlijk is het sneller voor jou en het is beslist droger.'
Het was opgehouden met regenen en de wind was gaan liggen. Het was zowaar een zachte lenteavond. Maar wat zag alles er vreemd uit. Boven op die muur leek het net alsof je midden in een meer stond. Een uitgestrekte watervlakte weerspiegelde het maanlicht. Aan de rand van het water stond een brandweerwagen en ver beneden ons zagen we een groepje mannen in uniform bij elkaar staan, maar er was geen echte activiteit. Het was heel stil, afgezien van het geluid van water dat tegen de deuren van winkels en over vensterbanken klotste.
'Dit is de ergste overstroming sinds 1888,' zei Billy. 'Ik denk niet dat we dit nog een keer zullen meemaken. Als je kunt vergeten hoeveel schade er is aangericht, is het bijna mooi. Pas op...' Hij pakte mijn arm beet toen er opeens een diepe kuil opdook in het pad over de muur. In mijn tijd was het pad geasfalteerd, met een reling erlangs, maar nu was het oneffen en zaten er diepe kuilen verborgen tussen het onkruid, en de hoge muur liep steil omlaag naar het water.
Hij liet mijn arm niet los. In plaats daarvan trok hij me naar zich toe.
'Je was vandaag zo'n schattige indiaan,' zei hij. 'Ik zal je nooit vergeten. Je was zo nat, de regen stroomde over je gezicht, en toch bleef je dapper peddelen. Je was zo doortastend. Zo...' Hij aarzelde. 'Zo... mooi.'
Ik wist wat er komen ging en deed niets om het te voorkomen. Hij nam me in zijn armen, bracht zijn hoofd omlaag naar het mijne en kuste me, een lange, heel lange kus die een beetje naar bier en chips en regen smaakte. Het was een hemelse kus.
O, dat genot! Om weer in Wills armen te liggen, zijn armen om me heen te voelen, om mijn hoofd tegen zijn borst te leggen en me beschut te voelen in dat kleine wereldje.
We kusten elkaar nog een keer. En nog een keer. Elke kus was

heftiger dan de vorige. Het was vreemd, de kleren waren niet vertrouwd, de geur van zijn huid was anders dan ik gewend was, en toch was het nog steeds Will, nog steeds de man van wie ik hield, de man die ik zo vreselijk had gemist. En nu omhelsde hij me eindelijk weer, ik lag in Wills armen, ik was thuis. Ik wilde wegkruipen in zijn natte regenjas, zijn huid tegen de mijne voelen... We maakten ons los van elkaar en ik keek hem aan. Hij keek glimlachend op me neer en zijn ogen waren Wills ogen, lachend en liefdevol. Hij wilde iets gaan zeggen maar slikte de woorden in.

'Ik...' begon ik, maar hij legde zacht een vinger tegen mijn lippen en ik kroop weer onder de holte van zijn schouder met zijn arm stevig om me heen, dicht tegen hem aan. Zo liepen we over de oude stadswal, met alleen een fietslampje als verlichting, en het enige geluid was het klotsen van het hoge water en het flop-flop-flop van onze kaplaarzen.

Opeens moest ik weer denken aan dat liedje van Frank Sinatra. 'They can't take that away from me.' Ik wist dat ik deze herinnering altijd zou blijven koesteren.

Ongeveer vijftig meter van het huis van de Browns was een trap naar beneden. Onder aan de muur, in het donker, sloegen we onze armen weer om elkaar heen en kusten we elkaar lang en hard, zonder een woord te zeggen, hunkerend naar meer.

Na een hele tijd maakte Billy zich van me los. 'Alles is anders sinds jij hier bent gekomen. Ik weet niet wat het is, maar jij maakt het leven opwindend. Je bent anders, je denkt anders.'

Hij begroef zijn gezicht in mijn haar, kuste me in mijn nek, mijn hals... 'O god, je hoort hier niet thuis. Het is alsof je uit een andere wereld komt, niet alleen maar een ander land. Ik weet alleen...' Hij legde zijn handen zacht rond mijn gezicht en keek me diep in de ogen. 'Ik weet alleen dat ik de hele tijd aan je denk, Rosie. Het is niet mijn bedoeling en ik wil het niet, maar het gaat vanzelf. Je bent echt heel bijzonder. Ik zou van je kunnen houden, dat meen ik. Eigenlijk...' Hij zweeg en keek me hulpeloos aan, hopeloos. 'Eigenlijk hou ik al van je.'

Dat waren de woorden die ik al die weken dat ik hier nu was al had willen horen. Ik deed mijn ogen dicht en trok hem naar me toe om hem weer te kussen.

Maar er was iets gebeurd.

Zijn handen hielden de mijne vast. Hij pakte mijn handen beet en trok ze weg van zijn nek. Ik voelde de kracht in zijn polsen toen hij me wegtrok. Ik probeerde me tegen hem aan te drukken, maar het was zinloos. Hij hield mijn armen vast tegen mijn zij, hield me op afstand.

'Het gaat niet, Rosie,' zei hij, en de uitdrukking op zijn gezicht was intens triest. 'Ik ben getrouwd. Ik heb een vrouw en drie kinderen. Ik kan ze geen verdriet doen. Ze hebben niets misdaan. Begrijp je het? Ik ben verantwoordelijk voor mijn gezin. Ik kan ze niet in de steek laten, zelfs niet... zelfs niet voor jou.'

Ik staarde hem aan en kon mijn oren niet geloven. Had ik hem voor me gewonnen en was ik hem nu alweer kwijt, een paar tellen later? De pijnlijke uitdrukking op zijn gezicht was het antwoord.

'Carol is een goede echtgenote en een geweldige moeder. Ze werkt hard en we zijn gelukkig. We waren gelukkig, totdat jij kwam. En we worden weer gelukkig. Ik vind je fantastisch, betoverend, je bent anders dan alle meisjes die ik ooit heb gekend. Ik wil niets liever dan alles achterlaten om met jou samen te kunnen zijn, maar dat kan ik niet doen. Het mag niet gebeuren. Ik moet bij mijn gezin blijven, en jij moet teruggaan naar waar je vandaan komt. Het spijt me, ik had je niet moeten kussen. Ik had al die dingen niet moeten zeggen.'

'Maar dat heb je wel gedaan!'

Ik was zo kwaad. Zo gekwetst. Hiernaar had ik verlangd vanaf het eerste moment dat ik hem op de redactie had gezien. En nu zei hij dat het voorbij was nog voordat het was begonnen?

'Nee! Dat kun je niet zeggen! Dit kan niet het einde zijn. We zijn voorbestemd voor elkaar, jij en ik. Jij bent de ware. Er is niemand anders.'

Billy legde zijn handen op mijn schouders en keek me teder en verdrietig aan. 'Ik kan Carol niet in de steek laten. Het is niet eerlijk, het is niet goed.'

En het was ook niet goed. Hij had gelijk. Diep vanbinnen wist ik dat allemaal wel. 'Waarom zei je dan daarnet dat je van me houdt? Je zegt het en dan pak je het meteen weer van me af! Dat is niet eerlijk, Billy! Dat is niet eerlijk!'

'Het spijt me, Rosie,' zei Billy en zacht streek hij de tranen van mijn wangen. 'Het spijt me. Ik wilde je zo graag in mijn armen houden. Ik wilde weten hoe het voelde. Ik dacht dat ik... maar ik kan het niet. Ik had het niet moeten doen. Het spijt me. Dit is een magische avond geweest en ik wilde, ik wilde zo graag... Maar het kan niet. Doe alsof het niet is gebeurd. Het is de verkeerde tijd, de verkeerde plaats.'

De verkeerde tijd. De verkeerde plaats. En hoe.

Maar hij had gelijk. Ik kon niet zomaar aan komen waaien en zijn huwelijk kapotmaken, plus het leven van zijn kinderen. De verkeerde tijd. De verkeerde plaats.

Als Billy en ik voorbestemd waren voor elkaar, dan was het in elk geval niet in de jaren vijftig. Ik moest ophouden met huilen. Ik probeerde nonchalant te doen. Het duurde even om mijn ademhaling voldoende onder controle te krijgen voordat ik kon praten, maar het lukte me. Ik vond mezelf erg kranig.

'Ach, het was maar een kus. Twee vrienden die elkaar kussen, wat betekent dat nou helemaal?' zei ik, maar ik klonk lang niet zo stoer als de bedoeling was, want ik snufte nog steeds een beetje. 'Het was een grappige dag, een grappige avond. Zullen we het weer maar de schuld geven? Nog een laatste kusje, puur vriendschappelijk.' Ik ging op mijn tenen staan en drukte een kusje op zijn wang.

Hij boog zijn hoofd en deed hetzelfde, net zo voorzichtig. Zijn wimpers streken langs mijn wang en ik slikte moeizaam.

'Oké, ik ben bijna thuis. Wel thuis, Billy. Tot morgen.'

Nog steeds hield hij mijn hand vast. Toen hij me losliet, streek hij met zijn duim over de mijne, zoals Will altijd deed. Dat werd me bijna te veel. Ik rukte mijn hand los en rende de laatste paar meters naar huis.

'Rosie!' hoorde ik Billy roepen. En zijn roep weergalmde over het maanverlichte meer. 'Rosie!' Alsof het van heel ver weg kwam. Uit een andere tijd. Een andere plaats.

22

Ik deed geen oog dicht.

Toen ik thuiskwam, waren de Browns allang naar bed. Ik liep naar de keuken en struikelde over zakken aardappelen, bussen verf, een droogrek en een oude waskoker, allemaal spullen die kennelijk waren gered uit de kelder toen die onder water was gelopen. De normaal gesproken zo gezellige keuken rook nu naar modder en vocht. Het deed me aan het huis van Billy en Carol denken.

Op de zijkant van het kachelfornuis stond een pan melk voor me klaar. Ik warmde de melk op, maakte chocolademelk en sloop op mijn tenen naar het buffet in de zitkamer, waar een fles zoete sherry stond en ook een fles brandy, voor medicinale doeleinden. Sambo kwam achter me aan en gaf mijn benen kopjes; hij was duidelijk van slag door alle opwinding. Ik had beslist een medicinaal drankje nodig. Het zou maanden duren voordat de Browns de fles tevoorschijn haalden. Ze zouden het niet merken. Maar ik werd er niet rustiger van.

Ik ijsbeerde heen en weer door de keuken en vroeg me af wat ik nu in hemelsnaam moest doen. Ik vroeg me af wat ik hier deed. Ik was compleet in de war, nog erger in de war dan toen ik hier net was. Er was hier geen toekomst voor mij en Billy.

Oké, misschien had ik hem verder in verleiding kunnen brengen, had ik hem misschien zelfs tot een verhouding kunnen verlokken, had ik hem zelfs, héél misschien, zo ver kunnen krijgen dat hij wegging bij Carol.

Maar het zou niet goed zijn geweest. Hij was trouw, hij was loyaal. En o, bittere paradox, daardoor hield ik alleen maar meer van hem. Hij had beloften gedaan die hij zou nakomen, zelfs als zijn hart iets anders wilde. Ik was weliswaar wanhopig, maar zo'n man moest je wel bewonderen, moest je wel respecteren. Hij was zo... fatsoenlijk. Over een ouderwets woord gesproken. Billy was Will in een ander tijdperk, in andere omstandigheden.

En opeens besefte ik dat ik Will net zo goed kon vertrouwen. In alle opzichten, met mijn leven, mijn toekomst. Waarom had ik dat eerder nooit gezien? Ik had een muur van prikkeldraad opgetrokken om hem op afstand te houden, uit angst dat hij me in de steek zou laten. Maar dat was helemaal niet nodig. Hij zou me niet in de steek laten. Nu wist ik dat eindelijk. Als Will zich eenmaal aan mij wilde binden, was dat voor altijd. Geen twijfel mogelijk. En voor mij gold hetzelfde. Was er maar een manier om bij hem te komen, zodat ik het hem kon vertellen...

Ik ging pas bij het aanbreken van de dageraad naar bed, maar ik kon nog steeds niet slapen. De wekker ging af en ik sleepte mezelf naar beneden om een kop thee te drinken. Zelfs in mijn dikke kamerjas bleef ik rillen.

Mr. Brown inspecteerde de tuin. De buiten zijn oevers getreden rivier had een chaos van modder en takken achtergelaten. Het water was nu al een heel eind gezakt, maar de ravage was enorm. 'Het is niet de moeite om nog iets aan de tuin te doen,' zei hij. 'Binnenkort komen de bulldozers en gaat alles tegen de vlakte. Maar misschien zijn een paar jonge aardappelen nog te redden.' Optimistisch liep hij het pad af om zijn moestuin te inspecteren. Ik kroop zo ongeveer tegen de kachel aan om warm te worden. 'Jij gaat vandaag niet naar je werk, jongedame,' zei Mrs. Brown. 'Je bent ziek. Je hebt kougevat doordat je veel te lang door het water hebt gelopen. Hup, naar bed met jou, dan breng ik je een kruik.'

Dat deed ze. En ze bracht me nog een kop thee. En toast die ze in soldaatjes had gesneden. Ik moest er niet aan denken, maar ze bedoelde het goed. Een tijdje later hoorde ik de voordeur dichtvallen toen ze naar haar werk ging. Ik kroop zo diep mogelijk weg onder de dekens.

Ik dacht aan Billy, herinnerde me onze omhelzing. We pasten als twee puzzelstukjes in elkaar, alsof we voor elkaar waren gemaakt. Ik dacht aan Carol en dat kleine donkere huisje en aan hoe het er nu moest zijn nadat de rivier er had huisgehouden. Ik dacht aan zijn kinderen, vooral aan Peter, die zo op hem leek, en aan Libby. Ik kon er geen touw aan vastknopen. Wat moest ik nu doen? Ik lag te woelen en te draaien, sliep half, was dan weer wakker, en ik had de raarste dromen over de vreselijkste rampen. En soms als ik mijn ogen dichtdeed kon ik Billy's stem horen, die me van heel ver weg riep.

'Rosie! Rosie? Ben je er? Kun je me horen?'

Uiteindelijk stond ik op. Ik maakte mijn bed op en ging in bad, waar ik eindelijk een beetje warm van werd. Ik had me net aangekleed omdat ik er niet aan moest denken om mijn pyjama weer aan te trekken, toen ik van beneden 'joehoe!' hoorde. Die roep had niets spookachtigs.

Peggy was er.

'Ik heb mijn moeder gesproken en ze vertelde dat je niet lekker bent, dus ik kom je even opzoeken. Heb jij al die verhalen over de overstroming geschreven?'

Ze wapperde met *The News*. De hele voorpagina werd in beslag genomen door ons verhaal, met de foto's van George erbij. Ik keek er vluchtig naar. Zo te zien hadden ze veel van wat we hadden geschreven gebruikt, maar lezen deed pijn aan mijn ogen.

'Volgens mij zijn al deze foto's van George,' zei ze trots. Toen keek ze me aan. 'Je ziet er slecht uit.'

'Dus het leven als getrouwde vrouw bevalt je wel,' zei ik, met niet meer dan een licht cynische ondertoon.

'Ja,' zei ze zakelijk. 'Heel erg.'

Ze schonk een kop thee voor me in en gaf me een plak van de cake die haar moeder voor haar thuiskomst had gebakken. Ik kon geen hap naar binnen krijgen en liet de cake onaangeroerd op het schoteltje liggen, maar ik nam wel een paar slokken thee. Nu al zag Peggy er anders uit. Gedeeltelijk doordat ze nu zo duidelijk zwanger was en het niet langer probeerde te verbergen. Het stadium van de ochtendmisselijkheid was voorbij en ze had dat stralende van elke zwangere vrouw. De hele keuken leek ervan op te lichten.

Bovendien had ze de zelfverzekerdheid van een getrouwde vrouw. Ze schonk thee voor me in en schoof de cake bazig naar me toe, met een houding die ik niet van haar kende. Ze wist dat ze een plaats had in de samenleving, een zekere status. Hoe het ook was gegaan, ze was uitverkoren en een man had haar een trouwbelofte gedaan. Ze was een respectabele getrouwde vrouw, en ik besefte dat ze zich, ondanks alles wat ik wist, net een streepje beter voelde dan ik.

Het was werkelijk onverteerbaar.

Ze keek me bezorgd aan. 'Heb je kougevat?'

'Ik weet het niet.' Ik vertikte het om haar van Billy te vertellen. Ze had dan wel een verhouding gehad met Richard Henfield, maar tegenwoordig was ze een vooraanstaand lid van de club van getrouwde vrouwen, en ik wist dat ze zonder blikken of blozen haar loyaliteit had verlegd, dus vergeet het maar.

'Ik vraag me gewoon af waarom ik hier ben. Wat de zin ervan is.'

En toen besefte ik dat ik Peggy verkeerd had beoordeeld, want ze zette de theepot neer en keek me ernstig aan.

'Ik weet niet waar ik zonder jou zou zijn geweest,' zei ze. 'Mijn baby en ik en George, we zijn nu een gezin. Dankzij jou. Als jij me niet was komen zoeken... als je George niet zo gek had gekregen om je te helpen... ik weet niet wat er dan zou zijn gebeurd. Ieder mens heeft een reden om te bestaan, Rosie, en ik denk dat dit jouw reden was. Je hebt mij en mijn baby gered.'

Was dat de reden? Zou dat echt de reden zijn dat ik hier was?

Toen Lucia door de kast in Narnia kwam, hadden zij en haar broers en zus een missie om Narnia, de hele wereld, van de ondergang te redden, niet slechts één persoon. Iedereen de ooit een reis door de tijd heeft gemaakt, had een of andere grootse en nobele missie. Ik wist niet waarom ik hier terecht was gekomen, maar ik wist wel dat ik er persoonlijk maar één ding mee had bereikt: ik besefte nu hoeveel ik van Will hield. En ook wat voor iemand hij werkelijk was als hij de vrijheid kreeg om het te tonen. Als ik ooit de kans kreeg het hem te vertellen, zou ik hem nooit meer laten gaan.

Ik probeerde nog steeds te bedenken hoe ik moest reageren toen Peggy en ik een vreemd geluid hoorden op straat. We keken elkaar aan, fronsten onze wenkbrauwen en probeerden te bedenken wat het was, en toen hoorden we het nog een keer.

'Het is de claxon van een auto!' zei Peggy, kraaiend van opwinding toen het tot haar doordrong. 'Papa heeft de auto!' Ze stormde naar de voordeur.

Mr. Brown zat achter het stuur van een kleine zwarte Morris Minor. 'Wat vind je ervan?' vroeg hij. 'Is hij niet prachtig?'

Peggy was naar buiten gegaan, maar ik was neergeploft op het houten bankje in de hal. Mijn benen voelden alsof ze van watten waren gemaakt.

'Daar heb je mama! Joehoe, mam!' riep Peggy uit volle borst.

Mrs. Brown kwam thuis van haar werk met een enorme mand vol boodschappen. 'Kijk nou toch eens!' Ze liep helemaal om de auto heen. Mr. Brown liet haar de kofferbak zien, de richtingaanwijzers die uitklapten als kleine wijzende vingertjes. Hij deed de koplampen aan en uit.

'Gaan we een ritje maken, papa, alsjeblieft?' smeekte Peggy, even opgewonden als een kind van twee.

'Wacht, ik ben nog niet klaar!' Mrs. Brown haastte zich naar binnen, zette de boodschappentas op de keukentafel en borstelde haar haar. Toen liep ze terug naar de gang en verruilde ze de baret die ze altijd naar haar werk droeg voor een iets netter vilthoedje.

'Je hoeft toch geen hoed op in de auto,' zei Peggy.

'Het is mijn eerste ritje in onze nieuwe auto,' antwoordde Mrs. Brown beslist, 'en dan wil ik er netjes uitzien.'

'Kom op, Rosie,' zei Peggy terwijl ze instapte, 'jij moet ook mee!' Ik had er totaal geen zin in. Ik wilde het liefst weer in bed kruipen, maar ze waren zo enthousiast dat ik onmogelijk kon weigeren. Mrs. Brown moest weer uitstappen, zodat ze de stoel naar voren kon klappen en ik achterin kon kruipen.

'Nou, waar zullen we naartoe gaan?' vroeg Mr. Brown. 'We kunnen niet naar de kade rijden, want het water staat nog te hoog.'

'Ik weet wat, pap! Laten we naar The Meadows gaan, dan kunnen we zien waar we straks allemaal gaan wonen.'

'Goed idee.' Mr. Brown startte de motor. 'Met zelfstarter,' vermeldde hij trots. Hortend en stotend reden we weg.

In de weken dat ik op de krant had gewerkt was ik nog niet één keer in The Meadows geweest. De wijk lag een eindje boven het stadshart, en de weg erheen was een voortzetting van de oude High Street. Met Peggy tegen me aan gedrukt op de achterbank kon ik weinig zien uit het kleine raampje, maar ik kon wel voelen dat de auto moeite had om tegen de heuvel op te komen met vier volwassen passagiers erin. Voor ons uit kon ik een stukje van de heuvel zien en een hele hoop vrachtwagens en cementmolens. Mr. Brown nam de eerste de beste zijstraat van de nieuwe wijk. Daar stonden alleen een paar bestelwagens, duidelijk van bouwvakkers die de laatste hand aan de huizen legden en de rommel opruimden.

We klauterden allemaal uit de auto en ik wist niet wat ik zag. Het uitzicht vanuit The Meadows was schitterend. Je keek uit over de hele stad en de mooie oude parochiekerk. Hoewel het water was gezakt, kon je zien dat het water van de rivier nog steeds over de oevers golfde. De onderste helft van het marktplein was nog steeds een klein meer en er stonden brandweerwagens bij Watergate. 'Ze zijn nog steeds bezig het water weg te pompen,' merkte Mr. Brown op.

De straat waar we waren was net een litteken op de heuvel. De tuinen waren zwart en modderig, maar de bouwvakkers waren hekken aan het plaatsen en de huizen zagen er fris en nieuw uit. Niets deed denken aan de troosteloosheid van de wijk zoals ik die kende.

'Is het niet deftig?' zei Mrs. Brown. 'Het zijn beeldige huizen, zo nieuw en schoon. En kijk eens naar die grote ramen! Lichte kamers. Hier vind je geen oude kelders met schimmel.

Echte voortuintjes en de tuinen aan de achterkant zijn behoorlijk groot. Er is genoeg ruimte voor je moestuin, Frank. En het is niet ver lopen naar de stad, Peg. Net een lekkere wandeling achter de kinderwagen. O, en kijk, we zijn hier bijna op het platteland.'

Inderdaad, aan het eind van de straat was een veld met paarden, met wat bos erachter.

'Wat een heerlijke wijk om in op te groeien. Die baby van jou zal het hier maar wat fijn hebben. En de lucht is zo schoon. Geen roetdeeltjes op je wasgoed, Peg!

Ik hoop alleen dat we leuke buren krijgen. Aan sommige mensen uit Watergate zijn deze huizen niet besteed. Een badkamer! Ze zouden niet weten wat ze ermee moesten doen. Waarschijnlijk zouden ze er duiven houden of zoiets.'

Peggy lachte. 'Jullie krijgen mij en George als buren, en Georges moeder. En Billy West en Carol komen hier wonen met hun drie kinderen. Dat is een goed begin.'

Ik dacht aan Billy, die hier straks zou wonen, een nieuwe tuin zou aanleggen, zou voetballen met zijn jongens, op de fiets van de heuvel zou rijden naar zijn werk, zijn jas flapperend achter zijn rug... Die gedachte deed zoveel pijn dat ik in elkaar klapte.

Peggy en haar moeder liepen over het tuinpad van een van de huizen en ze gluurden door de ramen naar binnen. Ze verbaasden zich over de afmetingen van de keuken, waren dolenthousiast over de tegels rond de haard, de boiler, het bakstenen schuurtje naast de achterdeur. Ze waren over alles even verrukt. Mr. Brown duwde met de neus van zijn schoen in de aarde van de tuin. 'Om te beginnen ga ik aardappelen planten. Je zult zien hoe goed die het hier doen. En we zetten een bankje neer aan de voorkant, waar we 's avonds kunnen zitten om uit te kijken over de stad.'

'Kom eens kijken, Rosie!' riep Peggy. 'Als je door dit raam naar binnen kijkt, heb je een doorkijkje van de keuken naar de voorkamer!'

Ik wilde geen spelbreker zijn en geen domper zetten op hun enthousiasme, dus deed ik een paar stappen over het pad, maar ik had hoofdpijn en mijn benen voelden alsof er lood in zat. Alles om me heen was wazig. Ik was ziek, besefte ik, écht ziek.

'Kunnen we alsjeblieft teruggaan naar huis?' zei ik zo ferm mogelijk, maar ik wist dat ik alleen piepgeluidjes uitbracht. 'Kunnen we naar huis? Ik voel me niet goed.' Ik was misselijk en wilde niet hier overgeven en hun verrukking en enthousiasme over het nieuwe huis bederven.

Opeens stonden ze allemaal om me heen en duwden ze me weer in de auto. Peggy hield mijn hand vast, wreef erover om mijn vingers warm te krijgen. Ik had het ijskoud. Ik bleef aan een stuk door bibberen en kon mijn hoofd niet omhoog houden. Het voelde zo zwaar. We hobbelden terug naar huis in de auto, en ik voelde me zo ziek. Alles deed pijn en ik kon niet gaan verzitten, want ik kon me niet bewegen.

De auto was gestopt, geloof ik. Handen trokken aan me, hielpen me, probeerden me te ondersteunen. Stemmen gonsden boven mijn hoofd. Ze zeiden dat ik nog even moest volhouden. Dat ik zo kon gaan liggen. Lekker in bed. Lekker warm. Slapen. Plotseling leek ik door al die helpende handen heen te vallen. Alles was donker, en ik viel, bleef vallen, eindeloos vallen... en ergens in de duisternis riep Billy mijn naam.

23

Citroen. Ik rook citroenen. Geen twijfel mogelijk. Maar vermengd met iets anders, iets houtachtigs. En zeep. Er zat ook iets van zeep in. Het was een heerlijk frisse geur, kruidig en heel erg vertrouwd.

Ik wist dat ik dit geurtje van lang geleden kende. Maar ook dat het de laatste tijd vaak dichtbij was geweest. Ik besefte dat het al een hele tijd aan de rand van mijn bewustzijn zweefde. Het was troostend geworden, vertrouwd. Maar ik wist dat het ook bij het verleden hoorde, niet alleen bij het nu.

Ik deed mijn best om het te plaatsen. Ik wist dat ik het kende en dat het me gelukkig maakte, maar ik wist niet waarom het me gelukkig maakte. En het leek zo ver weg. Misschien kon ik proberen er dichterbij te komen. Maar het was zo ver weg en ik had het gevoel dat het me niet zou lukken. Alles kostte zoveel inspanning, alles was zo'n worsteling.

Het geurtje was nu dichterbij. Ik ademde het in. Het vulde mijn neus, mijn hoofd. Misschien lukte het toch om erbij te komen, als ik het maar hard genoeg probeerde. Ik moest gewoon nóg harder mijn best doen...

'Rosie! Rosie! Ben je er? Kun je me horen?'

Als ik me heel hard concentreerde, kon ik mijn ogen open krijgen.

Ik knipperde. Iemand boog zich over me heen. Iemand die ik heel goed kende. Billy?

'Rosie! Ik ben het, Will. Kun je me horen?'

Will? Natuurlijk. Citroenen. Will rook altijd fris en kruidig naar verrukkelijk houtachtig citrusfruit. Billy rook naar zweet en bier en kranteninkt. Dit was Will. Will!

Ik deed mijn ogen open en glimlachte naar hem, en hij huilde.

'Je bent terug! O Rosie, je bent terug!'

En toen gaf ik over. Smerig stinkend slijm. Will hield snel een bakje bij en ving het meeste op. Ik deed mijn ogen weer dicht om me af te sluiten voor de stank, voor de pijn in mijn hele lichaam en ja, ook voor de schaamte.

Het volgende moment gebeurde er van alles tegelijk. Mensen praatten, voelden mijn pols, er klonken piepjes van apparatuur. Er waren verpleegsters en een vrouw in een witte jas. En mijn moeder was er en mijn vader ook. Al die mensen. Ik opende mijn ogen en probeerde naar iedereen te glimlachen. Het was zo fijn om hen te zien. Maar mijn hoofd deed nog steeds pijn. Ik voelde me alsof ik een verschrikkelijke kater had en deed mijn ogen weer dicht. Even maar...

Maar ik rook nog steeds citroenen. Waar ik ook was geweest, ik wist dat ik terug was.

Ik lag in het ziekenhuis. Dat kon ik zelf bedenken. Een fijn, eenentwintigste-eeuws ziekenhuis. Dat kon niet anders. Mijn ouders waren er. En zelfs aan deze ene kamer kon ik zien dat dit ziekenhuis heel anders was dan het ziekenhuis waar we Peggy naartoe hadden gebracht. Maar het belangrijkste was dat ik zeker kon zijn van Will.

Terwijl verpleegsters knepen en voelden en temperatuurden en testten en vroegen hoeveel vingers ze omhooghielden, stonden mijn ouders elk aan een kant van het bed. Mijn moeder hield mijn hand vast en ik kon merken dat ze haar best moest doen niet te huilen. Mijn vader streelde mijn schouder, zo ongeveer het enige lichaamsdeel waar hij makkelijk bij kon.

Ik had hoofdpijn en voelde me ellendig, maar een verpleegster veegde snel en handig mijn gezicht schoon, en mijn moeder mompelde sussende woordjes die me een veilig gevoel gaven. Ze controleerden een van de vele slangetjes waar ik aan vast lag en geleidelijk werd ik rustiger en kon ik me een beetje ontspannen.

Will stond intussen aan de andere kant van de kamer, geleund tegen het raam, en hij keek onafgebroken naar me. Ik wist dat hij mijn ouders was gaan halen en toen zelf afstand had genomen, zodat zij dicht bij me konden zijn in mijn pas ontwaakte staat. Het viel niet mee mijn ogen open te houden. Het licht deed pijn. Mijn hoofd voelde heel raar – een beetje zoals het tekeningetje op de doosjes hoofdpijnpillen, van een dwarsdoorsnede van een schedel met wild pulserende kleuren.

Het was Will, niet Billy.

De kleren – een goed passende spijkerbroek en poloshirt – zijn goed geknipte haar, zijn gezicht, minder ruig, met minder rimpels, vertelden het hele verhaal. Zelfs in mijn gedrogeerde toestand zag ik het grote verschil.

Will keek me aan met een uitdrukking van pure liefde. En bezorgdheid. Niet schuldig. Niet zorgelijk. Geen gedachten aan een vrouw en kinderen. Hier was het leven eenvoudig. Ondanks de pijn en de sufheid voelde ik me opeens heel vrolijk. Om verlost te zijn van de pijn liet ik me door slaap overmannen. Maar ik wist dat ik glimlachte.

Het was meningitis. Wat ik had aangezien voor een verkoudheid en keelpijn, gecombineerd met een kater op de maandagochtend en de stress van een ruzie met Will, was in werkelijkheid een heel ernstige ziekte geweest. Ik mocht van geluk spreken dat ik nog leefde. Er was me verteld dat ik over het tuinpad naar Mrs. Turnbulls voordeur was gelopen en aan haar voeten in elkaar was gezakt. Letterlijk op de drempel van de dood.

'Het huis van Mrs. Turnbull?' vroeg ik een dag of wat later, toen ik me goed genoeg voelde om te praten en alles op een rijtje probeerde te krijgen. 'Het huis van Mrs. Brown in Cheapside waar ik heb gelogeerd?'

'Cheapside? Nee,' zei Will, en hij wisselde een blik van verstandhouding met mijn moeder. 'Nee. Mrs. Turnbulls huis in The Meadows.'

'Aha, het nieuwe huis van George en Peggy.'

'Zo nieuw is het niet,' zei Will. 'Het is vijftig jaar oud, een van de oudste van de wijk.'

Ik denk dat ik weer moest gaan slapen voordat ik dit kon bevatten en meer vragen kon stellen. Ik was volslagen in de war. Mijn ouders waren iets gaan eten en ik lag in bed naar de zonsondergang te kijken terwijl Will mijn hand vasthield en met zijn duim over de mijne streek, een vertrouwde liefkozing.

'Dus ik ben niet in Het jarenvijftighuis geweest?'

'Nee, je was hier, in het ziekenhuis. Een week geleden ging je op maandagmiddag naar The Meadows om Mrs. Margaret Turnbull te interviewen. Je zou een groot stuk schrijven over het vijftigjarige bestaan van The Meadows. Kun je je dat herinneren?'

'Ja. Ik heb een taxi genomen omdat mijn auto nog bij de pub stond.'

'Klopt.' Will keek opgelucht. 'En je had net bij haar aangebeld toen je in elkaar zakte. Ze deed de deur open en zag jou kreunend op haar stoep liggen.'

'Nee, het was het huis van Mrs. Brown en ze gaf me thee en cake en toen begon ik me iets beter te voelde. Ik ben er gebleven en ik dacht dat ik in Het jarenvijftighuis was en ik keek de hele tijd of ik ergens camera's zag.'

'Nee, m'n lief,' zei Will zacht. 'Dat heb je gedroomd. De artsen hebben gezegd dat je geheugen waarschijnlijk aan gruzelementen ligt. Je bent nooit binnen geweest in dat huis. Je bent niet verder gekomen dan de drempel.'

Het was te verwarrend om ertegen te protesteren. Ik liet het dus maar en luisterde naar Wills versie van de gebeurtenissen.

Mrs. Turnbull was misschien niet meer de jongste, maar ze wist van wanten. Blijkbaar had ze aan één blik genoeg gehad om te beseffen dat ik niet alleen ernstig ziek was, maar zelfs dat het een hersenvliesontsteking moest zijn. Ze kwam onmiddellijk in actie, pakte de telefoon en legde in een paar woorden uit wat er aan de hand was. De ambulance arriveerde binnen een paar minuten en had me naar het ziekenhuis gebracht. Zonder Mrs. Turnbulls doortastende optreden zou ik het hele verhaal niet hebben kunnen navertellen. Nou, probeer dat maar eens tot je te laten doordringen, dat je er bijna niet meer was geweest.

Ik lag al ruim een week in het ziekenhuis, vertelden ze me, en Will en mijn ouders, en mijn broer Dan, waren zo ongeveer niet van mijn bed geweken.

'Dus ik ben niet in de jaren vijftig geweest?' vroeg ik Will.

'Nee. Je bent bijna doodgegaan in de eenentwintigste eeuw.'

'En de boer heeft zichzelf geen kogel door zijn hoofd gejaagd?'

'Geen boer die ik ken.'

'En er is geen overstroming geweest en je hebt geen bootje geleend van de botenverhuurder aan het meer?'

'Sorry. Geen overstroming. Geen bootje. Geen meer.'

'En... en... je bent niet getrouwd met Carol? Caz? En je hebt niet drie kinderen?'

Will lachte zacht. 'Nee, voor zover ik weet ben ik beslist niet getrouwd met Caz en heb ik geen drie kinderen.'

'Ben je met niemand getrouwd?'

'Nee, met helemaal niemand.'

'En ik mag van je houden?'

'Graag zelfs.' Hij drukte een kus op mijn hand en glimlachte naar me.

'Gelukkig.' Ik liet me terugvallen op de kussens, zonder de pijnlijke plekken op mijn hoofd te raken.

De volgende dag bood mijn moeder aan me te helpen mezelf te wassen en met een washandje ging ze o, zo zacht over mijn hele lichaam. Ik kon mijn haar nog niet wassen, laat staan douchen, maar er waren al wel slangetjes weg en ik kon tenminste een echte nachtpon aan, in plaats van dat ziekenhuishemd.

'O Rosie, ik dacht dat we je kwijt waren,' zei ze terwijl ze me hielp met het aantrekken van de nachtpon. Het was een oude van vroeger die ze had meegenomen van huis, besefte ik, en het katoen rook naar zeep en zonneschijn en warmte.

'Ik was mezelf kwijt. In mijn hoofd ben ik zes weken of langer weg geweest. Ik dacht dat ik in de jaren vijftig leefde. Ik werkte bij *The News* maar alles was anders. Het was heel erg echt.'

'Ik geloof je graag, je bent heel erg ziek geweest. Je hersenen waren opgezet en ze hebben je volgespoten met alle mogelijke soorten medicijnen. Het klinkt me heel verstandig in de oren dat je ergens anders naartoe bent gegaan. Al denk ik dat ik een meer exotische plek had gekozen dan de jaren vijftig. Een of ander mooi strand in een ver land, dat lijkt me veel fijner.'

'Het was... leerzaam. Herinner jij je nog veel van de jaren vijftig, mam?'

'Nee, niet heel veel. Ik ben kort na de kroning van Elizabeth geboren. Ik weet nog dat ik met de hand gebreide vesten droeg en Clarks sandalen en ik keek naar *Muffin the Mule* en *Roy Rogers and Trigger*. En oma had altijd een schort aan, behalve als ze boodschappen ging doen. Dan deed ze het schort af en droeg ze een jas en een hoed.'

'Aten jullie hartjes?'

'Hartjes? Ja, volgens mij wel. Oma vulde ze, als ik het me goed herinner. Hemel, als je over hartjes hebt gedroomd ben je wel heel erg ver heen geweest. Rust nu maar lekker uit. Will komt zo.'

En zo gingen de dagen zoetjesaan voorbij. Ik sliep veel, of ik dommelde, en probeerde wijs te worden uit wat me was overkomen. Het leven in de jaren vijftig was zo levensecht geweest en de herinneringen vervaagden niet. Het leek echter dan wat er nu om me heen gebeurde. Fysiek was ik terug in de eenentwintigste eeuw, maar mijn verstand had er langer voor nodig om terug te komen.

Mijn moeder, mijn vader en Will waren om beurten bij me, maar niemand bleef nu nog slapen. Mijn vader zat steevast naast mijn bed met een kruiswoordraadsel. Hij las de omschrijvingen hardop voor, zodat ik mee kon doen. Ik ben nooit goed geweest in kruiswoordraadsels en onder deze omstandigheden was het al helemaal onmogelijk, maar het was heel rustgevend en gezellig. 'Ik vind het fijn dat je er bent,' mompelde ik op een dag tegen hem, half slapend.

'Daar zijn vaders voor, prinses, om voor hun dochters te zorgen, hoe oud ze ook zijn. En ook om voor jullie moeders te zorgen. Ik zorg voor mama, zodat zij voor jou kan zorgen. Het is uiteindelijk een heel goed systeem.'

'Mama kan best voor zichzelf zorgen.'

'Natuurlijk. En ik ook. En jij. Maar het is veel fijner als we allemaal voor elkaar zorgen, vind je niet?'

Ik viel bijna weer in slaap en dacht erover na.

Er ontstond een routine. De ochtend was voor ziekenhuisdingen: onderzoekjes en artsen en fysiotherapie en zo, en bezoekjes van de specialist, Mr. Uzmaston, en de coassistent, dokter Simpson. Mijn ouders kwamen rond lunchtijd en bleven dan de hele middag bij me. Will kwam 's avonds. Hij had de hele periode dat ik in coma was geweest vrij genomen, maar nu was hij weer aan het werk. Mijn ouders deden hun werk voorlopig op afstand. Mijn vader had een eigen bedrijf en was de hele ochtend bezig met de telefoon en de computer. Mijn moeder, die lesgeeft op een middelbare school, keek 's avonds werkstukken na en begeleidde haar leerlingen via e-mail. Lang leve het internet.

Ik had niet beseft dat ze in mijn huis logeerden.

'Will stond erop,' vertelde mijn moeder. 'Het is per slot van rekening jouw flat, zei hij. En het is veel prettiger dan een hotel. Will slaapt op de bank, dat wilde hij per se. Papa en ik kunnen allebei ons werk doen, en ik zorg dat er eten klaarstaat voor Will als hij terugkomt uit het ziekenhuis.'

Het was raar om te bedenken dat dit knusse huishouden zich zonder mij afspeelde.

De artsen hadden gelijk, mijn geheugen lag inderdaad aan gruzelementen. Ik kon me elk detail van mijn leven in de jaren vijftig herinneren, maar wat er daarvoor was gebeurd kon ik me nauwelijks voor de geest halen.

Op een avond nam Will me mee voor een wandelingetje. Dat was een groot avontuur. We liepen helemaal naar het eind van de lange gang, waar een kleine recreatieruimte was die blijkbaar niet erg populair was. Je had er een schitterend uitzicht over de stad en die avond hadden we de ruimte voor onszelf. De eerste keer dat we ernaartoe waren gelopen – wel honderd hele meters – had Will me terug moeten brengen in een rolstoel omdat ik zo duizelig en slap was geweest. Nu ging het gelukkig goed.

'Binnenkort kun je het hele eind rennen,' zei hij terwijl ik langzaam naar een leunstoel schuifelde en me erin liet vallen.

'Was dat maar waar!'

Ik zag er werkelijk níét uit. In tegenstelling tot heldinnen in films, die ook als ze doodziek zijn een gave huid en prachtig haar hebben én kunstig zijn opgemaakt, was ik een vaatdoek. Mijn huid was vlekkerig, mijn haar was smerig, met een kleine geschoren plek waar de artsen iets hadden gedaan en mijn lichaam was overdekt met blauwe plekken van alle infusen en naalden die ze in me hadden gestoken. Hoewel de verpleging en mijn moeder me wasten, wist ik dat ik ongewassen en zurig rook. Toch lag Wills arm om me heen en hield hij me dicht tegen zich aan.

'Stink ik?'

'Mwah. Je hebt wel eens lekkerder geroken.'

'O Will, wat ben je lief en geduldig.'

'Je bent heel erg ziek geweest. We moeten goed voor je zorgen. Ik denk niet dat je op dit moment draken kunt verslaan.'

Er ging een belletje rinkelen. Jamie, die het had over werkloze drakendoders, omdat vrouwen heel goed in staat waren om hun eigen draken te verslaan...

'Will, hebben we ruzie gehad vlak voordat ik ziek werd?'
'Ssst. Het is niet belangrijk.' Zacht streelde hij mijn ongewassen haar.
'Maar het is wel zo, hè? Ik kan het me herinneren! Jij wilde naar Dubai. Je wilde een grote televisie. Je gaat toch niet naar Dubai? Nee toch?' Ik hoorde zelf dat mijn stem oversloeg van paniek.
'Nee liefje, ik ga niet naar Dubai. Maak je toch niet zo druk.'
Opeens kwamen flarden van de ruzie weer boven. Will die tegen me zei dat ik egoïstisch was. En dat ik tegen hem had gezegd dat hij een groot kind was en geen verantwoordelijkheidsgevoel had...
Was dat waar?
Ik dacht aan Billy. Billy had de verantwoordelijkheid voor een huwelijk en het vaderschap genomen toen hij pas zeventien was en zowel van het een als het ander iets moois gemaakt. Was Billy in feite Will, maar dan in andere omstandigheden? Als Billy niet had moeten trouwen en genoeg geld had gehad, zou hij dan ook van snelle auto's en grote televisies hebben gedroomd?
Ik noemde de gadgets waar Will een passie voor had zijn speeltjes. Maar waarom niet? Hij had het niet nodig om volwassen te zijn, dus waarom zou hij zich dan in dat keurslijf laten dwingen? Als hij op Billy leek, zou hij volwassen worden wanneer dat nodig was.
'Je vroeg me hoe ik de toekomst zag. Of ik kinderen wilde.'
Will legde een vinger tegen mijn lippen. 'We moeten over allerlei dingen praten, maar niet nu, nog niet. Je moet beter worden, dat is nu het belangrijkst. Dan hebben we een heel leven de tijd om te bedenken wat we willen. Nog maar een paar dagen geleden leek dat er niet in te zitten. Rustig aan, Rosie. We hebben alle tijd van de wereld. En ik ga niet weg.' Hij grijnsde naar me. 'En jij bent er nog niet aan toe om een marathon te lopen!'
Hij hielp me overeind en ik begon aan de trage, moeizame terugtocht naar mijn bed.
Het ging elke dag een beetje beter. Ik weet dat ik het medisch team dat mijn leven heeft gered enorm veel verschuldigd ben, maar ook de twee leerling-verpleegsters die me hielpen met douchen en het wassen van mijn haar was ik intens dankbaar. Wat was dat lekker! Je voelt je weer mens, als je snapt wat ik bedoel.

Ik had massa's kaarten en bloemen gehad en de artsen besloten dat ik nu wat meer bezoek mocht ontvangen. De eerste bezoekster was Caz, die in een wolk van frisse lentelucht mijn kamer binnen kwam huppelen.

Haar blonde highlights glansden en als ze glimlachte ontblootte ze een gaaf en hagelwit gebit. Ik dacht aan Carol en haar scheve tanden.

'Caz, heb jij vroeger een beugel gedragen?'

'O hemel, ja! Van mijn twaalfde tot mijn vijftiende, precíes de leeftijd dat je je toch al geen raad weet met jezelf,' zei ze terwijl ze een takje van mijn druiven plukte. 'Tandartsen hebben heel wat op hun geweten. Mijn sociale leven was totaal naar de knoppen.'

'Echt waar?'

'Geintje. Maar ik weet nog heel goed dat mijn beugel eraf mocht toen ik naar de derde ging en toen kon ik eindelijk stralend glimlachen naar Will.'

'En met succes.'

'O ja. Hoewel, lang heeft het niet geduurd, wat bewijst dat tandartsen je wel mooie tanden kunnen geven, maar niet voor een levenspartner kunnen zorgen.'

'Maar stel nou dat het wel was gebeurd?'

'Hoe bedoel je?'

'Nou,' hakkelde ik, 'stel nou dat je zwanger was geraakt en met Will was getrouwd, zouden jullie dan een gelukkig huwelijk hebben gehad?'

'Zo is het niet gegaan. Ik bedoel, ik ben niet zwanger geraakt, en als het wel zo was geweest zou ik het hebben laten weghalen. En de gedachte om met Will te trouwen toen hij zeventien was. Eh... nee. Hou er maar over op, Rosie. Ik weet dat je ziek bent geweest, maar dat is echt bizar.'

Ik gaf het niet op. 'Serieus, denk er eens over na. Zou het goed zijn gegaan?'

'Jemig, weet ik veel. In principe zeg ik nee, want Will en ik zouden elkaar gek hebben gemaakt, hoe dol ik ook op hem ben als een goede vriend. Maar als je per se serieus wilt zijn, dan denk ik dat het in een parallel universum misschien goed zou zijn gegaan.

Gearrangeerde huwelijken kunnen goed gaan, dat weet jij ook. Will is een nette vent, hij is niet iemand die zijn vrouw slaat of baby's verorbert voor zijn ontbijt. Hij houdt van voetbal en hij haalt soms een hele nacht door met een pokerspelletje, maar afgezien daarvan heeft hij volgens mij geen echt slechte gewoonten. Dus ja, in die bizarre hypothetische situatie van jou, als Will en ik gedwongen waren geweest te trouwen, zouden we, als we allebei ons best hadden gedaan, misschien in staat zijn geweest er iets van te maken. Maar eerlijk waar, ik ben zo blij dat het niet zo is gegaan.

Bovendien, als ik met Will was getrouwd, zouden jij en Jamie op elkaar zijn aangewezen. En ik heb Jamie aan de haak geslagen, dank je wel, dus laten we de dingen alsjeblieft zo laten!' Ze gooide de druivensteeltjes in de prullenbak en pakte een tissue van mijn nachtkastje om haar handen af te vegen.

'Nog één ding.' Ik moest het vragen. 'Ik weet dat het me niet aangaat, maar weet je heel zeker dat jullie geen kinderen willen?'

'Begin nou niet wéér!' zei Caz lachend. 'Heel erg honderd procent zeker. Eerlijk waar, Rosie, Jamie en ik hebben er veel over gepraat, dus het is geen bevlieging. We zijn allebei vastbesloten. Jamie heeft genoeg aan de kinderen op school, en ik, nou, volgens mij heb ik geen druppel moederlijk bloed in mijn lijf. Ik ben veel te egoïstisch! Er zijn te veel dingen die we willen doen, reizen die we willen maken. Kinderen passen niet in dat plaatje. We hebben allebei nichtjes en neefjes en als de dag ooit komt, wil ik graag de liefhebbende peettante van jouw spruiten worden. Als jij dat tenminste wilt, natuurlijk. Maar zelf kinderen? Alsjeblieft niet.'

Ik dacht aan Carol en de manier waarop zij voor haar kinderen zorgde, de glinstering van trots en verrukking in haar ogen als ze met haar kroost samen was. Haar hele leven draaide zo ongeveer om haar kinderen.

Caz ging er lekker voor zitten om me alle sappige roddels te vertellen die ik gedurende mijn ziekte had gemist.

Hoewel ik luisterde en glimlachte, kon ik alleen maar aan Libby denken, het meisje met de verlegen glimlach en de heldere, nieuwsgierige ogen dat het evenbeeld van haar moeder was. Het meisje dat in deze tijd nooit geboren zou worden.

24

'Zo, waar is mijn lieve kleine meid?' De stem was hoorbaar in de tuin, waar ik op een bankje zat en me koesterde in de vroege zomerzon.

'Opa! Oma!'

Ik had ze niet binnen horen komen, maar nú liepen ze over het tuinpad naar me toe, hun armen wijd gespreid om me te omhelzen. Ze zagen er geweldig goed uit. Het was duidelijk dat het leven in Spanje hun goeddeed. Ze waren slank en gebruind, en leken nog bruiner doordat ze lichte kleren droegen en grijs haar hadden. Mijn broer Dan had ze opgehaald van het vliegveld en was nu ongetwijfeld in de keuken op zoek naar lekkere hapjes.

'We wilden met eigen ogen zien of je weer helemaal beter bent.' Mijn oma keek zorgelijk en leek opeens oud.

'Het gaat goed, echt waar. Ik ben nog wat wankel, maar ik voel me elke dag een beetje beter.'

'En waar is die fantastische jongeman van je?' vroeg mijn oma, en ze keek om zich heen alsof ze verwachtte dat Will achter een struik vandaan zou komen.

'Hij komt later pas, oma. Hij moet werken.'

'We hebben allemaal positieve verhalen over hem gehoord.'

'Zeg dat wel,' zei Dan, die met een stuk kaas in zijn ene hand en een appel in de andere de tuin in liep. 'Die man is een held, een ware Florence Nightingale. Weet je, zus, hij moet werkelijk iets in je zien, want laten we eerlijk zijn, je zag er werkelijk níet uit toen je ziek was. Ik dacht altijd dat zieke mensen er frêle en mooi uitzagen, maar jij was niet om aan te zien. Het gaat nu alweer wat beter,' voegde hij er haastig aan toe, want ik zat klaar om mijn boek naar zijn hoofd te smijten. 'Bijna weer menselijk.' En hij maakte dat hij wegkwam.

Iedereen lachte, maar mijn oma pakte mijn hand beet. 'Mensen kunnen doodgaan aan meningitis, schatje,' zei ze.

'Ik weet het, oma, maar ik ben niet dood. Dankzij de vrouw die ik ging interviewen. Wat een snelle tante. Ik ga haar opzoeken zodra ik weer de oude ben,' zei ik. 'Ze heeft mijn leven gered, dus haar bedanken is wel het minste wat ik kan doen.'

En toen moest ik hun natuurlijk het hele verhaal van mijn ziekte vertellen, compleet met alle onsmakelijke details. Wat is dat toch met oude mensen en ziekten? Waarom fascineert hen dat zo?

Toen riep mijn moeder dat de lunch klaar was. Mijn opa moest hun hele bagage overhoop halen om de flessen wijn te vinden die ze uit Spanje hadden meegenomen, en hij stond erop dat ik naast hem kwam zitten. Het was zo fijn om weer met mijn familie samen te zijn, om me beschermd en bemind te weten en naar hun verhalen te luisteren.

'We hebben zoveel om dankbaar voor te zijn,' zei mijn oma met een glas in haar hand. 'En dit jaar zijn we vijfenvijftig jaar getrouwd, dus dat willen we vieren. Pluk de dag, dat is tegenwoordig ons motto. Hebben jullie zin om naar Spanje te komen? Dan huren we nog een villa niet ver van de onze en kunnen jullie allemaal een weekje komen, of langer als jullie willen. De hele familie bij elkaar, een echte reünie. Zien jullie er wat in?'

'Geweldig!' riep mijn moeder uit. 'Helemaal geweldig!'

'En als we over vijf jaar nog steeds fit zijn, kunnen we het nog eens dunnetjes overdoen als we zestig jaar zijn getrouwd,' zei mijn oma lachend.

Mijn vader schonk opa een glas whisky in, 'voor de jetlag', zei hij, en opa knipoogde naar hem, en het viel me op hoe goed hij eruitzag voor iemand van dik in de zeventig. De zon en het Spaanse leven deden wonderen voor hem. Afgezien van zijn witte haar kon hij doorgaan voor iemand die tien jaar jonger was dan hij. Oma ook, in haar gele broek en bijpassende gilet, en een brede zilveren armband rond haar gebruinde arm.

Mijn opa nipte van zijn whisky en glimlachte. 'Wie had dat ooit gedacht?' zei hij. 'Na vijfenvijftig jaar zijn we nog steeds samen, en we maken plannen voor een feest in Spanje alsof het om de hoek is.' Hij keek vertederd naar mijn oma.

'"Een kasteel in Spanje,"' vervolgde hij. 'Dat zeiden we vroeger altijd als we een droom wilden beschrijven, iets waarvan we dachten dat het altijd buiten ons bereik zou blijven. "Een kasteel in Spanje", en dat is precies wat we nu hebben. In elk geval een villa.'

Mijn oma straalde ook, ontspannen achterovergeleund in haar stoel. 'Elke ochtend als ik wakker word en een duik neem in ons zwembad, besef ik hoe geweldig het is. Er is een tijd geweest dat ik blij was met warm kraanwater, en nu heb ik een heel zwembad vol. O, het is zo fijn, zo ontzettend heerlijk.'

Ze schonk zichzelf nog een glas wijn in. Ze was behoorlijk aangeschoten en nog lang niet klaar. 'De tijden veranderen, maar het kan me niet schelen wat andere mensen zeggen. Als je een leuke vent hebt gevonden, zorg je dat je hem niet meer kwijtraakt.' Ze gebaarde waarschuwend met haar wijsvinger en sloeg haar wijn achterover. 'Luister goed naar me, want ik weet waar ik het over heb.'

'Ik hoor je, oma, ik hoor je.'

En daarmee, als een acteur die zijn claus heeft gehoord, kwam Will aanzetten, met een bos bloemen voor mijn moeder en een oude plastic boodschappentas voor mij. Hij gaf mijn grootvader een hand, kreeg een kus van mijn moeder, een biertje van mijn vader, een vrolijke begroeting van Dan, en een onstuimige omhelzing van mijn oma, die eiste dat hij naast haar kwam zitten, zodat ze hem aan een kruisverhoor kon onderwerpen terwijl ze intussen overdreven met hem flirtte. Hij besefte al snel dat hij niet tegen haar was opgewassen, grijnsde naar haar en beantwoordde als een mak lam al haar vragen.

Binnen twee minuten wist ze alles wat ze weten wilde: waar hij vandaan kwam, naar welke universiteit hij was geweest, wat zijn ouders deden, wat zijn hobby's waren, of hij vegetariër was, of hij een voorkeur had voor voetbal of rugby en of hij carrière wilde maken bij de krant. En ze hield haar arm de hele tijd door de zijne gehaakt, zodat hij geen kant op kon. Haar interviewtechniek was werkelijk fenomenaal.

Ze lachten allebei toen ze zich omdraaide naar mij en zei: 'Voorlopig kan hij ermee door, Rosie. Hij heeft de eerste gespreksronde goed doorstaan.' Ze liet haar stem dalen tot een zogenaamde fluistertoon. 'Wat is hij leuk, hè? Als jij hem niet wilt hou ik hem zelf, maar denk erom, geen woord tegen opa.'

Uiteindelijk liet ze hem pas los toen mijn moeder hem een bord met vlees en salade bracht.

Niet lang daarna brachten mijn ouders oma en opa naar de kleine flat die ze als pied-à-terre in Engeland gebruikten. Oma ging op haar tenen staan om Will een kus te geven. 'Denk erom dat je goed op Rosie past,' zei ze met gespeelde strengheid. 'We houden allemaal heel veel van haar.'

'En ik ook, maakt u zich geen zorgen,' verzekerde hij haar toen hij arm in arm met haar naar de auto liep.

Ten slotte reden ze weg, breed zwaaiend, en de kushandjes waren niet van de lucht. Dan ging naar zijn vriendin, en eindelijk waren Will en ik alleen. Toen pas herinnerde ik me de plastic boodschappentas. Hij stond achter mijn stoel, en ik maakte hem voorzichtig open om te kijken wat erin zat. Het was een beker waar ijs in had gezeten. Nu zat de beker vol aarde en er groeide een plantje in met een paar kleine groene dingetjes eraan.

'Eh... schattig. Wat zijn het?'

'Chilipepers,' zei hij trots. 'Ik ben met zaadjes begonnen. Ik heb ze gekregen van een man die ik heb geïnterviewd. Hij maakt allerlei soorten chilisauzen. Brandend heet spul. Ik ben met een opscheplepel naar een van de kersenbomen voor ons huis gegaan, ik heb aarde in een beker geschept en daar de zaadjes in gedaan. Toen heb ik de boel water gegeven en in de vensterbank gezet, en voilà, een tijdje later had ik een plantje. Ik heb groene vingers, kijk maar. Thuis heb ik er nog meer, een echte plantage. Ik heb dit plantje alleen meegenomen om het je te laten zien.'

'Ik ben onder de indruk. De tuinman op tv kan zijn biezen wel pakken.'

'Bedankt voor het compliment. Het is een soort toveren, weet je. Je stopt een zaadje in de grond en daar groeit uiteindelijk iets uit wat je kunt eten. Heel cool eigenlijk. Misschien ga ik het vaker doen.'

'Nog meer chilipepers?'

'Nog meer van alles, alles wat je op een vensterbank kunt kweken. Ik moet je ook nog vertellen dat ik ontzettend veel ijs heb moeten eten om mijn chilipepers te kunnen kweken. De offers die je als tuinman moet brengen, werkelijk.'

Ik herinnerde me een grote tuin tegen een heuvel, een tuin die met zoveel liefde werd onderhouden. Keurige rijtjes, smalle paad-

jes, hoge wigwamvormige frames voor pronkbonen. En een man zoals Will die op zijn schep leunde en naar zijn zoons keek...
'Rosie, je hebt weer die afwezige blik in je ogen. Denk je weer aan je droom?'
Ik schudde mijn hoofd om de herinnering te verdrijven en glimlachte. 'Een beetje. Het lijkt nog steeds zo echt allemaal. Veel meer dan een droom.'
Ik had Will het hele verhaal geprobeerd uit te leggen, maar je weet hoe het gaat als je iemand wil vertellen wat je hebt gedroomd. Er is nooit een touw aan vast te knopen, en je voelt je volkomen belachelijk, vooral als de ander je dan glazig aanstaart.
'Waarom schrijf je het niet op, alles wat er is gebeurd? Je kunt er een mooi stuk voor de pagina Mens en Gezondheid van maken: "Wat meningitis met je doet". Dat zou een ontspannen manier zijn om weer aan het werk te gaan.'
'O ja, dat wilde ik je nog vertellen. Ik voel me goed genoeg om weer te beginnen.'
'Rosie, je moet niet te hard van stapel lopen.'
'Dat doe ik heus niet. De dokter heeft gezegd dat ik het zelf mag beslissen. Ik heb de Feeks gesproken en ik ga maandag over een week weer aan de slag. Ze heeft gezegd dat ik zoveel of zo weinig kan doen als ik wil totdat ik weer helemaal de oude ben. Het was heerlijk om thuis te zijn, en mijn ouders zijn absolute schatten, maar ik wil terug naar mijn eigen huis, naar óns huis.'
'Als je het echt heel zeker weet...' Will keek bezorgd. 'Ik zou het heerlijk vinden om je terug te hebben en ons oude leventje weer op te pikken.' Hij kwam naast me liggen op de bank, schoof zijn lange benen onder de mijne en sloeg een arm om me heen.
'Ik heb je vreselijk gemist, weet je,' zei hij. 'Ik vind er niks aan in mijn eentje. Ik zie er elke keer tegen op naar huis te gaan. Ik mis het dat je er niet bent, dat ik niet met je kan praten, dat ik je niet om je mening kan vragen, ik mis de gezelligheid. Goeie god, ik mis het zelfs dat ik je niet kan horen zingen, kun je nagaan hoe erg het is! Door al deze narigheid ben ik gaan beseffen dat ik... dat ik niet zonder jou door het leven wil gaan, Rosie.'
Ik lag in zijn armen, zonder hem aan te kijken, mijn blik gericht op het raam en de hoge takken van de appelbomen in de tuin.

Ik kon zijn borstkas voelen, de warmte van zijn huid onder zijn shirt. Ik rook zijn frisse aftershave, ik kon zijn hartslag horen. Ik kon hem voelen, hem aanraken, en hij lag zo dicht tegen me aan dat ik me bijna een deel van hem voelde. Ik dacht aan de avond dat ik Billy naar huis had zien gaan naar een andere vrouw en haar kinderen. Het was dan misschien een droom geweest, maar de pijn was echt en niet weggezakt. Ik wist dat ik nooit meer zonder deze verbondenheid met Will wilde leven.

'De dag voordat ik ziek werd, toen we ruzie hadden...'

'Mmm.' Ik kon voelen dat Wills spieren zich spanden bij de herinnering.

'Je zei dat je weg wilde, naar Dubai of Barbados of iets in die geest.'

'Ik was boos.'

'Dat weet ik, maar waarom? Alsjeblieft Will, ik wil het graag kunnen begrijpen.'

'Wil je er echt nu over praten? Ben je eraan toe?'

'Ja, ik wil helderheid.' Ik kroop weg in de holte onder zijn schouder.

Hij haalde diep adem. 'Gedeeltelijk omdat ik niet weet wat je wilt. Soms vraag ik me af of je wel ruimte voor me hebt. Het is alsof je mij, en mannen in het algemeen, als een bijgerecht ziet.'

'Nee! Dat is niet w...'

'Stil, stil, laat me nou proberen te zeggen wat ik kwijt wil. Het is alsof jij je hele leven hebt uitgestippeld, en als ik voor spek en bonen mee wil doen, prima. Maar als jij belangrijker dingen te doen hebt en ik pas niet in je plannen, nou, vergeet het dan maar. Begrijp me goed, ik wil geen vrouw die het huishouden doet en voor de kinderen zorgt, die altijd maar thuis zit te wachten tot ik thuiskom. Alsjeblieft niet. Maar ik wil ook niet iemand die haar eigen gang gaat en doet waar ze zin in heeft alsof ik niet besta. Daarom dacht ik toen dat ik ook maar mijn eigen dingen moest doen. Reizen bijvoorbeeld, alle dingen waarvan ik droomde voordat ik jou leerde kennen. Ik raakte er te veel aan gewend om met jou samen te zijn. We werkten samen, gingen samen naar de pub, we aten en kookten samen, we hingen voor de televisie... En we sliepen natuurlijk samen...'

Hij pakte een lok van mijn haar en wikkelde die rond zijn vingers en toen streelde hij mijn wang. Ik voelde een tinteling van-binnen.

'Het werd steeds belangrijker voor me.' Hij draaide zich op zijn zij zodat hij me kon aankijken. 'En ik begon te hopen dat we altijd samen zouden blijven. Het probleem was alleen dat ik niet wist wat jij wilde. Jij kondigde van tijd tot tijd aan dat je dit of dat wilde doen, alsof het helemaal niets met mij te maken had. Het leek me beter niets te zeggen en af te wachten hoe het zou lopen.

Toen ik je zag in dat ziekenhuisbed, en wist dat je dood kon gaan, had ik het gevoel dat mijn hele wereld op z'n kop stond. Zonder jou heb ik nergens lol in. Zonder jou heeft mijn leven geen zin. Is het niet triest? Maar zo is het nu eenmaal.' Hij haal-de zijn schouders op.

'Dit is mijn verhaal, Rosie. Ik hou van je en ik ben er behoorlijk zeker van dat ik de rest van mijn leven met je samen wil zijn. Nu liggen mijn kaarten op tafel. Als jij er anders over denkt, zeg het dan maar gewoon.'

Ik kroop nog dichter tegen hem aan. En haalde diep adem. 'Ik dacht dat jij je niet wilde binden. Ik dacht dat ik je bang zou maken als ik je liet merken hoe graag ik met je samen wilde zijn. Dat je dan op de loop zou gaan.

Ik wilde mijn eigen leven, omdat ik dacht dat ik het nodig zou hebben als jij bij me wegging. Ik dacht dat je niet volwassen wilde worden. Geen commitment, geen verantwoordelijkheid, en vooral niet settelen. Ik was bang dat je me zou kwetsen, dus deed ik alsof ik het allemaal niet zo belangrijk vond.'

Opeens zag ik Billy voor me, zoals hij zijn zoon Peter in de tuin leerde een broeibak te maken. Hoe volwassen hij was geweest, hoe lief voor zijn zoon.

'Toen hadden we die nare ruzie, en ik dacht dat ik je kwijt was. Ik besefte dat ik niets liever wilde dan met je samen zijn. En ik besefte dat je mijn rots in de branding kon zijn, als jij het wilde, als het nodig zou zijn. Tot nu toe is het gewoon nooit nodig geweest. Ik had nog nooit een pan met aangebrande pap afgewassen zonder afwasmiddel, ik had nog nooit oog in oog gestaan met een gewapende man of kilometers gelopen, maar nu weet ik dat ik daarmee kan omgaan. Net zoals Caz kan leven zonder elektriciteit of warm water of de haarverf van haar dure kapper.'

Ik kon merken dat ik Will in verwarring bracht. 'Rosie, waar heb je het over?'

'Dat is niet één, twee, drie uit te leggen.' Ik zou het nóóit uit kunnen leggen. 'Het komt erop neer dat ik heb beseft dat we niet weten wat we allemaal kunnen totdat we het móéten kunnen. Soms moeten we mensen gewoon vertrouwen en het erop wagen.'

En ik wist dat ik Will kon vertrouwen. Hij was door en door betrouwbaar.

En de kluts kwijt. 'Maar wat heeft dat met aangebrande pap en gewapende mannen te maken?'

'Niets. Alles. Ik kan het niet uitleggen. Ik weet alleen dat... dat ik nooit meer zonder jou wil zijn. Dat wist ik een tijd geleden al, maar doordat ik ziek ben geweest twijfel ik niet meer.'

Will speelde nog steeds met mijn haar. Ik voelde zijn adem op de zijkant van mijn gezicht, als een warme streling. De hele tijd dat ik bij mijn ouders had gelogeerd sinds ik uit het ziekenhuis was ontslagen had hij in de logeerkamer geslapen. Niet omdat mijn ouders preuts waren of zo, maar omdat ik me nog steeds zo slecht voelde dat ik het nauwelijks kon verdragen om aangeraakt te worden. Nu Will me kuste, terwijl onze benen zich verstrengelden op de bank, nu ik hem in mijn armen nam en zijn hoofd dicht tegen me aan trok, wist ik dat dat was veranderd.

'Wat vind je ervan, Rosie, jij en ik tegen de wereld? Als stel? Blijven we bij elkaar om te zien hoe het verder gaat?'

Ik knikte. 'Iemand heeft tegen me gezegd dat jij en ik een geweldig team zijn, dat er dingen gebeuren als wij samen zijn. Ik denk dat het waar is. Samen kunnen jij en ik de wereld veroveren!'

Wills lach kwam ergens onder het vierde knoopje van zijn overhemd vandaan. Ik lag met mijn hoofd op zijn borst en voelde de lach omhoogborrelen, al voordat ik hem hoorde. Ik voelde me een deel van hem, precies wat ik wilde. Ik maakte me los uit zijn omhelzing, pakte zijn hand en nam hem mee naar boven naar mijn slaapkamer.

'Weet je het zeker?' vroeg hij.

'Heel zeker. Alles.'

25

'O, mijn lieve, lieve computer!' En geloof me of niet, ik klopte erop, alsof het mijn favoriete huisdier was.

Achter me klonk een snuivende, vertrouwde lach. Ik draaide me om en daar stond de Feeks, glimlachend. 'Welkom terug, Rosie. Ik ben blij dat je er weer bent en dat je er goed uitziet. Alleen had ik niet gedacht dat je je computer zo erg zou missen!'

'Ik dacht…' Hoe moest ik het uitleggen? 'Ik dacht aan… hoe het vroeger ging, toen je schrijfmachines gebruikte met papier en carbonpapier.'

De Feeks glimlachte. 'Twee vellen carbonpapier per keer en het was een ramp fouten te verbeteren. We waren er zoveel tijd mee kwijt. Ja, zo was het toen ik begon. Dan ging je kopij naar de eindredactie, vervolgens naar de typograaf en tot slot naar de drukker. Nu lijkt het hele proces zo ongeveer middeleeuws. Maar goed, ik neem aan dat de drukpers in principe weinig verschilde van toen.'

'Waren de eindredacteuren allemaal mannen toen jij begon?'

De Feeks ging elegant op de rand van mijn bureau zitten. 'Ja, allemaal, tot het begin van de jaren zeventig, als ik het me goed herinner. Ze zaten in een grote rookwolk rond hun tafel – ze rookten allemaal pijp – en ik vond het altijd vreselijk als ik naar ze toe moest.'

'Ik ook! Ik bedoel, eh… we mogen van geluk spreken dat alles is veranderd.'

'Zeg dat wel,' beaamde de Feeks en ze keek me een beetje raar aan. 'O ja, ze gaan dat jarenvijftighuis toch niet in The Meadows doen. Ik heb gehoord dat ze in Birmingham gaan draaien. Jammer, het zou leuk zijn geweest het hier te hebben. Heb je iets van Margaret Turnbull gehoord?'

Ja, ik had van haar gehoord. De oude dame die ik wilde interviewen en die mij zo kordaat had geholpen, lag nu zelf in het ziekenhuis. Ze had een beroerte gehad.

'Ja, ik heb haar gebeld omdat ik langs wilde komen om haar te bedanken. Als zij er niet was geweest... Haar dochter, de directrice van de school, was in haar huis en nam op. Ze vertelde dat ze dingen kwam halen die haar moeder nodig had in het ziekenhuis en dat ze het me zou laten weten als ze bezoek kan ontvangen.'

De Feeks pakte haar stapel papieren weer op – verkoopcijfers, zo te zien, opnieuw goede – en liep weg in de richting van haar kantoor. 'Nogmaals, ik ben blij dat je terug bent, maar doe het in hemelsnaam rustig aan. Verg niet te veel van jezelf, in elk geval de eerste paar weken niet. We willen niet dat je weer ziek wordt.'

Daar ging ze, en haar onberispelijke rode bob lichtte op toen er door het raam een straal zonlicht op viel.

Het was bijna niet te bevatten dat het kantoor zo groot en licht was, ik keek mijn ogen uit. Er stonden planten in de vensterbanken, in plaats van stapels vergeelde kranten. Toegegeven, de meeste bureaus waren onvoorstelbaar rommelig, maar overal stonden slanke zwarte computers en elk bureau had een eigen telefoon. Dat leek zo'n luxe. Alles was even schoon en ruim, en er lag vaste vloerbedekking – vaste vloerbedekking! – er stonden waterkoelers en de pot versgezette koffie rook heerlijk.

Terwijl ik op mijn gemak om me heen keek, kwamen er twee mannen en een meisje binnen. Ze droegen gestreepte shirts met een boompje als logo, en waren gewapend met gieters en een kist met allerlei gereedschap. Het meisje pakte een spray en een lapje en ze poetste de bladeren van de gatenplant in het midden van de redactie op, terwijl de twee mannen dode bladeren verwijderden van de planten bij de waterkoeler en alle planten verspreid over de hele afdeling water gaven. Ik zou er heel wat voor hebben gegeven als Gordon het had kunnen zien. Hij zou er zowat in zijn gestikt.

Eerlijk waar, ik had nooit gedacht dat ik zo waanzinnig gelukkig zou zijn om terug te zijn op de redactie van *The News*, en dan heb ik het nog niet eens over alle omhelzingen, kusjes en kaarten met 'welkom terug' van vrienden en collega's. Er was een ballon aan mijn toetsenbord geknoopt en naast mijn telefoon stond een bos rozen. Ik snoof de geur ervan diep op en ging weer zitten. Ik zette mijn computer aan en bekeek mijn e-mail. Mijn inbox zat vol mails vanaf de dag dat ik ziek was geworden. Ik wiste ze allemaal. Een nieuw begin. Ik ging naar Google, domweg omdat het me blij maakte dat ik binnen luttele seconden over alle mogelijke soorten informatie kon beschikken. Toen stuurde ik Will een mailtje, gewoon om dag te zeggen. Het was zo fijn om terug te zijn…

Het was ook fijn om terug te zijn in de eenentwintigste eeuw. Aan het eind van de week ervoor was ik teruggegaan naar mijn eigen flat. Ik had weer in mijn auto gereden. Ik had massa's nieuwe muziek gedownload op mijn iPod. Ik koesterde mijn mobieltje. En ja, Will en ik hadden een nieuwe tv gekocht. Ja, ja, ik weet het, we hadden er geen ruimte voor, maar dat zou veranderen.

We waren namelijk op huizenjacht. We wisten niet precies hoe het verder zou gaan met onze carrière – we hadden allebei dromen en ambities, maar we zouden wel zien. We waren een team. We zouden er wel iets op verzinnen.

En dan was er nog iets. Afgezien van de aanschaf van die extravagante televisie – mijn cadeau aan Will om hem te bedanken voor alle uren die hij aan mijn bed had doorgebracht en alle keren dat hij heen en weer was gereden om bij me te kunnen zijn – deden we het zuinig aan om een aanbetaling voor een nieuw huis bij elkaar te sparen. En weet je? Ik vond het niet eens erg. Of de jaren vijftig nu een droom of werkelijkheid waren geweest, er bleef iets van hangen. Ik ging de stad in om nieuwe kleren te kopen en keek naar al die eindeloze rekken met kleren. Ik dacht aan Carol, die dag in dag uit dezelfde jas, dezelfde rok, dezelfde trui en dezelfde schoenen had gedragen, zonder dat ze het vervelend vond. Begrijp me niet verkeerd, ik hield niet van het ene moment op het andere op met winkelen, maar ik dacht meer na over wat ik kocht. En ik stelde een handtassen-stop in. Hoeveel handtassen heeft een meisje nu helemaal nodig, zeker à raison van honderden ponden per exemplaar?

Het was geweldig om weer echte ultra volume waterproof mascara te hebben, klaar voor gebruik, compleet met een handig rond borsteltje, en niet een of ander smerig blokje waar je eerst op moest spugen en dan over moest wrijven. En de eerste keer dat ik met mijn moeder de stad in ging, werd ik erg hebberig van de Bobbi Brown cosmetica. Maar toen ik naar alle spulletjes op mijn toilettafel keek, besefte ik dat ik voorlopig nog wel even voort kon.

Ik kan je niet vertellen hoe fantastisch het was om voor het eerst nadat ik ziek was geweest weer in een supermarkt te zijn. Al dat eten! Sterker nog, al die kant-en-klaarmaaltijden, al dat spannende, verrukkelijke eten dat je gewoon in de magnetron zet of op een bord legt. Ik was in de zevende hemel. Hoewel het zomer was, kocht ik pap voor in de magnetron, gewoon vanwege het plezier om de pap in anderhalve minuut op te warmen en na het eten ervan de beker gewoon weg te kunnen gooien. Ik zal die grote grijze pan nooit vergeten, de groene zeep en dat viezige plukje staalwol.

Op een avond maakte ik eten. Dat wil zeggen, ik zette een quiche met geitenkaas op een schaal, legde er gemengde slablaadjes uit een zakje omheen (gewassen in bronwater uiteraard), met een paar kerstomaatjes, en als toetje hadden we een heerlijk zurige citroentaart en erbij dronken we een glas gekoelde chablis (niet meer dan een half glas voor mij; ik dronk nog heel weinig), en ik herinnerde me de hartjes die in dat bloederige water lagen, alle aardappels die ik had geschild, de rabarber, en de uren die nodig waren geweest om eten te koken...

In de supermarkt stonden alle uitpuilende schappen me een beetje tegen. Een van de eerste stukken die ik moest schrijven toen ik weer aan het werk ging, had als onderwerp hoe we energie kunnen besparen, hoe we de aarde kunnen redden en tegelijkertijd konden bezuinigen. Gaap.

'Wat ongelooflijk boeiend,' zei ik tegen Stan, de eindredacteur, en ik stond bepaald niet te popelen om aan de slag te gaan.

Ik zat achter mijn computer en zocht allerlei feiten en cijfers op, totdat het me plotseling begon te dagen: als we leefden zoals de mensen in de jaren vijftig, zou het hele probleem vrijwel direct zijn opgelost. Ik had meteen een titel: 'Hoe groen was uw grootmoeder?' Ik dacht aan alle dingen uit het jarenvijftighuis en begon driftig te tikken.

Stan grijnsde toen hij het las. 'Ik wist wel dat je er iets leuks van zou maken.'

Mijn stuk sloeg in als een bom. Ik kreeg stapels brieven en mails van mensen die zich herinnerden hoe zij – of hun moeders en grootmoeders – vroeger leefden.

'Denk je dat er een column in zit?' vroeg de Feeks. 'Er wordt van ons allemaal verwacht dat we meer recyclen en minder consumeren, dat we collectief ons best doen om de uitstoot van broeikasgassen te verminderen, et cetera. Maar niet al te zwaar op de hand. We kunnen er best iets leuks van maken. Een beetje glitter en glamour. Groen met een knipoog. Precies iets voor jou.'

'Eh... leuk, ja, waarom niet?'

'Als je ooit om ideeën verlegen zit, kom dan maar bij mij. Ik ben zelf een kind uit de jaren vijftig.'

In zekere zin kon ik de jaren vijftig dus niet loslaten. Of zij lieten mij niet los. Mijn droom bleef aan me knagen. De beelden vervaagden niet. Op een dag ging ik naar het archief om in de stoffige ingebonden kranten uit de jaren vijftig te snuffelen. Ik raakte enorm opgewonden toen ik het verslag van de overstroming las. Er stonden uiteraard geen namen bij, alleen 'van onze verslaggevers'.

Het was ons stuk! Voorzichtig sloeg ik de pagina's om. Kijk, dat stuk had ik geschreven. En daar was Billy's verhaal. En de foto's van George. Dit was het verhaal dat we bij kaarslicht in die kleine pub hadden geschreven, waar we chips met eieren in het zuur hadden gegeten. Het was dus wél echt gebeurd.

Opeens kwam de geur van de oude redactie weer boven, de stapels kranten, de vochtige jassen, de sigarettenrook en de mannelijke geur van bier en zweet. Maar toen deed ik mijn ogen open, en ik zat in de archiefkamer in een hypermodern gebouw op een zeer modern bedrijventerrein. En ik besefte dat ik dit verhaal waarschijnlijk had gelezen toen ik ziek begon te worden. Daarom wist ik het allemaal nog. Daarom had ik erover gedroomd. En ik had mezelf er een rol in gegeven. Niks magie. Niks reis door de tijd. Gewoon een gemene ziekte en levendige dromen.

Ik kwam ook andere verhalen tegen, om dezelfde reden. De stier in de porseleinwinkel, het bezoek van prinses Margaret, de moord in Friars' Mill.

Ik zette het enorme boek terug op de plank, klopte het stof van de voorkant van mijn t-shirt (stretch, lycra, no-iron – super) en worstelde met een gevoel van teleurstelling.

Het had allemaal zo echt geleken. Ik had nog steeds het gevoel dat ik het allemaal had meegemaakt, niet gedroomd: het bootje, hoe we het oude vrouwtje hadden gered, dat we door het water hadden gewaad met het bootje aan een stuk touw achter ons aan, dat ik met Billy in de pub had gezeten en daarna in het licht van de maan over de oude stadswal was gelopen...

Voor een droom was het wel erg heftig geweest.

Ik vroeg Kate, de secretaresse van de Feeks, of er een manier was om de namen van vroegere werknemers te achterhalen. Ik wilde weten of Billy echt had bestaan, of dat ik hem ook alleen maar had gedroomd. Maar ze kon niets voor me doen. Zelfs de administratie beschikte niet over oude gegevens.

'De meeste papieren dossiers zijn weggegooid toen we hierheen verhuisden,' vertelde een van de medewerkers. 'We hebben relevante gegevens in de computer gezet en sommige dossiers uit de beginjaren bewaard vanwege de historische waarde, maar ik herinner me geen Billy West. Ik kan me niet herinneren dat ik die naam ooit ergens ben tegengekomen, het spijt me.'

Maar Richard Henfield was natuurlijk echt; zijn portret hing in het kantoor van de Feeks. De vriendelijke ogen, de slappe kin... en ik herinnerde me zijn grijpgrage handen.

Op een dag toen ik eerder thuis was dan Will zat ik urenlang achter de computer om op internet artikelen over tijdreizen op te zoeken. Ik had op een simpele verklaring gehoopt, maar ik raakte verstrikt in zwarte gaten en golffuncties, twee begrippen die me weinig zeiden.

Als je al het andere hebt geëlimineerd, moet dat wat overblijft de waarheid zijn.

Op een dag had ik een mailtje van Margaret Turnbulls dochter, Rosemary Picton, de directrice van de school.

'Mijn moeder is nog niet volledig hersteld en erg in de war,' schreef ze, 'maar het gaat stukken beter met haar en we willen bekijken hoe het gaat als ze thuis is, vanzelfsprekend met voldoende verzorging en begeleiding. We hopen dat ze in haar vertrouwde omgeving verder opknapt.'

Een paar dagen later ging ik bij haar op bezoek. Will ging mee. We kochten een enorme bos bloemen, een grote doos bonbons en een fles brandy voor haar. Het voelde heel vreemd om naar The Meadows te gaan. Ik herinnerde me dat ik ernaartoe ging op de dag dat ik ziek werd, en daarna in mijn droom, toen de huizen nog onbewoond waren en de tuinen kaal en leeg.

'O, het uitzicht is weg,' zei ik tegen Will toen we uit de auto stapten.

'Wat bedoel je?'

'Vroeger had je uitzicht over de hele stad en de kerk en de rivier. Nu niet meer.'

'Het is lang geleden dat je hiervandaan de rivier kon zien,' zei hij. 'Al die kantoorpanden belemmeren het uitzicht. Sommige ervan moeten al in de jaren zestig zijn gebouwd, net als het recreatiecentrum en de parkeergarage. Ik herinner me dat die werden gebouwd toen ik op school zat.'

We liepen over het tuinpad naar het huis van Margaret Turnbull. Ik haalde diep adem en drukte op de bel. Ik verwachtte dat alles weer zwart zou worden, of dat ik opnieuw in de keuken van Doreen Brown zou belanden, met het kachelfornuis en Sambo.

Maar nee. De deur ging open en Rosemary Picton, de gevreesde directrice van The Meadows School, liet ons binnen. Ze had blond haar, een beetje grijzend, en een vriendelijk, open gezicht. Ze deed me aan iemand denken.

'Wat leuk dat je er bent. Ik ben zo blij dat je bent hersteld. Mijn moeder verheugt zich op jullie bezoek. Kom binnen.'

We liepen achter elkaar aan door de smalle gang en kwamen in een ruime, lichte zitkamer. Er was niet alleen een groot raam aan de voorkant, maar ook een in de zijmuur, en het zonlicht stroomde de kamer binnen. Je had nog steeds een weids uitzicht en het moest schitterend zijn geweest toen het huis net was gebouwd. Mrs. Turnbull, gekleed in een zwarte broek en een felroze trui, zat in een stoel voor het raam. We liepen naar haar toe met alles wat we hadden meegenomen, en toen ze naar me glimlachte zag ik dat de rechterkant van haar gezicht een beetje naar beneden hing, maar haar ogen hadden nog een zekere glinstering. Ze was een formidabele vrouw geweest. Het was aan haar te danken dat het in het zuidelijke deel van The Meadows nog steeds prettig wonen was, in tegenstelling tot de no-goarea in het noorden.

'Rosie!' zei ze heel duidelijk en ze stak haar linkerhand naar me uit.

Ik gaf de bloemen aan Mrs. Picton en draaide me weer om naar haar moeder, en ik nam haar hand stevig tussen de mijne. Ze probeerde me te bedanken voor de bloemen en de bonbons en vooral, denk ik, voor de brandy. Maar ik was juist gekomen om háár te bedanken. 'Mrs. Turnbull, ik weet niet zo goed wat ik moet zeggen. Bedankt dat u mijn leven heeft gered! Want zo is het. Als u er niet was geweest…'

Er stond een krukje naast haar stoel en daar ging ik op zitten, nog steeds met haar hand in de mijne.

'Gaat… weer… beter?' vroeg ze me. Ze praatte heel langzaam en onduidelijk.

'Ik ben weer helemaal beter, dank u. Ik voel me zelfs,' zei ik met een snelle blik op Will, 'beter en gelukkiger dan voorheen, dan ik ooit ben geweest. Ik heb geboft, heel erg geboft. En dat heb ik voor een groot deel aan u te danken. Hoe gaat het met u?'

'Het… gaat. Het… gaat.'

'Ik vind het zo jammer dat ik het stuk over The Meadows in de jaren vijftig niet heb kunnen schrijven.'

Een freelancer had het gedaan toen ik ziek was. Het stuk was goed geschreven, maar ze had Mrs. Turnbull natuurlijk niet kunnen interviewen.

'Heel anders… in het begin. Prachtig uitzicht. Bos aan het eind van de straat… Ik heb mijn best gedaan.'

'Ja, u heeft wonderen gedaan voor de wijk met uw buurtactiviteiten en alles. Dit deel van The Meadows is nog steeds prettig en netjes. En nu verricht uw dochter wonderen op de school.'

'Ben zo… trots.'

'Terecht. Ze is een heel bijzondere vrouw.'

Op dat moment kwam Rosemary Picton de kamer binnen met een groot dienblad met een theeservies en ze zette het behoedzaam op de salontafel.

'Het mooiste servies,' zei ze grijnzend. 'Mijn moeder stond erop.'

Ik keek naar de kop-en-schotels, wit porselein met blauwe bloemetjes. Ze kwamen me bekend voor.

Will, die was opgestaan om de deur open te houden voor Mrs. Picton, bekeek een aantal foto's. De kamer stond er vol mee. Aan de muren hingen prachtige foto's van de stad, en voor de boeken in de boekenkast stond een hele batterij familiefoto's – bruiloften, baby's, diploma-uitreikingen.

'Natuurlijk,' zei Will. 'Uw man was fotogaaf voor *The News*, als ik me niet vergis.'

Verbaasd keek ik op. Dat had ik niet geweten. Ik wist zeker dat ik het niet had geweten. Hoe had ik het kunnen weten?

'Ja,' antwoordde Rosemary voor haar moeder. 'Hij was op zijn veertiende begonnen en hij werkte er nog steeds toen hij in 1994 overleed. Tragisch, hij is veel te jong gestorven. Hij was zo'n schat. Allebei mijn broers zijn in zijn voetsporen getreden. Tony werkt voor de Press Association en David is cameraman bij de BBC. Helaas is het fotografische gen totaal aan mij voorbijgegaan. Digitale camera's zijn uitgevonden voor mensen zoals ik,' besloot ze lachend.

'Heette hij George?'

'Inderdaad. Kijk, dit is hem. Dit is de trouwfoto van mijn ouders.'

Ik keek naar de foto die ze me aangaf. Een jongensachtige man met een stralende, trotse grijns stond naast een iets oudere vrouw, die een boeket bloemen voor haar buik hield alsof ze iets probeerde te verbergen. Ze droeg een jurk en een jasje, een wijd, stijlvol jasje dat sloot met een enkele grote knoop van voren...

Mrs. Turnbull deed haar best om iets te zeggen. 'Jij... jasje... gekocht... bruiloft... zo mooi jasje...'

'Wat zeg je, mam?' vroeg Rosemary vriendelijk. 'Nee, je had dat jasje niet van deze Rosie gekregen. Het was van een andere Rosie. Jij bent getrouwd lang voordat deze Rosie was geboren. Het spijt me,' vervolgde ze tegen mij, 'maar ze is nog steeds een beetje in de war.'

Mijn zenuwuiteinden tintelden. Je valt niet flauw, hield ik mezelf voor, je valt níet flauw. Maar er waren zoveel vragen. Er was zoveel wat ik wilde weten, en Margaret Turnbull was er te slecht aan toe om mijn vragen te kunnen beantwoorden. Ik keek haar aan en haar ogen leken even op te lichten, alsof ze me herkende. Ja, leek ze te zeggen, je hebt gelijk. Ik ben het.

Rosemary schonk een kopje halfvol en gaf het voorzichtig, zonder schoteltje, aan haar moeder. Ik herinnerde me waar ik dat servies eerder had gezien: op de avond van de verloving. De verloving van Peggy en George. Mrs. Brown had haar mooiste servies gebruikt omdat het een bijzondere gelegenheid was.

Ik was bang, opgewonden. Was deze oude dame, die het theekopje nauwelijks vast kon houden, echt Peggy? Dat kon toch niet. Of wel?

Mrs. Turnbull bracht het kopje beverig naar haar mond. Ze nam een heel klein slokje en liet het kopje weer zakken.

'Mrs. Turnbull,' zei Will, 'u heeft geen moment geaarzeld toen u Rosie zag vallen, daar was ik zo van onder de indruk. U wist direct wat er met haar aan de hand was. Als u had getwijfeld, als u niet meteen in actie was gekomen, was Rosie er nu niet meer geweest. Rosie betekent veel voor me, alles. Ik zal u eeuwig dankbaar zijn.' Hij schonk haar zijn meest verpletterende glimlach.

Mrs. Turnbull glimlachte met de helft van haar mond.

'Eigenlijk is het heel triest,' legde Rosemary uit. 'Toen mijn moeder jong was, rond de tijd dat mijn ouders trouwden, had ze een vriendin, een Amerikaans meisje dat bij hen op kamers woonde. Dat meisje is plotseling overleden. Meningitis. Vandaar dat mijn moeder de symptomen herkende. Ze had het al eens eerder meegemaakt en ze heeft zichzelf altijd verweten dat ze haar vriendin niet heeft kunnen redden. Als ze eerder de dokter hadden gebeld, was ze misschien blijven leven. Het is een zeer pijnlijke ervaring voor haar geweest. Ze heeft ons vroeger precies verteld waar je meningitis aan kon herkennen, wat de symptomen waren. Ze wist hoe belangrijk het is om snel te handelen. Grappig genoeg heette dat Amerikaanse meisje ook Rosie.'

'Rosie... heeft... mijn leven... gered,' zei Mrs. Turnbull. 'Rosie... en... George.'

'Ze heeft me nooit het hele verhaal verteld,' zei Rosemary, 'maar ze heeft altijd gezegd dat ze er zonder dat Amerikaanse meisje vandaag niet meer zou zijn geweest. En ik ook niet. Daarom heeft ze mij naar haar genoemd.'

Rosemary.

Opeens was er een vrouw van in de vijftig die naar mij was genoemd. Ik schonk mezelf nog een kop thee in en wilde dat ik er een flinke scheut brandy in kon doen.

Will bewonderde Georges foto's van Watergate voordat het tegen de vlakte ging om plaats te maken voor de ringweg, en Rosemary kwam naar hem toe.

Terwijl zij met elkaar praatten, nam ik Mrs. Turnbulls hand weer in de mijne. 'Peggy? Ben jij het? Ik ben het, Rosie. Rosie, het meisje waarvan jij dacht dat ze uit Amerika kwam en die een tijd bij jullie heeft gelogeerd. Rosie, die je samen met George is gaan zoeken.'

O, wat vond ik het moeilijk te geloven dat dit werkelijk Peggy was. Laat staan dat het tot deze verwarde oude dame kon doordringen dat ik Rosie was. Het zou nooit lukken, maar ik moest het proberen.

'Peggy,' fluisterde ik dringend, 'Peggy. Ben jij het? Was je in verwachting van Rosemary in de tijd dat ik je kende? Ben je gelukkig geweest met George? Wat is er van Billy en Carol geworden? Zijn zij hierheen verhuisd? Wonen ze...' O hemel, dit was echt krankzinnig. 'Wonen ze nog steeds hier?'

Ik brandde van verlangen om het te weten. Als Peggy nu een oude vrouw was, dan moest Billy nu een oude man zijn. Had Carol haar moderne woning gekregen, haar televisie en haar wasmachine? Had ze ooit een betere baan gevonden? Waren zij en Billy gelukkig geweest samen? Er waren zoveel dingen die ik wilde weten.

Het had geen zin. Ik kon Mrs. Turnbull niet met vragen bombarderen. Ze was al zo in de war. Ik zou het alleen maar erger maken. Het was mijn droom. Wat bezielde me dat ik haar wilde gebruiken om alles te verklaren?

Mrs. Turnbull verzamelde haar energie om iets te zeggen. 'Wil zeggen... gelukkig leven... fijne man... lieve dochter... goede zoons... dankzij... Rosie... Blij haar... weer... te zien.' Ze gaf een kneepje in mijn hand.

Ik omhelsde haar. 'Alles is goed gekomen, Peggy,' hoorde ik mezelf zeggen. 'Alles. We mogen van geluk spreken.'

Ze zag er moe uit, maar probeerde nog steeds te glimlachen.

'Ik denk dat het tijd wordt om te gaan, Rosie.' Will legde een hand op mijn schouder. 'Het is veel te vermoeiend voor Mrs. Turnbull.'

We wisselden beleefdheden uit, namen afscheid en liepen naar de deur. Ik keek nog een laatste keer om en heel even kon ik Peggy zien, de jonge Peggy die lachend terugkwam van haar huwelijksreis. Haar uitdrukking van toen gleed vluchtig over het half verlamde en gerimpelde gezicht van Mrs. Turnbull.

'Dag Rosie,' zei ze. En toen: 'Dag Billy.'

'Hij heet Will, mam, niet Billy.'

'Het geeft niet, ik luister naar elke naam,' zei Will.

Intussen keek ik nog steeds naar Mrs. Turnbull, met het wanhopige verlangen Peggy terug te zien, maar haar ogen stonden glazig en de verlamde helft van haar gezicht leek nog slapper te worden. Ze was vertrokken en leek zelfs niet meer te beseffen dat we er nog waren.

'Bedankt voor jullie komst,' zei Rosemary. 'Ik heb mijn moeder sinds haar beroerte niet meer zo levendig gezien. Het is jammer dat ze nog zo verward is. Ze is nu heel erg moe, maar jullie bezoek heeft haar goed gedaan. Kom alsjeblieft nog een keer.'

'Dat doen we,' zei ik.

Maar ik wist dat we niet terug zouden komen. Peggy, Mrs. Turnbull, had al genoeg moeite met woorden en het leven. Het was niet alleen zinloos om haar te gebruiken om mijn dromen of de mysteriën van het leven te ontrafelen, het was ook domweg wreed. We hadden elkaar bedankt. Ik had haar leven en dat van haar dochter gered. Zij had mijn leven gered. Daar zou Peggy blij mee zijn. Het evenwicht was hersteld, de schuld was ingelost. Het verleden was voorbij. Ik hoorde niet in het verleden thuis. Ik had mijn eigen leven in het hier en nu.

26

Het was een schitterende dag. De zon scheen en de tuin van Shire
Hall geurde naar rozen. Leo en Jake, die er prachtig uitzagen in
hetzelfde jacquet, poseerden stralend boven aan de trap, terwijl
de gasten zwaaiden en juichten en camera's flitsten.

Met een eenvoudige en ontroerende plechtigheid waren ze een
samenlevingscontract aangegaan. Leo en Jake hadden elkaar liefde en steun en verzorging beloofd, en dat ze de ander zouden
helpen bij het verwezenlijken van zijn dromen.

'Mooie beloften,' zei Will. 'Als twee gelijken. Niet al die onzin
met gehoorzamen en zo.'

'Dat staat tegenwoordig ook niet meer in de trouwbelofte,' zei
ik en ik gaf hem een zachte tik met het opgerolde programma.
'Niet als je dat niet wilt.'

Aan het eind van de plechtigheid hadden Leo en Jake elkaar omhelsd en nu stonden ze boven aan de trap, hun armen om elkaar
heen geslagen. Ze straalden van trots en geluk.

'En dan nu het belangrijkste!' riep Jake. 'Champagne!'

Een kleine brigade van kelners en serveersters met glazen champagne op dienbladen stond strategisch opgesteld langs het gazon. Om beurten feliciteerden we Leo en Jake en met een glas
champagne in de hand verspreidden we ons over het gazon. Op
de achtergrond speelde een jazzband. De klanken van een saxo-
foon en gelach en het knallen van champagnekurken golfden
door de tuin

De ouders van beide partners waren er en de twee vaders leken
zich niet eens heel erg opgelaten te voelen. Leo's vader voerde
een ernstig gesprek met Jamie over de laatste voorstellen om het
onderwijs te vernieuwen, blij dat hij over iets alledaags kon praten. De uitbundige felicitaties van een paar van Jakes theatraal
aangelegde homovrienden waren tot ver in de tuin te horen. Leo's
vader hield een betoog over de alternatieven voor *a-levels*.

De twee moeders babbelden beleefd met elkaar, in een poging

hun zoons blij te maken door aardig voor elkaar te zijn. Caz was in gesprek met een ongelooflijk nichterige jongeman in een roze pak, die niet uitgepraat raakte over haar jurk.

'Het is een vintage,' legde ze uit. 'Een kopie uit de jaren zeventig van een ontwerp uit de jaren dertig en ik heb hem alleen een beetje opgeleukt.'

'Nou, je ziet eruit als de hertogin van Windsor, alleen veel verrukkelijker,' zei hij.

Twee kleine meisjes, nichtjes van Jake, zaten op het gras en vlochten kransen van madeliefjes. We liepen om hen heen en beschermden angstvallig onze glazen om geen champagne op hen te morsen.

'Leuk feest,' zei Will en hij pakte nog een glas toen een van de serveersters langsliep met haar dienblad.

'Het is een prachtige dag. Echt volmaakt. Ik kan bijna vergeten dat ik in het ziekenhuis heb gelegen. Ik weet dat het een cliché is, maar ik wie niet hoe ik het anders moet zeggen: ik ben zo blij dat ik nog leef.'

'Jij bent niet half zo blij als ik.' Will drukte een kusje op mijn neus.

Er was een grote afvaardiging van *The News* en onder hen de Feeks, met een designerzonnebril, die hof hield op een stenen bankje in de schaduw van een boom. Ze legde iemand iets uit, haalde een pen uit haar tas en krabbelde iets op het programmablaadje. Ze keek op, duwde de zonnebril weer omhoog op haar neus en keek toen van onder haar pony recht naar mij.

Opeens was ik terug aan de keukentafel van de Browns. Ik wíst dat ik haar ergens van kende.

'Will... wat is de voornaam van de Feeks?'

'Jan natuurlijk.'

'Ja, dat weet ik wel, maar waar is Jan een afkorting van?'

'Dat weet ik niet. Is het een afkorting? Janet, denk ik. Nee, wacht eens even, ik weet dat ik het een keer heb gezien. Janice, dat is het. Ik weet nog dat ik haar geen type vond om Janice te heten, maar ik had het mis.'

Ik keek naar Jan Fox in haar moderne designeroutfit, naar haar glanzende haar en onberispelijke make-up, haar stijl en zelfvertrouwen. Ik herinnerde me het kleine, onfrisse meisje met de kapotte bril en haar onstilbare honger naar eten, naar leren, naar het leven. Ik kon het niet vragen. Ik kon het gewoon niet.

Ik rilde en Will sloeg een arm om me heen. 'Gaat het?'

'Ja, ja. Niets aan de hand.'

De maître kondigde aan dat we aan tafel konden. Er was heerlijk eten, meer wijn, en er waren knalbonbons met grapjes en serpentines. Leo en Jake hielden allebei een toespraak waarin de woorden 'mijn partner en ik' vaak voorkwamen. Hun vaders begonnen zich te ontspannen. Hun moeders glommen van trots. De magie van een bruiloft, of een samenlevingsovereenkomst, begon te werken.

'Ik zou een moord doen voor een lekker glas bier,' zei Jamie.

'Heb de moed niet,' siste Caz.

In de vroege avond waren we terug in de tuin, waar de jazzband was vervangen door een bandje dat hits uit de jaren tachtig en negentig speelde. Jongleurs vertoonden hun kunsten bij de rozenstruiken en een goochelaar deed trucs.

'Meneer,' zei de goochelaar tegen Will, 'heeft u misschien een bankbiljet voor me?'

Lachend pakte Will zijn portefeuille en haalde er een briefje van twintig uit.

'Kunt u er iets op schrijven?' vroeg de man. 'Uw initialen misschien?'

Braaf krabbelde Will zijn initialen op het bankbiljet en gaf het terug aan de goochelaar, die het prompt verscheurde en de snippers in het rond strooide. Wills gezicht was niet te filmen. De goochelaar opende zijn handen. Geen bankbiljet. Schudde zijn mouwen. Geen bankbiljet. Keerde zijn zakken binnenstebuiten. Niets.

Will glimlachte nog wel, maar een beetje als een boer met kiespijn. Toen krabde de goochelaar zich zogenaamd verbluft achter zijn oor, en ja hoor, daar was het briefje van twintig, compleet met krabbel.

Dit keer was Wills lach oprecht. 'Hoe dééd u dat?' vroeg hij. 'Ik heb de hele tijd naar uw handen gekeken en niets gezien.'

'Er is meer tussen hemel en aarde... Soms kun je je ogen niet geloven,' zei hij en liep door naar een volgend groepje.

'Maar ik heb heel goed gekeken!' Will bestudeerde het briefje zorgvuldig voordat hij het terugdeed in zijn portefeuille. 'Handig gedaan. Zo zie je maar weer dat schijn bedriegt.'

'Als ik nou íéts heb geleerd, dan is het dat wel!'

De stemming was heerlijk ontspannen na het eten en al die glazen wijn. Een van de mooie jongens danste met een nichtje van Jake. Ze hadden allebei een kroon van madeliefjes op hun hoofd. Jamie was aan het swingen met iemands bejaarde tante en Caz flirtte met Leo's vader. De twee moeders zaten op een bankje, met hun deftige hoeden en uitgeschopte schoenen naast zich.

'Zo te zien zijn ze heel erg gelukkig met elkaar,' zei de een.

'Zeg dat wel,' beaamde de ander. 'Ze zijn zielsgelukkig. Iedereen kan zien dat ze voor elkaar zijn gemaakt.'

'Voor mij telt alleen dat mijn zoon gelukkig is.'

'Voor mij ook. En moet je ze eens zien. Je kunt je geen gelukkiger stel voorstellen.'

Leo en Jake kwamen arm in arm naar hun moeders toe en lachend pakten ze hun handen om hen dansend mee te voeren over het gazon, met zijn vieren in een kringetje. De moeders, duidelijk blij met het koele gras onder hun kousenvoeten, lachten om het geluk van hun zoons.

En opeens gingen ze weg. Er gingen dienbladen rond met ijstaart, koffie en likeur, en Leo en Jake stonden weer boven aan de trap. Ze bedankten ons allemaal voor onze komst en wierpen onder luid gejuich van de gasten kushandjes.

'Ik heb geen boeket dat ik kan gooien,' zei Jake, 'dus in plaats daarvan komt hier... mijn corsage.' Hij trok de bloem uit zijn knoopsgat en wierp die met een zwierig gebaar naar de verzamelde gasten onder aan de trap.

De jongen in het roze pak stak zijn hand ernaar uit, net als een paar anderen. Maar tot mijn verbazing maakte Will een hoge sprong en plukte de bloem boven de hoofden van alle anderen uit de lucht.

'Ik ben altijd goed geweest in een *line-out*,' zei hij, en er werd geapplaudisseerd en gejuicht en met voeten gestampt.

Er werd nog veel harder gejuicht toen hij de bloem in het zeer diepe decolleté van mijn jurk stak.

'Nu zijn jullie aan de beurt!' riep Jake. 'En tot nu toe kan ik het van harte aanbevelen.'

Daar gingen ze, op weg naar het vliegveld voor hun reis naar de poolcirkel, waar ze vierentwintig uur daglicht wilden meemaken. Nadat de gasten hen onder het uitroepen van gelukwensen hadden uitgezwaaid, deelden ze zich weer in kleinere groepjes op. Sommige maakten aanstalten weg te gaan, andere bestelden nog iets te drinken en er waren zelfs enthousiastelingen die plannen maakten naar een club te gaan. De tantes en ouders waren inmiddels de beste vrienden, dolblij dat de dag zo feestelijk was verlopen.

'Wat wil jij nu doen?' vroeg Will terwijl ik mijn jasje aantrok.

'Ik wil in elk geval niets meer eten of drinken, minstens een week niet meer.'

'Laten we dan naar huis gaan. Zal ik een taxi bellen?'

'Nee, laten we gaan lopen.'

Shire Hall was in het oude deel van de stad en ik wist precies hoe ik naar huis wilde lopen. Via een pad tussen tuinen door en over een kleine binnenplaats bereikten we de laan met statige herenhuizen waar tegenwoordig advocaten en pr-adviseurs kantoor houden, totdat we uitkwamen bij de trap naar de oude stadswallen. De tapasbar was bomvol en zelfs op de trap en de muur stonden mensen, maar na twintig of dertig meter begon het rumoer te vervagen en waren we alleen.

In het zachte avondlicht konden we de rivier en de oever aan de overkant zien. De oude stenen weerkaatsten het tikken van mijn hoge hakken.

'De laatste keer dat we hier liepen hoorde je alleen het klotsen van mijn kaplaarzen.'

'Dat herinner ik me niet.'

'Eh... nee, het was niet met jou, niet in het hier en nu.'

'Je droom? Mijn alter ego?'

'Precies.'

Er stond nu een bankje waar toen ook al een bankje had gestaan. Nieuw bankje, oude muren. We gingen zitten en ik keek uit over de rivier. Alle straatjes met oude huisjes waren weg. In plaats daarvan stonden er nu peperdure appartementen met een grote groene grasvlakte ertussen, doorsneden door een keurig fietspad.

'Er stond daar een klein huisje, waar je alter ego woonde met Caz en de kinderen. Het was een vreselijk huis, heel pittoresk, maar donker en vochtig en muf, geen elektriciteit, en er was alleen in de keuken een koude kraan. Maar jij had een grote tuin die helemaal tegen de heuvel op liep, met keurige rijtjes groente. En je had een oud schuurtje dat je wilde vervangen en een broeibak die je samen met je zoon had gebouwd.'

Ik herinnerde me de saamhorigheid van het gezinnetje en de pijn die ik had gevoeld omdat ik geen deel uitmaakte van Wills leven. Ik kon bijna niet geloven dat hij nu naast me zat. Ik leunde tegen hem aan, dolblij dat ik het recht had om tegen hem aan te kruipen, dat ik hem de mijne kon noemen.

'O, nu weet ik het weer!' Will schoot overeind.

'Wat? Dat je een vrouw en kinderen hebt en van tuinieren houdt?' Ik kon nu bijna, bíjna, grapjes maken over mijn droom.

'Nee, er was vanochtend een brief van de makelaar. De postbode kwam er net aan toen ik de auto ging halen en ik heb de brief in mijn zak gestoken en ben hem toen straal vergeten.'

Hij haalde een envelop uit zijn zak en scheurde die open. 'Het zal wel net zoiets zijn als de andere belachelijk dure poppenhuizen die hij ons heeft gestuurd.' Hij keek. 'Alhoewel...'

Ik griste het bovenste vel uit zijn hand en tuurde in het laatste beetje daglicht naar de foto van een huis, een degelijk, vierkant huis zonder franje, omringd door een tuin. Het huis sprak me onmiddellijk aan. Het deed iets met me.

'Drie slaapkamers... twee huiskamers... originele open haarden... moet opgeknapt worden... voldoende ruimte voor extra kamers.' Will las de details hardop voor terwijl ik nog steeds naar de foto keek. 'Grote, goed onderhouden tuin met gazon, fruitboomgaard en moestuin...

Ik denk dat tuinieren wel iets voor mij is,' mijmerde Will. 'Het is me toch ook gelukt om die chilipepers te kweken? Ik kan het leren. Het lijkt me leuk om naar buiten te gaan en je eigen verse groente te oogsten. Denk je eens in!' Hij zag zichzelf nu al als de nieuwe Monty Don.

'Ik zal ze morgen bellen en dan gaan we kijken, vind je dat wat?' opperde hij. 'Omdat het opgeknapt moet worden is het bijna betaalbaar. Maar dat kunnen we wel. We hebben de rest van ons leven de tijd. Als ik tenminste niet bezig ben de grootste pompoen van de eeuw te kweken of zoiets.'

Ik moest erom lachen. 'Ik weet wat,' zei ik. 'Ik wil zelfs wel een schuurtje voor je kopen.'

'Een schuurtje! Afgesproken.'

Will trok me overeind en sloeg zijn armen om me heen. Het bankje en de stadswal en de rivier, en de herinnering aan dat vochtige kleine huisje losten op in de duisternis toen Will en ik verder liepen, onze toekomst tegemoet.

EPILOOG

Krantenknipsels:

Journalisten vinden het geluk
Twee journalisten van *The News* zijn gisteren in St. Bartholomew's Church getrouwd. Will West (30) is onlangs benoemd tot adjunct-hoofdredacteur van *The News*, en Rosie Harford (29) schrijft de populaire column 'Flitsend Groen', en is tevens de auteur van de gelijknamige bestseller. Ze trouwden een jaar nadat Ms. Harford op het nippertje een hersenvliesontsteking overleefde.

Geboorteberichten
Op 4 september geboren: tweelingzoons Adam en Owen van Will West en Rosie Harford. Moeder en baby's maken het goed, vader nog in shock.

(foto-onderschrift) Caz Carter, voormalig journaliste van *The News*, speelt deze week de hoofdrol in haar eigen verhaal bij de opening van Spangles, een trendy boetiek voor vintage- en retrokleding, aangepast aan de hedendaagse mode. Caz (links) draagt een originele katoenen rok uit de jaren vijftig, bedrukt met een patroon van een Parijs' straattafereel. Haar zakenpartner is een vroegere collega, columniste en auteur Rosie Harford, die zich ervoor heeft ingezet om de groene manier van leven flitsend te maken.

Onderscheiding voor schoolhoofd
Rosemary Picton, directrice van The Meadows Comprehensive School, is benoemd tot Officier in de Orde van het Britse Rijk (OBE). Mrs. Picton (57) staat nu acht jaar aan het hoofd van de school met 1600 leerlingen en de recente metamorfose wordt aan haar toegeschreven. Acht jaar geleden dreigde het ministerie van

Onderwijs nog met speciale maatregelen, terwijl de school nu de beste prestaties levert van alle scholen in de regio en zelfs een wachtlijst heeft.

'Ik neem deze onderscheiding vol trots in ontvangst, uit naam van onze fantastische leerlingen,' verklaarde Mrs. Picton. 'En uit naam van onze leerkrachten, die zo hard werken en zich met volle overgave inzetten voor de school. Het enige wat ik jammer vind, is dat mijn moeder dit niet meer heeft mogen meemaken. Ze heeft altijd gezegd dat ieder kind een kans verdient in dit leven, en daarmee is ze voor mij een bron van inspiratie geweest.'

Hoofdredactrice met pensioen

De hoofddirectrice van The News, Jan Fox, neemt aan het eind van het jaar afscheid van de krant. Sinds haar terugkeer naar The News, waar ze in de jaren zestig stage liep, heeft de krant een enorme ontwikkeling doorgemaakt en tal van prijzen in de wacht gesleept. 'We hebben altijd geprobeerd om de moderne technologie ten volle te benutten en tegelijkertijd onze normen en waarden te behouden,' zegt Ms. Fox, die in de jaren tachtig en negentig van de vorige eeuw haar eigen televisieshow had.

Ze is benoemd tot erevoorzitter van de Parkfields Trust, een plaatselijke instelling voor geestelijk gehandicapte kinderen. 'Het lot van deze kinderen ligt mij al heel lang na aan het hart en ik ben dankbaar dat ik nu de kans krijg om me actief voor hen te kunnen inzetten,' zegt Ms. Fox.

Meevaller voor plaatselijke school

De kinderen van Prendergast Primary School worden een stuk avontuurlijker, dankzij een legaat van een oud-leerling. De Australische krantenmagnaat Philip Tasker, die onlangs op tachtigjarige leeftijd overleed, was voor de oorlog een leerling op Prendergast. Hij heeft de school een bedrag van honderdduizend pond nagelaten, op voorwaarde dat het geld wordt gebruikt om de horizon van de kinderen te verruimen.

Mr. Tasker begon zijn carrière bij The News, ging daarna naar Fleet Street en emigreerde vervolgens naar Australië, waar hij eigenaar was van diverse kranten.

Zijn zoon David zei in een toelichting: 'Mijn vader had veel gelukkige herinneringen aan zijn jeugd in Engeland en hij wilde iets doen voor zijn oude school, die hem zo'n goede start in het leven had gegeven.'

WELKE TIJD PAST HET BESTE BIJ JOU?

Rosie Harford kwam in de jaren vijftig van de vorige eeuw terecht en ontdekte hoe lastig het is voor een moderne meid om
in een eerder tijdperk te leven.
Welk tijdperk past het beste bij jou?
Doe onze grappige quiz, dan weet je het!

Vragen
1. Waar ga je op vrijdagavond het liefst uit met de meiden?
2. Van wat voor soort films houd je?
3. In welke outfit uit je klerenkast zie je er altijd het geweldigst
   uit?
4. Bij wat voor soort eten loopt het water je in de mond?
5. Voor welke look kies je het liefst met make-up?

Vraag 1
A) Je geniet van een avond in een kleine discotheek waar vooral veel ABBA wordt gedraaid.
B) Je bent vaak te vinden op een bowlingbaan, waar je helemaal
   uit je dak gaat.
C) Je houdt van alternatieve indierock en gaat naar kleine clubs,
   waar je kunt dansen met langharige jongens die eyeliner gebruiken.

Vraag 2
A) Je geniet van een avondje thuis voor de buis met een selectie
   John Hughes-dvd's, zoals *The Breakfast Club* of *Pretty in
   Pink* of misschien zelfs *Weird Science*!
B) Je zit het liefst weggekropen in een deken op de bank met
   een kom popcorn en klassiekers zoals *Singin' in the Rain* of
   Some Like it Hot – je vindt dat de films van tegenwoordig
   het niet halen bij de oudjes.
C) Je bent vaak te vinden in de grote bioscopen om je te verba-

zen over de verbijsterende special effects in *Lord of the Rings* of *Pirates of the Caribbean.*

Vraag 3

A) Witte naaldhakken, perzikroze mantelpak met schoudervullingen en veel ruches.

B) Een strapless topje met baleinen en je wijdste cirkelrokje (en een petticoat eronder), schoenen met een klein hakje en een rode lippenstift... en een duizelingwekkende suikerspin!

C) Strakke designerjeans in kniehoge laarzen met puntige neuzen, gecombineerd met een bloot topje en een KOLOSSALE handtas onder je arm.

Vraag 4

A) Je ideale etentje bestaat uit kaasfondue met een aardbeienpavlova toe.

B) Je bent gek op *comfort food* zoals stamppot met worst en appeltaart met slagroom.

C) Je bent altijd te vinden in de natuurwinkel, waar je tahoe en biologische kip koopt, om dan een supersimpel gerecht te maken uit de nieuwste Jamie Oliver.

Vraag 5

A) Felblauwe oogschaduw met kauwgom-roze lippenstift van Rimmel, een bruine blusher en een wolkje Charlie.

B) Katachtige eyeliner (van een compact blokje), een dikke laag zwarte mascara en een lichte foundation, gecompleteerd met zwoele rode lippenstift.

C) Je hebt altijd een zelfbruinende crème bij je, lipgloss met een smaakje en je *touche éclat* concealer voor de kringen onder je ogen.

VOORNAMELIJK A'S: JE HEBT DE JAREN TACHTIG IN JE HART GESLOTEN

Je voelt je helemaal thuis in de jaren tachtig en vindt het niet meer dan logisch dat neon, korte wijde rokjes en schoudervullingen nu weer op de catwalk verschijnen. Geniet van een blokje kaas met een stukje ananas (uit blik) aan een cocktailprikker, maar vergeet niet: lunchen is voor watjes.

VOORNAMELIJK B's: JARENVIJFTIG-GLAMOUR

Je bent een glamourgirl in hart en nieren, en waarschijnlijk begroet je je vriend in een gebloemd schort, met hoge hakken en parels, en komen er dan de heerlijkste geuren uit de oven – al is het maar een kant-en-klaarmaaltijd van de betere supermarkt.

VOORNAMELIJK C's: GEHEEL VAN DEZE TIJD

Je bent een door en door moderne meid, en je vindt het fantastisch dat de eenentwintigste eeuw je het beste van alle werelden kan bieden, zoals de flamboyante mode uit de jaren twintig, een sushibar waar je online kunt bestellen... en het feit dat je dankzij je betrouwbare iPod altijd en overal naar je favoriete muziek kunt luisteren.